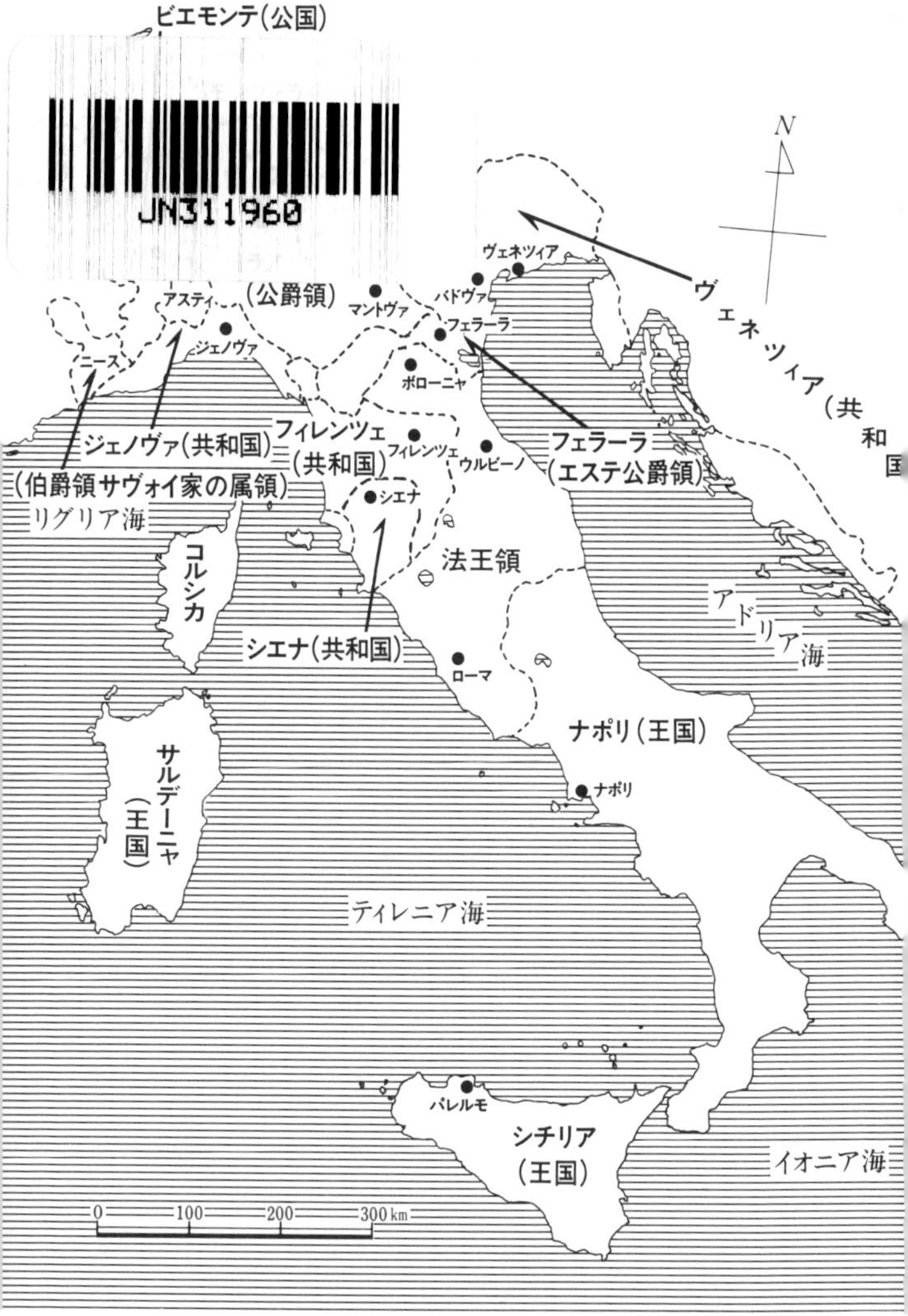

15世紀末のイタリアの政治地理

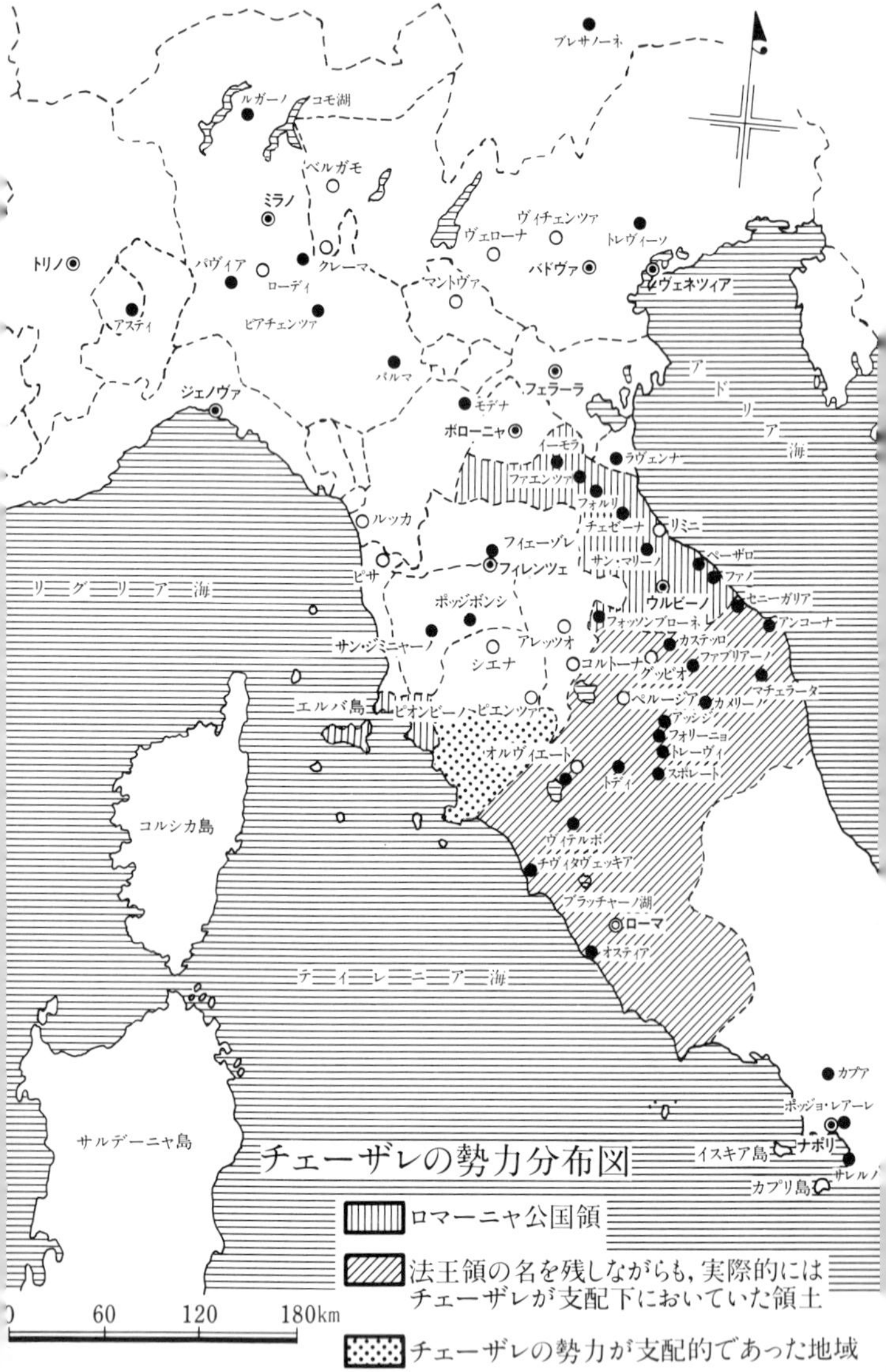
チェーザレの勢力分布図
ロマーニャ公国領
法王領の名を残しながらも，実際的には
チェーザレが支配下においていた領土
チェーザレの勢力が支配的であった地域
0
60
120
180km
ブレサノーネ
ルガーノ
コモ湖
ベルガモ
ミラノ
トリノ
パヴィア
ローディ
クレーマ
アスティ
ピアチェンツァ
ヴィチェンツァ
ヴェローナ
トレヴィーソ
パドヴァ
ヴェネツィア
マントヴァ
パルマ
ジェノヴァ
フェラーラ
モデナ
ボローニャ
イーモラ
ラヴェンナ
ファエンツァ
フォルリ
チェゼーナ
リミニ
ルッカ
ピサ
フィエーゾレ
フィレンツェ
サン・マリーノ
ペーザロ
ファノ
ウルビーノ
セニーガリア
アンコーナ
リ－グ－リ－ア－海
ポッジボンシ
フォッソンブローネ
カステッロ
サン・ジミニャーノ
アレッツオ
ファブリアーノ
シエナ
コルトーナ
グッビオ
マチェラータ
ペルージア
カメリーノ
エルバ島
ピオンビーノ
ピエンツァ
アッシジ
フォリーニョ
オルヴィエート
トレーヴィ
トディ
スポレート
コルシカ島
ヴィテルボ
チヴィタヴェッキア
ブラッチャーノ湖
ローマ
オスティア
テ－ィ－レ－ニ－ア－海
ア
ド
リ
ア
海
カプア
ポッジョ・レアーレ
サルデーニャ島
イスキア島
ナポリ
サレルノ
カプリ島

新 潮 文 庫

チェーザレ・ボルジア あるいは優雅なる冷酷

塩 野 七 生 著

新 潮 社 版

2897

読者へ――「若書き三部作」を再び文庫の形で世に問うにあたって

作家になるなど考えもしないでイタリア生活を愉《たの》しんでいた私が、偶然に出会った人に推《すす》められるままに書いた最初の作品が、『ルネサンスの女たち』です。勉強と執筆に要した時期は、二十九歳から三十歳にかけて。それが『中央公論』誌上に掲載された後で一冊の書物にまとめられて刊行されたのは、翌年ぐらいであったかしらと思います。

二作目になる『チェーザレ・ボルジアあるいは優雅なる冷酷』は、雑誌掲載を経ずにいきなり単行本として書き下ろした作品ですが、執筆時期はその直後。なにしろ、『女たち』を書き終えるやただちに『チェーザレ』にとりかかっていたので。それでも書店に出たのは三十二歳になってからでした。

三作目がその翌年には早くも書き始めていた『神の代理人』。『女たち』と同じく雑誌掲載を経て単行本化されたのは、私が三十五歳の年になってから。つまりはこれら三作品は、二十台の終わりから三十台の前半までに書かれたことになります。

これらを、書いた本人である私が久しぶりに読み返したうえでの感想を一言で言えば、微苦笑、でしたね。なぜなら三作とも、「若書き」の特徴がはっきりと出ていたからで、そのマイナス面は肩に力が入っていること。要するに大上段に振りかぶる感じの書き方を、ときにはしているということです。ただしこれも、あらゆる現象はプラスとマイナスの両面で出来ている、という考えが正しければ、プラスに変わりうる。当時の私の胸中を満たしていた想いが一挙に噴き出した作品だった、と言えないこともないからです。

昔から私は、世間が言う「イイ子」ではなかった。それも思春期を過ぎて若者の世代に入るようになると、当時の日本社会を満たしていた微温的な雰囲気への嫌悪《けんお》がますます高まります。みんなで仲良く、なんて嘘《うそ》っぱちだと思っていたし、それで社会が進んでいると思って疑わない当時の日本のエリートたちが大嫌いだった。この想いが、西欧の、それも昔の西欧の歴史と〝対決〟したことによって噴出したのでしょう。

なにしろ、女たち、若い男、成熟した男たち、と対象は変わっても、それを書いている私の胸の中には、イイ子でいたんでは生きていけないんですよ、昔のヨーロッパにはこういうたくましい人間が生きていたんです、と日本人に突きつけたい想いでいっぱいだったのですから。まるで、私自身が、噴き出すのを待っているマグマでもあるかのように。


娘の頃に読んだのでどの作品かは忘れたけれど、アンドレ・ジイドは次のように書いています。

トルストイという山は、ふもとからでも見える。だが、そのトルストイという山に登ると、その向うにはドストエフスキーという山がそびえ立っているのが見える、と。

『女たち』も『チェーザレ』も『神の代理人』も、ふもとにいても見えた山なのです。だから舞台も、当時の私が住んでいたローマとイタリアに集中している。眼をつぶっていても情景がわかる土地を、舞台に選んだからでした。

そして、この山を登り終えた私の視界に入ってきたのが、その向うに高くそびえるヴェネツィアとフィレンツェ。この山にも登った成果が、『海の都の物語』と『わが友マキアヴェッリ』に結実します。そして、またもこれに登った私の視界に入ってきたのが、はるかその向うに延々とつらなる古代ローマという山脈でした。これもまた十五年かけて踏破した後、ルネサンスと古代の間にはさまれた中世が、まだ手つかずであったのに気づく。それで、一千年間にもおよぶ中世を体現していた三つの山にも登ることになってしまったのです。

第一の山は、地中海を舞台にくり広げられた海賊と海軍をめぐる一千年間のお話。『ローマ亡き後の地中海世界』と名づけた作品です。パクス・ロマーナ崩壊後の地中海は、北アフリカから襲ってくる海賊と、それへの防衛に海軍をつくって立ち向かう南ヨーロッパの激突の舞台になったからでした。

第二の山は、同じくイスラム教徒対キリスト教徒の激突でも、北ヨーロッパから中近東に攻めこんだキリスト教徒と、それを迎え撃つイスラム教徒の間でくり広げられた十字軍をめぐる物語。

第三の山は、表題はまだ未定なのでここでは書けませんが、現在準備中の作品。この三つにすでに書いている『海の都の物語』を加えた四作品で、長い中世の主要なところは〝登頂〟可能だと思っているのです。

このような具合で、「若書き三部作」で始まった私の作家キャリアも、眼の前にあらわれた山をひとつひとつ登っていくことで進んできたのでした。つまり、この「三部作」は、歴史作家としての私のスタートであったことになります。

たしかに、若書きゆえの欠点はある。しかし、それらを改めることはしませんでした。若い頃の勢いは、そのままで残すほうがよいと考えたからです。若さゆえの未熟には、それなりの良いところもある、と。

神は細部に宿る、と信じている私は、これまでにただの一度も、「一冊でわかる世界史」、とか、「早わかり西洋史」、とかを書くのを拒絶してきました。歴史という複雑な人間世界を描き出すのに、手っとり早くまとめてしまってはその真実に迫るのは不可能と思っていたし、それよりも何よりも、簡単にまとめてしまうのではあの時代でも懸命に生きた人々に対して礼を失する、と思っているからです。

そういうわけでいつも細部《ディテール》まできっちり書いてしまい、おかげで一冊が厚くなってしまい、それを買って読んでくださるあなたには常に申しわけないと思っているのですが、神は、つまり真理は細部に宿るのだ、とでも考えて許してください。申しわけないことに、この私の姿勢《スタイル》は死ぬまで直りそうもないようなので。

追伸

作家には必ず、「青春の一書」というものがあります。主人公も若ければそれを書く著者も若く、また読む側も常に若かったという作品。『チェーザレ・ボルジアあるいは優雅なる冷酷』は、そのような作品でした。

原稿の最後の一行を書き終えたときにはじめて夜が明けていたのに気づいた私でしたが、窓を開け放ち、早朝の白い光とひんやりした冷気を胸いっぱいに吸いこんだのを、半世紀近くが過ぎた今でもはっきりと覚えています。その日は七月七日の朝で、私はその日、三十一歳の誕生日を迎えたのです。作品を書き終えたという充足感とともに、もう子供ではないのだと自分に強く言い聞かせながら。

これ以上、言うことはありません。作品が、すべてを物語ってくれるでしょう。女であることなどきっぱりと忘れて、自分と同年代の男を描くのに全力投球できたというだけでも、忘れがたい体験でした。

二〇一二年・春、久しぶりに帰国した日本で

塩野七生

ローマのある貴族の家に、ひとふりの剣が所蔵されている。

この剣は、その美しさから、何世紀もの間〝剣の女王〟と言われてきた。そこにほどこされた金銀の細工の見事さは、有名な金細工師エルコレ・デ・フェデーリの作と鑑定されている。細工のデザインは、ミケランジェロによるという説をとる人もいるし、ラファエッロの作品だとする人もいる。しかし、これが作られた時期から見て、おそらくピントゥリッキオの手になったものと思われる。

この剣は、その凝った装飾からも、人間の熱い血を吸うために使われたのではなく、儀式の時に持たれたものか、それともただ単に、依頼主が時折手に取って楽しむために作られたのであろう。

これが、チェーザレ・ボルジアの剣である。

法王の息子というキリスト教世界での異端児として生れ、それでいながら、当時の最高の権威であった法王庁を徹底的に自分のために利用することによってカトリック教会の現実を見せつけ、一度は身にまとった、生涯の栄誉と安定を保証していた枢機《すうき》卿《けい》の緋《ひ》の衣を投げ捨ててまでイタリアを統一して、そこに自らの王国を創立しようとした彼の野望は、今日にいたるまでの五百年間、歴史が彼を、ルネサンス時代の「メフィストフェレス」として弾劾《だんがい》してきた理由となった。

歴史だけではない。文学も音楽も同様である。ヴィクトル・ユーゴーは、その戯曲『ルクレツィア・ボルジア』で、ドニゼッティも同名の歌劇で。そして、『ボルジア家の毒薬』という題名の映画さえ作られた。

しかし、メフィストフェレスの魅力は不滅である。

バートランド・ラッセルも言っている。「残念ながらわれわれは、善人からよりも、悪人からより多く学ぶものである」と。

そして、チェーザレ自身は、生前ただの一度も自分を弁明しようとはしなかった。自分の悪業《あくごう》に対する彼の弁明は、それが策として有効であった場合にのみ限られる。彼は、自らを語ることの極度に少ない男であった。

自らを語るという甘えを嫌ったチェーザレが、ただ一度その若い野望を古代風の寓《ぐう》意《い》によってあらわしたのが、この剣である。

やや太目の柄は、金箔《きんぱく》を張った銀で作られ、彫金とさまざまな色の宝石のはめこみが、その美しさに生命を与えている。柄の先端には、これも見事に彫金をほどこされた円型の飾りがつき、その中央に小さな星が置かれてある。彼の星であろう。刀身のもと、二つの三日月型の鍔《つば》が左右に彎曲《わんきょく》するその間に、三角形をした碧色《みどりいろ》のはめこみがあり、それには彼ら一族、ボルジア家の紋章である一頭の赤い雄牛が彫られてある。そしてそこには、銀字で次のようにきざまれていた。

"CES. BORG. CAR. VALENT"

(ヴァレンティーノ枢機卿チェーザレ・ボルジア)この銘によって、この剣は、彼が枢機卿であった時期、すなわち彼の十八歳から二十二歳の時期に作られたものということになる。

刀身は、その長さの三分の一ほど、鍔に近いところが金地になっている。表と裏のその幅広の面は、それぞれ二つに区切られていて、そこには合わせて四つの象徴的な図柄が彫りこまれてある。おそらくチェーザレが、自ら希望してそのような図柄とラテン語の文字を、指定したのであろう。
表の第一面には、飾られた祭壇の上に、儀式にのっとって神格化された雄牛が描かれ、そこに“D. O. M. HOSTIA”（神は最高にして偉大なるもの、それへの犠牲）と彫られてある。そのまわりには、供物《くもつ》を捧《ささ》げ持った汚れない乙女たちが、半裸身ではなやかに群れ踊り、それを次の文字が取りかこむ。
“CUM NUMINE CAESARIS OMEN”
この意味は、カエサルの偉大な力への前兆と共に、と解されよう。チェーザレとは、ラテン語のカエサルのイタリア語読みでもある。チェーザレ・ボルジアは、この名の共通性から、古代ローマの将軍ユリウス・カエサルに対して、自らをその彼につづく者と念じていたことがうかがわれる。
それは、第二面に来てより明確になる。そこには、ルビコン川の渡りが彫られ、
“IACTA EST ALEA”（賽《さい》は投げられた）という史上有名なユリウス・カエサルの言葉がきざまれている。以上の二面からは、力による勝利への確信が見られよう。
一転して裏面の二つとなると、それまでの力による勝利から、高い調和の中での生の讃美《さんび》を寓意するものに代る。まずそのうちの一面には、カエサルの凱旋《がいせん》が描かれている。軍旗が風にひるがえり、凱旋を祝う神々の中に、“FIDES”（信義）も加わって

いる。そしてそこには、次の文章がきざまれている。

"FIDES PRAEVALET ARMIS"

すなわち、信義は武器に勝る、と。

最後の一面には、崩れた円柱の上に地球が安置され、それを、羽を広げた大鷲《おおわし》がいだいた図が描かれ、円柱の下には鹿《しか》が坐《すわ》り、そのまわりを回復された平和への喜びを祝う踊りがくり広げられている図で終っている。

しかし、三十一年という短い生涯しか持たなかったチェーザレは、表の第二面にすら到達することなく死を迎えねばならなかった。当然、それに続く願いとして裏面に彫られた、高い調和の中での生の讃美は、この若者には少しも関係のないもののままに終った。

チェーザレ・ボルジア
同時代の作家パオロ・ジョーヴィオの『偉人伝』挿図

目次

ボルジア家主要人物

チェーザレ・ボルジア（1475—1507）

父　ロドリーゴ（1431—1503）
法王アレッサンドロ六世

母　ヴァノッツァ・カタネイ

弟　ホアン（1476—1497）
二代ガンディア公

弟　ホフレ（1481—1516）

妹　ルクレツィア（1480—1519）

ボルジア家の系図（主な人物）

聖職者には結婚が許されていないため、法王の子は、すべて庶子ということになる

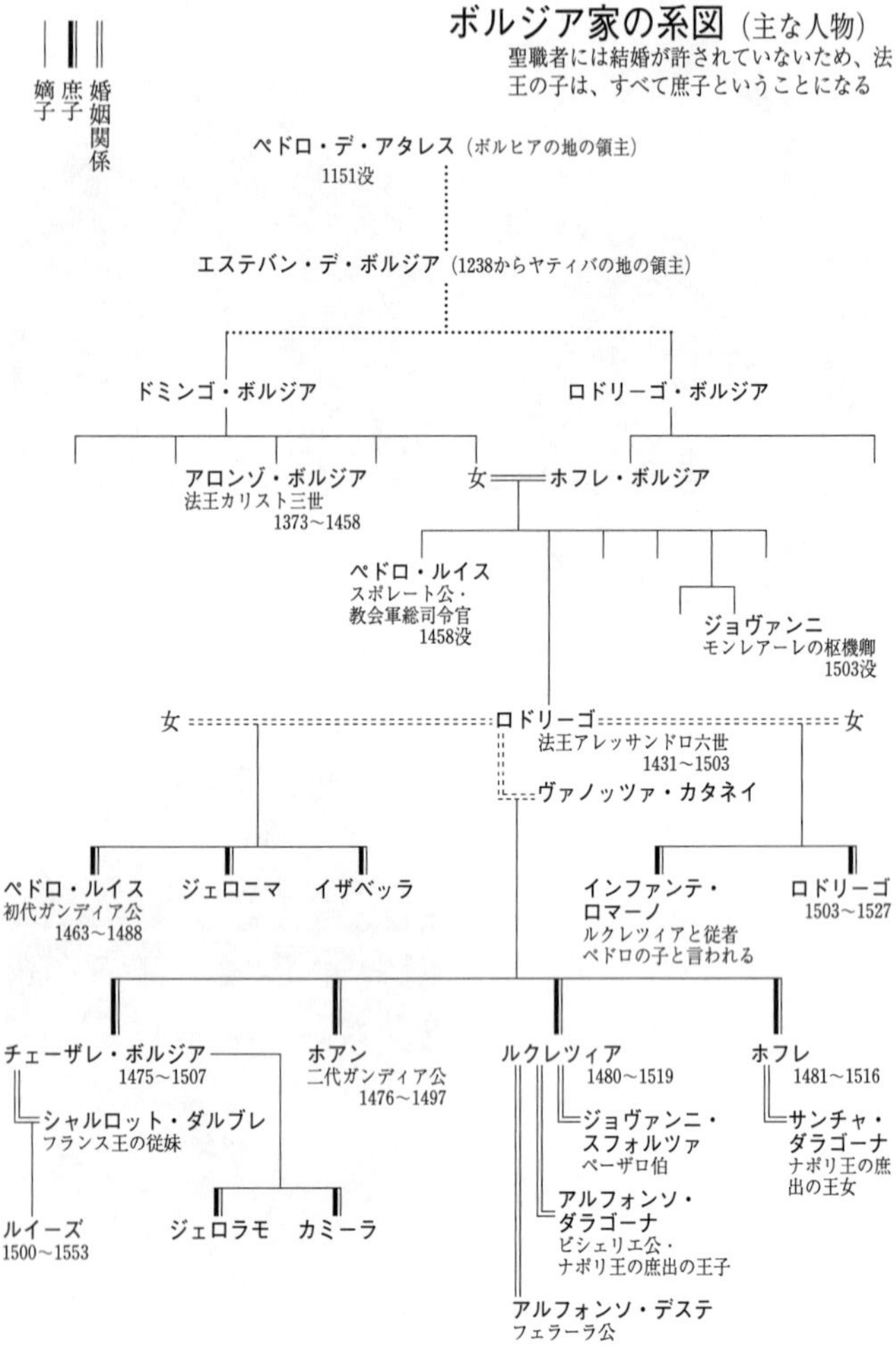

チェーザレ・ボルジアあるいは優雅なる冷酷

私は、用意周到であるよりも、むしろ果断である方が良いと考える。なぜならば運命の神は女神であるから、彼女をわがものにしようとすれば、うちのめしたり、突きとばしたりすることが必要である。

運命は、冷静なやり方をする者より、こういう人たちに勝利を得させるようである。

要するに、運命は女に似て若者の友である。なぜならば若者は、慎重に事を運ぶことはせず、敏速にそしてきわめて大胆に女を支配するからである。

——ニコロ・マキアヴェッリ『君主論』より——

第一部　緋《ひ》　衣《い》

（一四九二〜一四九八）

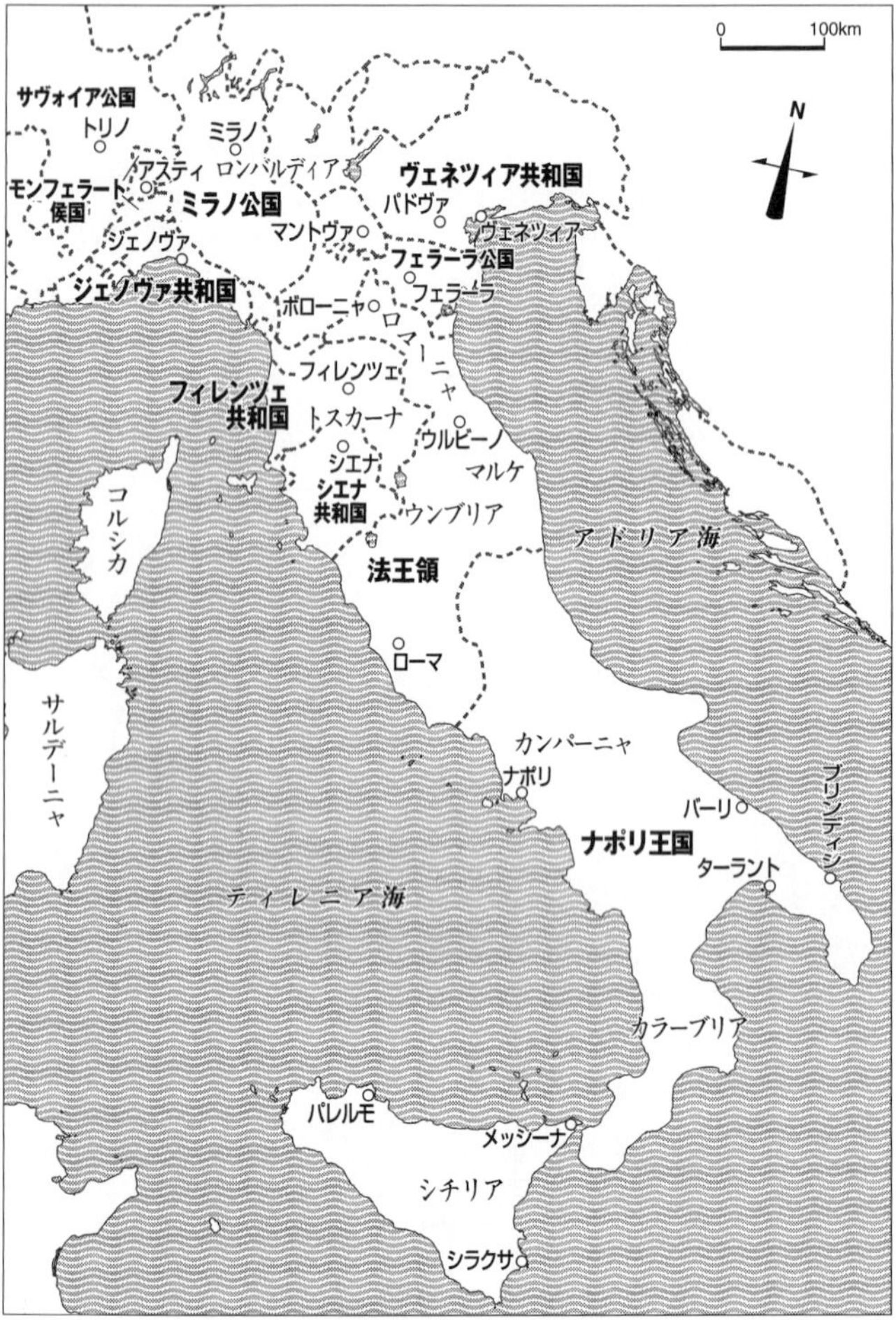
0
100km
N
サヴォイア公国
トリノ
ミラノ
アスティ
ロンバルディア
ヴェネツィア共和国
モンフェラート侯国
ミラノ公国
パドヴァ
マントヴァ
ヴェネツィア
ジェノヴァ
フェラーラ公国
ジェノヴァ共和国
フェラーラ
ボローニャ
ロマーニャ
フィレンツェ
フィレンツェ共和国
トスカーナ
ウルビーノ
シエナ
マルケ
シエナ共和国
コルシカ
ウンブリア
アドリア海
法王領
ローマ
サルデーニャ
カンパーニャ
ナポリ
ブリンディシ
バーリ
ナポリ王国
ターラント
ティレニア海
カラーブリア
パレルモ
メッシーナ
シチリア
シラクサ

15世紀末のイタリア

第一章

広場には、塔が、長く黒い影を落していた。夏の夕暮である。湖にいくつもの川が流れこむように、このシエナの街のカンポ広場《ピアッツァ・デル・カンポ》には、十一を数える小路が集まり、その石畳の路《みち》を通ってくる風が、中心に向ってゆるやかな勾配《こうばい》をなしているこの扇形の広場を、涼しく満たしはじめていた。一日の仕事を終えた職人や商人たちが、夕餉《ゆうげ》の前のひとときの憩《いこ》いを求めて、あちこちの小路から、三々五々と広場に集まってくるのもこの時刻である。

だが広場では、まだその一日を終えようとしない者がいた。数人の若者が、馬を走らせているのである。五日後の八月十六日に行われる、シエナ市主催のパーリオ（競馬）出場のためのこの練習は、その日の午後中、広場の石畳に、馬のひづめの音を高くひびかせていた。そしてこの二、三日、イタリア各地から続々と到着する騎士たちによって、カンポ広場の近くはもとより、シエナ市全体が、はなやいだ興奮につつまれ始めていた。パーリオは、シエナの街に長い伝統をもつ、恒例の年中行事なのである。当然、イタリア中の君主や高名な貴族の子弟たちにとって、金にあかせて求めた駿馬《しゅんめ》をひきつれ、おのれの騎馬術をためす絶好の機会となっていた。

「パンプローナ！」

ようやく練習を終えようとしていたうちの一人が、声高に呼びかけながら、まだ一騎、広場の周囲をギャロップで行く、若者に向って近づいていった。呼びかけたのは、フィレンツェの大富豪プッチの次男、そして呼びかけられてようやくその黒馬の歩みをゆるめようとした若者がチェーザレ・ボルジアである。チェーザレは、スペインのパンプローナの司教職にあったので、彼が学業を続けていたピサの大学の学生仲間では、「パンプローナ」という綽名《あだな》で呼ばれていた。

「もういいかげんにやめようじゃないか。腹がへった」

プッチは、この学友の馬好きにもあきれたという風に、少しからかい気味に言った。チェーザレは軽く微笑で答え、友と馬を並べて歩き出した。薄い灰色のタイツの上に、白いブラウスを身につけただけのチェーザレの首から胸にかけて、光る汗が流れ落ち

ていた。若い学友二人は、軽口や冗談を、いたずらっぽく言いあいながら帰途につい
た。突然、チェーザレは言った。

「メディチの馬が見えないがどうしたのだろう」

やはりこれも彼らの学生仲間であるジョヴァンニ・デ・メディチ、高名なロレンツォ・イル・マニーフィコの次男の持馬が、自分の馬と並んで優勝候補にあげられていたのに、今日も広場に出ていなかったのを思い出したのだった。

「あいつは枢機卿《すうきけい》だよ、だから今はローマさ。まあここにいたとしても、あの男が自分で乗ることはないにきまっているが」

「ああデブではね」

若者二人は、遠慮なく笑いあった。いつのまにか彼らは、広場の端に来ていた。プッチは、ではまた明日、と言って別れていった。

一人になったチェーザレは、ふと、ローマを思い出していた。ジョヴァンニがローマへ行ったのはコンクラーベ（法王を選出する枢機卿会議）のためなのだと。先の法王インノチェンツォ八世が十一日前に死んでから、まだ新法王は選出されていなかったのである。彼は、ローマに思いをはせるとともに、枢機卿である父のロドリーゴ・ボルジアを思い出していた。

広場を出て、バンキ・ディ・ソプラの通りに馬を乗り入れたチェーザレは、ちょうど今しも広場にかけ入ろうとしていた従者に出会《でく》わした。友人のミケーレも一緒だった。従者はひどく興奮して、一通の書状を彼に手渡しながら言った。

「御主人様、ローマの御父上様からのものです。急ぎの飛脚が、今これをもって着いたところで」

馬から降りもせず、父の書状を開いたチェーザレは、そこに、太く力強く大きく書かれた、見慣れた父の筆跡を見出《みいだ》した。「わが最愛の息子、司教チェーザレ殿へ」の一文ではじまる簡潔な手紙を、彼はいっきに読み終えた。

「ミケロット!」

馬を降りたチェーザレは、かたわらのミケーレ・ダ・コレーリアを、いつものように愛称で呼んだ。スペインの血をひくチェーザレと同じスペイン人であるミケーレは、幼時から一緒に育った仲であり、今もまた、ピサの大学に共に学ぶ学友でもあった。この二人の仲は、主従ということにはなっていても友人であり、また兄弟の仲以上に深く強いものがあったのである。チェーザレは言った。今朝、父の枢機卿が法王に選出されたこと。だから自分は、父の命によってローマへ発《た》たねばならないこと。そのためには、すぐにもピサへ帰って、ローマ出発の用意をしなければならないのだと。

さらに続けて彼は、少しせきこんで言った。

「パーリオに出られなくなったのだけが残念でたまらない。絶対に優勝する自信があったのだ。スルタンはいい馬だし。そこでミケロット、お前がスルタンに乗って走れ。スルタンは難かしい馬だが、お前なら乗りこなせる。だが気をつけろよ。広場を十周してゴールだが、二周目までに必ずトップに出ること。あの馬は高慢なところがあって、先行馬にじっくりついていくのが嫌いなんだ。他の馬にかこまれでもすると、怒って右にそれる癖がある」

チェーザレは、なおも友に注意を与え続けた。馬のことばかりだった。友は、それを微笑しながら黙って聞いていた。


宿に帰ったチェーザレは、汗にまみれた身体《からだ》を休めようともせず、上着とマントを着けただけで、再び馬にとびのった。夜道は危険だからと、明朝の出発をすすめる従者の言に耳もかさず、従者には明日くるようにといい、シエナの城門を出て行った。

トスカーナ地方の丘陵をぬって、彼は、馬に鞭《むち》を入れるのを止《や》めようとはしなかった。彼は、自分の心の中に、自分自身を焼きつくすような何かが生れるのを感じていた。それはまだ、彼の心の中で、はっきりとした形をとってはいなかったが、父の法王即位という大きな事実によって、生れてきたものであることは確かだった。そして彼が、この自らを焼きつくすような情熱をはっきりと自覚し、それに方向を与えるまでには、まだ数年の時を待たねばならなかったのである。

黄昏《たそがれ》が、周囲の自然を、まるで純金をひとはけしたかのように、やわらかく輝かせていた。その光の中を、チェーザレは馬を駆けさせた。シエナからピサまでは、約百キロの道のりである。馬を急がせれば、五時間余りで着く距離であった。

丘陵の向うに高い塔の林立する町が、サン・ジミニャーノだと気づいた時、チェーザレはにわかに、自分がひどい空腹だということを思い出した。まだ道のりの三分の一を来ただけだった。夜の大気が、あたりをおおいはじめていた。にわかに感じた空腹に自分で笑い出しながら、彼は町には入らず、野良《のら》仕事帰りの農民たちを主な客としている、道端の居酒屋の扉を開けていた。

チェーザレ・ボルジアが、十七歳になる一カ月前、一四九二年の夏の日のことである。

この五日後、ローマへ向う途上で、彼は、シエナのパーリオで、ミケロットの騎乗したスルタンが優勝したという知らせを受けた。

第二章

三月ともなると吹く風はやわらかく、テヴェレ河の水もぬるむここローマでは、空の青さも一段とその色を深めてくる。一四九三年と年がかわったこの季節に来て、われわれははじめて、ローマでのチェーザレの消息を示す史料を手にすることができる。モデナの司教であり、同時にフェラーラ公から派遣されてヴァティカン駐在の大使でもあったジョヴァンニ・ボッカチオから、フェラーラ公爵《こうしゃく》エルコレ・デステにあてられた通信がそれである。

その日、ボッカチオは、テヴェレ河にかかる橋を渡り、法王宮の方角へと馬を進めていた。ただその日は、法王に会うためではなかった。彼は、法王宮とカステル・サンタンジェロの間のちょうど中間にある、ペニテンツィエリ宮へ行こうとしていたのである。そこには、チェーザレが住んでいた。前年の八月末に、父法王によって、ヴァレンシア大司教職を授けられたチェーザレの屋敷には、イタリアだけでなくヨーロッパ各国の大使や貴族の訪問がひきもきらなかった。チェーザレは、時の〝神の代理人〟（法王）の息子であり、スペインでの最高法職の資格とともに、ヴァレンシアの大司教でもあった。フェラーラ大使のボッカチオもまた、この新しい有力者の無視は許されなかった。

しかし、その日ボッカチオは、この法王の息子と会談することはできなかった。彼が控の間に入った時、執事が、御主人様は外出されるところです、と告げたのである。その日の会見は終っていた。控の間から彼が次の部屋を見ると、そこには幾人かの訪問客が、今まさに、退出のあいさつを述べているところだった。ボッカチオは、やむをえず次の機会を待とうと帰りかけた。

ところが、玄関に出るところで彼は、向うから来るチェーザレに出会った。ボッカチオは、一瞬、それがチェーザレとはわからなかった。彼が、公式の会合で見慣れていたチェーザレは、いつも質素な司教服を着ていたのに、その日のチェーザレは、俗服を身に着けていた。空色のタイツに空色の短着、そで口からは、白いブラウスがこぼれ、紫色の短いマントが、十七歳のチェーザレのしなやかな肉体を、優雅におおっていた。

わきにしりぞいて待つボッカチオに近づいたチェーザレは、イタリアの強国の一つ、フェラーラ公国の大使を見覚えていた。手を与えながら、この大司教は言った。

「狩りに行くのだ」

二人は、肩を並べて、玄関の石段を降りた。そこには、チェーザレの馬丁が、すでに彼の馬のくつわをもって待っていた。若いヴァレンシア大司教は、片手を鞍《くら》にかけただけで、ひらりと馬に乗った。そして、ボッカチオにも、馬に乗れというように合図し、途中まで一緒に行こうと言った。

大司教と、司教であるボッカチオ大使は、談笑しながらテヴェレ河の方角に向った。さわやかな風が、馬を並べていく二人のそばを通りすぎた。彼らの後ろには、今日の狩りに同行する若者たちが、にぎやかに従っていた。その中には、チェーザレの一歳年下の弟、ガンディア公爵ホアンもいた。

大使ボッカチオは、主人エルコレ公に、以上のようにチェーザレとの出会いを書き記した後、それに続けて、「ヴァレンシア大司教は、その動作、声音、言葉ともに、大君主の血をひくものの典型を示され、何よりも、その生れや環境、教育が与える以上に、真の貴族的精神を持っておられる方とお見うけしました」と書き、「ただし、聖職者という概念からは、あまりにもかけ離れた印象を持ちますが」と、その通信を終えている。

ボッカチオが書き記したように、ローマでのチェーザレの生活は、聖職者のというよりも、ルネサンス君主のそれであった。法王に即位した父のおかげで、ヴァレンシアの大司教となった彼の年収だけでも、一万六千ドゥカートにのぼる。どのような生活も、全く彼の自由であった。

その頃のチェーザレの関心は、もっぱら次のことに向けられていた。

まず肉体の鍛練。大司教としての教会儀式をする義務は、最小限におさえ、走技、投技、そしてあらゆる武芸に、彼はあきることを知らないかのようであった。流れ落ちる汗をぬぐおうともせず、いずれも同年輩の若者の取巻きにかこまれて、明るい若い笑いを絶やさないその頃のチェーザレを、年代記作者のカタネイは、「risata omerica（ホメロス風の哄笑《こうしょう》）の人」と書いている。

これに続く彼の興味は、狩りであった。もちろん、狩りもまた肉体の鍛練の一つだったが、それよりも、彼は、狩りに関しては、全く気狂いだった。見事な馬、美しい鷹《たか》、敏捷《びんしょう》な猟犬、これらを見る時、チェーザレの灰色の眼は、ひときわその底に青さを増すかのようだった。馬は、優秀な馬の産地として当時有名だったマントヴァから取り寄せ、猟犬を求めるためには、ドイツまで、自分の家臣を使いに出した。これらの自分の動物の素晴らしさを、父の法王に向って興奮して話すチェーザレに、法王アレッサンドロ六世は、その大きなでっぷりした身体《からだ》をゆすって笑いながら聞くのだった。

ローマ近郊の野という野はすべて、チェーザレの馬のひづめをのがれられなかった。猟犬の追い出す獲物に向って、走る馬の上から狙《ねら》いを定める彼の矢は、逃げまどう目標に向って的確に放たれ、鷹は、その王者の威圧で、おびえる動物をその羽の下にねじ伏せた。狩りでも、彼は同行の誰にも負けなかった。人に先をこされることに、彼は、我慢のできない性質だった。太陽の下での生活で、冬でも浅黒く日焼けした彼を、前記のボッカチオも「giocondo（いかにも楽しげな）」と評している。

もう一つの彼の情熱は、身のまわりのものに対する関心だった。衣裳《いしょう》、武具、宝石を、彼は、非常な熱心さで選んだ。当時の流行には率先して従ったし、それを参考にして、自分で新しく工夫することさえもした。

その頃、このローマに、さらに一層異教的な色彩を加えていたのが、トルコの王子ジェームの存在である。このトルコの若い王子は、一四五三年にコンスタンティノープルを陥落させ、ビザンチン帝国（東ローマ帝国）を崩壊に追いやったマホメッド二世の息子であったが、父の死後に起った世継ぎ争いで、兄のバヤゼットに敗れ、コンスタンティノープルから最も近いキリスト教国になるロードス島に逃げた。ロードス島の主権者は、十字軍の流れをくむ聖ヨハネ騎士団である。彼らは、この思わぬ重要人物の、しかも向うからころがりこんできた獲物に狂喜したが、なおも彼らを驚かせることが起った。新スルタンのバヤゼットが、弟のジェームを預かってくれるものに、四万ドゥカートの年金を与えると言ってきたのである。ジェームを、その存命中、トルコ帝国にもどさないように、そちらで保護するというのが条件であった。この時から、若い亡命の王子ジェームは、人々の注目の的になる。フランス王、ハンガリー王、ナポリ王、ヴェネツィア共和国、そしてローマ法王庁が、ジェームの年金とその人質としての価値に目をつけ、彼を手に入れようと争った。しかし、ついに、前法王インノチェンツォ八世の時、ローマ法王庁がこの人質を預かることになった。ジェームの亡命先であった聖ヨハネ騎士団の成り立ちや現状が、ローマ教会と深い結びつきを持っていたからでもある。王子ジェームは、こうしてローマに住むことになった。住居は法王宮の中である。人質といっても、それほど居心地の悪いものではなかった。このトルコの王子は、彼にとっては異教の本山であるローマで、狩りをしたり、楽器をかなでたり、上等な酒と食事にも事欠かず、女をはべらすことも自由であった。そしてそういう毎日が、チェーザレがローマに来た頃、すでに四年の間続いていたのである。

しかし、コンスタンティノープルにいる兄のスルタンは、高額の年金をきちんとローマ法王に送り続けながら、弟といえども反逆者のジェームに対する、キリスト教徒こそ見習わねばならないようなこの慈悲深い処遇を、いつまでも続けていくつもりであったのだろうか。ヴァティカンの古文書庫《アルキヴィオ》に、一通の実にほほえましい手紙が残っている。ラテン語のこの手紙は、トルコ帝国のスルタン、バヤゼットから、法王アレッサンドロ六世にあてたもので、次のように書かれてある。

トルコ王ジェーム

「トルコ帝国スルタンは、人質という哀れな弟の境遇を想《おも》って、悩み、悲しむ日々が続き、どうにかして弟を救ってやらねばと思い、ようやく一つの結論に達した。ジェームを、この世のあらゆる苦しみから解きはなち、彼の魂がより平安を得られるであろうあの世に移すことこそそれである。それをしていただければ、法王には、三十万ドゥカートを御礼としてさし上げたい……」

この手紙を受けとった法王アレッサンドロ六世も、おそらく、微笑を禁じ得なかったことと思われる。しかし法王は、王子ジェームを、兄の願うようにこの世の苦しみから解きはなってやることはしなかった。なぜならば、アレッサンドロ六世は、人質に対して、全く他の人々とは異なる考えを持っていたのである。人質を確保することは、敵を牽制《けんせい》することになる。そして、普通誰もが考えるのは、敵が攻撃してきた時に、人質を殺すといって敵の動きを牽制するやり方である。しかし、アレッサンドロ六世は、人質のジェーム王子を、このようには使わなかった。彼は、もしトルコのスルタンが、これ以上キリスト教国を侵略する動きを示しでもすれば、ジェームに大軍を率いさせて、こちらからコンスタンティノープルにのり込ませる、と言ったのである。トルコの宮廷内に、前スルタンの息子のジェームに対して、秘《ひそ》かに心を寄せる家臣がいまだに少なくないという事実を、彼は十分に知っていた。

このアレッサンドロ六世の外交は、偉大なスルタンであった父のマホメッド二世の後を継いだがために、トルコ帝国の統治に一層の苦労をしていた、現スルタンのバヤゼットの侵略欲を制するのに、幾分かにしても役立ったのである。中世を通じて、西欧キリスト教社会の君主の中でも、十字軍遠征の無意味さに気づいていた者が何人かはいた。先には神聖ローマ帝国皇帝フリードリッヒ二世。そしてこのアレッサンドロ六世も。彼は、異なる宗教の共存を是認した最初のローマ法王であった。ただ、十字軍派遣をせまる狂信者がいまだに多い時代の中で、そして法王というその立場上、彼はこの考えを、おもてに出すことができなかっただけである。

自分の首が、どのような策略によってつながっているかなど、ジェームは何も知らなかった。彼はローマで、何不自由なく暮すことはできたが、長年にわたる異郷の生活は、彼を、憂愁の影でつつまずにはいなかった。王子ジェームの周囲にただよう、オリエント風の気だるく甘い異教の世界は、新しがりやのローマの上流の子弟たちにとって、大きな魅力でもあった。彼らは、競ってトルコ風の服装をした。法王の息子たちも、例外ではなかった。法王宮内の「ボルジアの部屋《アパルタメント・ボルジア》」に描かれた、ピントゥリッキオの筆になるボルジア家の人々の肖像画の中に、ホアンは、トルコ風の服装で描かれている。そしてチェーザレも、この流行に遅れをとるわけがなかった。公式の宴にさえ、彼が、白いターバンを巻いたトルコ風の服で出席し、アルプスの北の国々から来た信心深い人々から、ひんしゅくをかったと、当時の記録は伝えている。

チェーザレは、父の法王即位以来、大学は中退してしまっていた。それでもボローニャ大学の博士号をもつ父法王のてまえ、わざわざ、当時ピサの大学に大きな勢力をもっていたメディチ家の当主ピエロに、大学時代の恩師二人をローマに派遣してほしいと頼んだりした。ところが、ローマに着いた教授二人は、チェーザレに神学の講義をしようにも、この弟子が体技や狩りに熱中していて、神学などには見むきもしないので困り果てる。それでも彼らのローマ行きは、無駄には終らなかった。教授たちは、弟子のチェーザレの尽力によって、後には枢機卿《すうきけい》の位を得られるのである。

ただチェーザレは、若者が好みそうなあらゆることに興味を持ったが、神学をはじめとする学問だけはしなかった。この頃の彼を、マントヴァ大使は、「何ごとかをなすにはどうもその頭脳が適していない」と書き、マントヴァ侯爵夫人イザベッラ・デステは、「学問芸術の素養の無い男」と酷評した。

第三章

強烈な陽光が、建物の石の壁の上に、明暗をあざやかに彫刻するローマの夏。この季節になると、チェーザレの生活は、少しずつその様相を変えてくる。ヴァティカン駐在の各国大使の通信や、年代記、記録の中にも、彼の名が記される度合が増してきた。それは、以前のような、ローマ社交界の華やかな、少々無軌道な若者としてのチェーザレではなく、法王即位一周年を迎えて、いよいよその老練な政治ぶりを発揮してきたアレッサンドロ六世が、自分の第一の側近と考えているらしいチェーザレであった。法王は、この息子のことで何かをたくらんでいる。誰もがそれを感じていた。しかし、誰一人、法王の意図を予測できた者はいなかった。彼らの、法王とその息子にそそがれる眼の中で、チェーザレの公式行事に出席する回数が、にわかに多くなった。

五月五日、サンタ・マリア・デル・ポポロ教会で行われたミサに、法王と共に出席。ヴァティカンから教会までの行列には、法王のすぐ後ろに従う。

六月十二日、妹のルクレツィアとペーザロ伯ジョヴァンニ・スフォルツァとの結婚式に列席。

この三日後、ローマに着いたスペイン王の特使、ディエゴ・ロペツ・デ・ハロウを迎えるため、弟のガンディア公ホアンと、新たに義弟となったペーザロ伯を両側に、馬でローマ城外に行き、特使のローマ入城に同伴する。

こうしてチェーザレは、宗教行事、政治、外交の舞台と、常に父法王のかたわらにあって、老巧な政治家である父のやり方を、つぶさに見聞することになった。六十二歳の法王は、そばに控える十七歳の息子をふり向いては「大司教《アルチ・ヴェスコヴォ》！」と呼び、各国の要人に紹介したり、彼らの持参した政治文書を見せたりするのだった。法王の息子に対するこのやり方を見ては、誰もが、チェーザレの存在に注目するのは当然である。すでに三月に、マントヴァ大使のブロニョーロは、イザベッラ・デステにあてた通信に、「ヴァレンシア大司教は、どうも緋《ひ》の衣を着けることになりそうだと、こちらではもっぱらの噂《うわさ》です」と書いている。数カ月後には、フェラーラ大使ボッカチオもまた、同じ意味のことをフェラーラ公に書き送っている。

「緋の衣」。これは、枢機卿《すうきけい》を意味する。緋の衣と緋色の帽子は、「教会の君主たち《イ・プリンチピ・デッラ・キエーザ》」といわれた、ローマ・カトリック教会で法王に次ぐ地位を誇る、枢機卿たちの代名詞なのである。「三重冠」が法王を意味し、「紫の衣」が古代ローマの皇帝を意味したように。

しかし、誰もがまさかと思っていた。まさか、法王はチェーザレを枢機卿に任命することなど不可能だと。枢機卿団《サクロ・コレッジオ》の中でさえ、この噂を真正面からとり上げるただ一人の枢機卿もいなかった。

カトリック教理の中で、このチェーザレ枢機卿昇格の不可能なことを立証するのは少しばかりむずかしい。まず第一に、カトリック教理では、神の前に誓った結婚しか認めていない。だから、生れてきた子も、この聖なる結合から生れた嫡子《ちゃくし》しか認めない。これ以外の関係は、悪魔の仕わざであり、それから生れた子は、悪魔の仕わざの結果ということになる。この悪魔の仕わざの結果に、善良なキリスト教者の上に立つ枢機卿になられては、教会は困るのである。大司教職までは、当時の実力主義の風潮の中では黙認できないこともなかった。実力をもってカトリック教理を問題にしなかった俗界の君主の中には、庶子の出で、王位を獲得した者もいる。ナポリ王フェランテ、キプロス王ジャコモなど。フェラーラのエステ家もまた、先代のボルソ公爵《こうしゃく》は、庶子の出身だった。

そして第二の問題は、次の点にある。カトリック教理では、聖職者の妻帯は許されていない。これは何も、信仰生活をより完全にするためにこう決められたのではなく、教会財産の分散を防ぐ理由もあったのだが、いずれにしても、聖職者には、いわゆる聖なる結合すら許されていないのである。だからチェーザレは、ロドリーゴ・ボルジアにとっては、実質的には嫡子なのだが、法王アレッサンドロ六世としてのロドリーゴ・ボルジアにとっては、悪魔の仕わざの結果ということになる。善良なキリスト教者を精神的に治める「神の地上での代理人」が法王であるから。

この「地上の神」である法王が、悪魔の仕わざによって、その結果である子を得て、その子がまた、教会の中で法王に次ぐ権威をもつ枢機卿になるに至っては、カトリック教会としてはますます困るのである。だから、代々の法王は子を得はしたが、その子らを優遇する〝親族主義《ネポティズモ》〟をとっても、枢機卿にまではしようとはしなかった。枢機卿になったのは、いずれも甥《おい》たちである。庶子の身で法王にまでなったのにクレメンテ七世がいる。しかし彼は、パッツィの陰謀で、妻帯しない前に殺されたジュリアーノ・デ・メディチの庶子だったのを、ジュリアーノの兄のロレンツォ・イル・マニーフィコが、その直後に養子として入籍したので、公式には嫡子ということになる。彼はのちに、公式には兄、実質的には従兄《いとこ》である、法王レオーネ十世の力で枢機卿になり、その後クレメンテ七世として法王に即位する。

これらの諸事情からみて、誰もが、チェーザレの枢機卿昇格の噂をまさかと思っていたのであった。

しかし、世界最古の大学であるボローニャ大学で、二十代なかばまでに、哲学、神学、教会法の学位をとり、開校以来の秀才とうたわれた学識のうえに、さらに三十四年間にわたる副官房職《ヴィーチェ・カンチェリエレ》という法王に次ぐ重職から得た経験をかねそなえたアレッサンドロ六世は、誰よりも、カトリック教会というものを熟知していた。

九月十九日、法王は、枢機卿会議を召集した。そして集まった枢機卿たちに、彼は、一通の法王教書の承認を求めたのである。

「ヴァレンシア大司教は、公正なる結婚によって生れた嫡子である。父は、ドメニコ・ダリニャーノ。母は、ヴァノッツァ・カタネイ。両人ともに、ここに証明する」

ヴァノッツァ・カタネイの名を知らない枢機卿は一人もいなかった。法王ボルジアの何十年来の愛人として、彼女は、チェーザレ、ホアン、ルクレツィア、ホフレと、四人の子を生んでいたからである。また、父とされているダリニャーノは、彼女のかつての夫であった。枢機卿たちは、もはや疑わなかった。誰もが、まさかと思っていたことが現実になろうとしていることを。しかし、枢機卿会議の五分の二は、すでに法王ボルジアの勢力下にあった。そして、この教書だけでは、承認に反対する理由がなかった。法王は、チェーザレを枢機卿にしたいなどとは一言もいわなかったからである。枢機卿会議は、賛成者起立の投票によって、この教書を承認した。しかし、その同日、法王は、極秘文書あつかいで、もう一通の法王教書を出していたのである。それは次のようなものであった。

「法王アレッサンドロ六世は、ヴァレンシア大司教チェーザレ・ボルジアが、当時聖ローマ教会の副官房職、アルバーノの司教職にあった自分と、ある既婚夫人との間に、一四七五年九月十四日に生れた子であることを証明する」

一方、むざむざと、チェーザレ枢機卿昇格の下ごしらえに協力させられてしまった反法王派の枢機卿たちも、そのまま黙る気はなかった。しかし、彼らとて、それぞれの出身国の後援無しにはたいした力を持てない。法王は彼らに、それをするための時間を与えなかった。

次の日、すなわち九月二十日、法王は、再度枢機卿会議を召集した。そして、新たに十三名の枢機卿任命を発表したのである。一人一人の名が告げられた。その中には、十五歳になったばかりのイッポーリト・デステも、法王の現愛人ジュリアの弟アレッサンドロ・ファルネーゼの名もあった。そして最後に、ヴァレンシア大司教チェーザレの名が呼びあげられたのである。

啞然《あぜん》として互いに顔を見あわせる枢機卿たちは、まもなく、もはや自分たちからは、これに反対する体制も理由も奪われていることに気づかねばならなかった。

法王は、次の二つのことによって、彼らの動きを完全に封じてしまっていたからである。

第一は、新枢機卿を各列強に均等に配分したことである。一人も与えられなかったのは、ナポリ王国とフィレンツェ共和国だけだった。

ペラウルド……ドイツ神聖ローマ帝国
グロラエ……フランス王国
カルヴァジャル……スペイン王国
モートン……イギリス王国
グリマーニ……ヴェネツィア共和国
ルナーテ……ミラノ公国
ファルネーゼ、チェザリーニ……ローマ
エステ……フェラーラ公国
カシミーロ……ハンガリー、ポーランド王国このメンバーにチェーザレを含めた三人の枢機卿がさらに加わる。これでは、自分たちの息のかかった枢機卿をもつことによって、ローマ教会の内部に勢力を広げ、それによって、ローマ教会を自分たちの都合のよいように利用しようと、常に狙《ねら》っている各列強の君主たちも、文句のつけようがなかった。

第二に、法王アレッサンドロ六世は、新枢機卿に、学識、人格、才能のいずれの面でも優秀な人材を選んでいたのである。グリマーニは、神学者として後世にも残る学者であり、グロラエは法学の大家として有名であった。ペラウルド、ルナーテも、ラテン文学者としてそれぞれの主君に重用されていたし、十五歳のイッポーリト・デステも、後にその非凡な才能を示す。法王の愛人の弟だから枢機卿になれたのだといわれたアレッサンドロ・ファルネーゼも、後に、パウロ三世として法王にまでなる。ボルジアに批判的であった当時の歴史家や年代記作者たちも、この新枢機卿任命劇を、その意図は批判しても、その結果は賞《ほ》めて書かざるを得なかった。

こうして、十八歳になったばかりのチェーザレは、ついに、緋の衣を身にまとうことになった。「教会の君主《イル・プリンチペ・デッラ・キエーザ》」になったのである。ヴァレンシアの大司教職はそのままであったから、これからのチェーザレには、ヴァレンシアの枢機卿、イタリア語では「カルディナーレ・ヴァレンティーノ」が彼の通称となった。枢機卿認証式を終えて出てきたばかりのチェーザレを、フィレンツェ大使ダ・コッレは、「何ともさっそうとした枢機卿だが、荘重さに欠けている。いうなれば、さまになっていない」と評している。

しかし、若いとばかり思われていたチェーザレも、少しずつ、政治というものがわかり始めていた。法王による先の新枢機卿任命が、単に、息子である自分を、枢機卿に昇格させたいがためばかりに強行したのではなかったことに気づくのである。それは、法王アレッサンドロ六世が、スペイン人であることに多く起因していた。若い頃、これも法王になった伯父のカリスト三世によってイタリアに招《よ》ばれ、それ以後ずっとイタリアで成長したとはいえ、法王の生国はスペインである。二十世紀の今日に至るまで、彼のあとにはただ二人、オランダ人のアドリアーノ六世と、ポーランド人の現法王ヨハネ・パウロ二世しか、外国人の法王をもたなかったローマ法王庁である。イタリア人以外の外国人の法王は、いつの時代でも歓迎されなかった。もし法王ボルジアが、出身国のスペインにだけ近づくような振舞いにでも出れば、ますますイタリア人枢機卿たちの反感を買うだけでなく、他のヨーロッパ諸国から、非難の集中攻撃を受けることは明らかである。

そのうえ、ボルジアが法王に選出された時、その選挙で彼に協力したアスカーニオ・スフォルツァ枢機卿、それに、選挙で一敗地にまみれ、ますます反ボルジア色を強めるジュリアーノ・デッラ・ローヴェレ枢機卿と、それぞれミラノ公国、ナポリ王国を背景にもつこの二人の有力な枢機卿の力を弱め、ボルジア法王の独立性を確保し強めるためには、法王に与えられた枢機卿任命権は、それこそ有効な武器であったのだ。それは、あたらしく自分に忠実な枢機卿を任命することによって、旧勢力を実質的に弱くすることになるからである。

マキアヴェッリは、法王ボルジアについて、次のように書いた。

「私は、つい最近の実例の中でも、一つのことだけは見過したくない。それは、アレッサンドロ六世のことである。彼は、人々を欺《あざむ》くことしか考えず、それだけをやってきた人だが、それでもなお欺く相手に不自由しなかった。この法王ぐらい効果的な確約をし、その確約についておおげさに実行を誓っておきながら、それを全くしなかった人はいなかった。それでいながら、彼のごまかしは、常に彼の思いどおりに進んだのだから、きっと彼は、人間のこういう面をよく知っていたのであろう」(『君主論』)

しかし、同じマキアヴェッリをして、「金と武力さえあれば、法王はどれほど力を発揮できるかを、歴代の法王の中で最もみごとに示した」といわせたアレッサンドロ六世も、それを実現するには、息子チェーザレの成長を待たねばならなかった。父法王の期待と、各列強の君主や支配者の注視の中を、チェーザレはそれらには関心もないように、緋の衣を風にひるがえしながら歩くのを好んだ。枢機卿のもう一つの印である赤い帽子をかぶることは嫌がった彼も、緋色のマントは自分からすすんで身に着けた。それは彼を、古代ローマの将軍になったような気にさせたのかもしれない。

第四章

「悲惨な時代の最初の年」。歴史家グイッチャルディーニが、後年、この一四九四年を顧みて言った言葉である。

ヨーロッパの情勢は、変動しつつあった。中世後期を通じて、自由都市国家群という独自の形態を発展させることによって、商工業を盛んにし、それから得た莫大《ばくだい》な富を使ってルネサンス文化の花を咲かせ、ヨーロッパに君臨してきたイタリアが、歴史の流れともいうべき、専制統一国家政体という大きな壁につきあたる時がやってきたのである。すでにこの頃までに、イタリア各地の小国家は、いくつかの強国に編入されてはいたが、ヴェネツィア共和国、ミラノ公国、フィレンツェ共和国、ナポリ王国、それにローマ法王庁と、各列強に分裂していたイタリアにとって、統一国家への道は、あまりにも遠かった。

これに反して、それまでイタリア人が、田舎者《バルバリ》と呼んで軽蔑《けいべつ》していたフランス、ドイツ、スペインが、それぞれ専制主義の国家体制を確立することによって力を持ちはじめ、その領土的野心を、小国分立とその間での抗争の絶えないイタリアに向けようとしていた。さらに、地中海の東をおおいはじめたトルコ帝国の脅威に対しても、無関心は許されなかった。

十五世紀の後半から十六世紀の前半を通じて、イタリアは、自らの生き方を、根本的に考えなおすことを迫られるのである。この混迷の時代は、しかしそれだからこそ、ルネサンスの二大歴史家、マキアヴェッリとグイッチャルディーニを生んだ。

しかし、悲惨な時代、混乱の世紀であろうとも、そこに生れたものは、あくまでもその中で生き続けねばならない。チェーザレ・ボルジアも、その一人であった。緋《ひ》の衣を身にまとうことによって、法王に次ぐ地位にまでのぼった彼を、ただそれだけに安住させないものが、少しずつ彼の心の中に芽生えはじめてきたのはこの頃である。グイッチャルディーニの言った「悲惨な時代の最初の年」、一四九四年、この年に起ったフランス軍のイタリア侵入という大きな事実が、十九歳になったチェーザレを、はじめて激動する現実に直面させた。彼は、この時はじめて、真の学問をする。その彼にとっての師は、父の法王アレッサンドロ六世であった。

多くの歴史家によって、イタリアの近代の始まりとされるこのフランス軍のイタリア侵入は、どのような原因によって起ったのであろうか。ある者は、イル・モーロすなわちルドヴィーコ・スフォルツァの策謀だとし、他の者は、フランス王シャルル八世の名声欲からだとする。またその他にも、枢機卿《すうきけい》ジュリアーノ・デッラ・ローヴェレの、法王ボルジアに対する敵愾心《てきがいしん》からだという者もいる。いずれの言も間違ってはいない。というよりも真の原因は、これらがすべて組み合わさったところにある。

有能な傭兵《ようへい》隊長であり、またすぐれた君主でもあったフランチェスコ・スフォルツアからはじまったミラノ公国の当主スフォルツァ家は、その子のガレアッツォ・マリーアが暗殺された後、残された正統の後継者であるジャンガレアッツォの執政を、彼の伯父にあたるルドヴィーコ・スフォルツァが、摂政として助けていた。イル・モーロ（肌黒き人）と綽名《あだな》されたこのミラノ公国の実力者は、摂政という地位に甘んずる気はなかった。弟のアスカーニオ・スフォルツァ枢機卿とともに、彼は、甥《おい》から公爵の位を奪うための機会を狙《ねら》っていたのである。長年の摂政としての実績によって、ミラノの民心はジャンガレアッツォ公爵より、彼の方に傾いていた。ミラノ公国内では、もはや問題はなかった。問題は、ナポリ王の出方であった。なぜならば、ジャンガレアッツォ公の妃《きさき》が、ナポリ王の息女であったから、ナポリは当然、イル・モーロのこの陰謀を認めるはずがなかったからである。イル・モーロは、ナポリ王位継承権を主張するフランス王シャルル八世に目をつけた。このフランス人を、ナポリのアラゴン王家をつぶす手先に利用しようと。

さて、フランス王シャルル八世の方である。中世騎士物語を読みすぎたらしいこの王様は、シャルルマーニュ（在位、七六八―八一四年。（英）チャールズ大帝、（独）カール大帝の名で知られるフランク王国の王。八〇〇年にはローマで、西ローマ帝国皇帝として戴冠。彼の死後フランク王国は、ヴェルダン、メルセン両条約によって三分割され、今日のフランス、ドイツ、イタリア三国の基礎となった）の偉業にあやかりたいという思いでいっぱいだった。その思いの行きつく先は、外国遠征である。彼はナポリ王国の王位継承権が、アンジュー家の子孫の一人である自分にあると主張し出す。第三の原因である、ローヴェレ枢機卿のことは、もう少し話があとになるが、これらの原因を持ちながら、フランス軍のイタリア侵入は、その機を待っていた。そして、その時はやって来た。

一四九四年一月二十五日、老練な政治家として知られた、ナポリ王フェランテが死んだ。その王位は、嫡出《ちやくしゆつ》の王子アルフォンソ二世が継ぐのが当然と思われた。すでに、先の法王インノチェンツォ八世の時代に、当時カラーブリア公であった彼の王位継承が、ローマ教会から認められていたのである。しかし、フランス王から、王位継承権はフランス王にこそあるという横やりが入った。このフランス王の抗議は、ナポリよりも、王の戴冠式《たいかんしき》を行う側、すなわち、新王認証の権利を持つローマ法王に向けられた。法王がアルフォンソを認めでもすれば、フランスはイタリアに侵入するであろう。これが、シャルル八世が法王に送った脅迫である。

しかし、法王の心中は決っていた。フランス人をナポリに入れる考えなど、全くなかったのだ。四月十八日、法王は、モンレアーレの枢機卿である甥のジョヴァンニ・

ボルジアを、ナポリ王戴冠式のための法王特使に任命した。ローマ駐在のフランス大使は、これを知って驚き、親仏《しんふつ》派の枢機卿たちは、枢機卿会議召集を法王に迫った。その日の会議は、八時間続いた。スフォルツァ、ルナーテ、サンセヴェリーノ、コロンナ、サヴェッリと、次々と枢機卿たちが、ナポリ王承認の危険性について、法王をはげしく追及した。このフランス派の枢機卿たちの黒幕は、枢機卿ジュリアーノ・デッラ・ローヴェレであることは誰もが知っていた。ただ彼は、オスティアの城にあって、枢機卿会議には出席しようとはしなかった。

しかし、法王の意志は変らなかった。八時間に及んだ枢機卿会議を終えた彼は、その直後、ナポリ王としてアルフォンソ二世を認める教書を、全キリスト教国の君主に向けて発したのである。さらに続けて、以前よりナポリから話のあった、アルフォンソの庶出の王女サンチャと、法王の末の息子ホフレとの結婚まで決めてしまった。ローマとナポリのこの結びつきは、フランス王を激怒させた。

そして四月二十四日、枢機卿ローヴェレの逃亡事件が起る。枢機卿たちを動かしての作戦に失敗したローヴェレは、以前はナポリ派であったのに、ボルジア打倒のために、ナポリ王を捨ててフランス王と結託しようと決めた。ただ法王が、彼とフランス王との関係を見抜いている今、枢機卿がローマを出る時に必要とする許可を法王が与えないと判断した彼は、逃亡という手段に訴え、成功したのである。ジェノヴァに着いた彼は、イル・モーロの援助でフランスに入り、アヴィニョンでシャルルとの連絡を再開し、リヨンでシャルルと会った。ローヴェレが新しく宗教会議の開催を、王シャルルに強調したことはもちろんである。その宗教会議で、買収によって法王になったボルジアを退位させるべきだと。自分が宗教改革者にもなれるというこの案は、フランス王シャルルの名声欲をくすぐった。ここからローヴェレ枢機卿、イル・モーロ、シャルル八世三者の作戦が、本格的に動き出す。イル・モーロとシャルルの間では、当面の目標はナポリ王国だけだったのが、ローヴェレの参加によって、ローマが強く打ち出されてきたのだった。

シャルル八世

一方、ローマのアレッサンドロ六世は、ローヴェレ枢機卿の逃亡を知って、事態が悪くなりつつあるのを感じた。しかし、追ってもすでに効果のないことだった。彼は、ローヴェレの逃げたあとのオスティアの城に、オルシーニ一族を送って、それを占領させてしまった。この城を手に入れたことは、法王にとって重要なことであった。なぜならば、ローマからナポリへの海路の確保を意味したからである。この二週間後、テヴェレの河口にあるオスティアの城の前を通ってナポリへ向った法王特使モンレアーレ枢機卿によって、アルフォンソ二世の戴冠式が行われた。その数日後、十三歳のホフレと十五歳のサンチャも結婚した。


シャルル八世が、グルノーブルに兵を集結させはじめたという噂《うわさ》は、アルプスを越えて、またたくまにイタリア全土に広がった。その噂に緊張したイタリアの諸国は、すぐ続いて、シャルルの使節を迎えねばならなかった。イタリアだけでなく、ヨーロッパの各列強に送られたシャルルの親書は、次のようなものだった。

「ナポリ王国征服の目的は、異教徒の下にある聖地イェルサレムを奪還するための、十字軍遠征の基地とするためである」

イタリアでは、誰一人、この理由を信じる者はいなかった。当時、フィレンツェ共和国を、その狂信的な宗教政治で支配していたサヴォナローラと、彼の一派の他には。

イタリア諸国には、さらにこれに続けて、このフランスの意図への協力を要求していた。領土通過の承認と、兵力と食糧の供出である。この王の要求に、ミラノ公国はもちろんのこと、娘がイル・モーロに嫁いでいるフェラーラ公国のエルコレ公も、またマントヴァ侯も、全面的な協力を約束する。東地中海域で、対トルコ防衛に手いっぱいのヴェネツィア共和国も、このシャルルの動きを黙認するしかなかった。イル・マニーフィコの死後、メディチ家とサヴォナローラ一派の争いで物情騒然としているフィレンツェ共和国は、態度を決定することすらできない状態にあった。イタリアは、一戦も交えないで、シャルルの前に軍門を開いたも同然である。

ローマ法王庁も、シャルルの使節の訪問を受けた。シャルルは、法王に対して、あくまでも自分のナポリ王位継承権を認めることを要求し、それは、十字軍遠征への第一歩であると強調した上、トルコ王子ジェームを渡すようつけ加えることをも忘れなかった。そして、もしこれを法王が拒否した場合、フランス王は、宗教会議を召集し、そこで法王に退位を迫る考えだと。これでは、もはや完全な脅迫である。

法王は、今なお、十字軍遠征の夢想に酔うシャルルにはあきれはてた。しかし、この馬鹿者《ばかもの》は、力をもっている。力を持たない時、それに対抗する手段は技《アルテ》としての政治しかない。そして技《わざ》としての政治とは、こういう場合に、すなわち、力をもたない者が別の意味の力を得るために使うものである。

法王は、シャルルの使節を、明確な回答を与えずに追い返した後、七月十四日、ナポリ王と会った。しかし、絶望的な防戦に追われるナポリ側からは、ローマ防衛のための余裕もないことを知らされただけだった。さらに、軍事的援助を要請するため、神聖ローマ帝国皇帝とスペイン王フェルディナンドに送った使節のもち帰った回答も、法王を安心させることは何もなかった。フェルディナンドは、シャルルの十字軍構想を別に反対する理由もないと答え、神聖ローマ帝国皇帝マクシミリアンは、先年、スフォルツァ家の公女と結婚し、イル・モーロと近かったからである。イタリアの諸国中、唯一《ゆいいつ》、その政治的独立を保持できる軍事力をもっていたヴェネツィア共和国でさえもシャルルの行動を認めるという知らせを受けた法王にとって、残された方策はひとつしかなかった。時をかせぐこと、せめてアルプスに雪の降る時まで。

しかし、シャルルは性急だった。八月二十三日、ついにフランス軍は、グルノーブルを出発した。九月三日、アルプスを越え、サヴォイア公国の領内に入る。九月五日、トリノに入城。総勢九万の大軍は、九月末、アスティに入る。シャルルはここで、イル・モーロとその妻ベアトリーチェ・デステの歓迎を受けた。フェラーラ公エルコレも来ていた。そしてジュリアーノ・デッラ・ローヴェレ枢機卿が、ここから、シャルルに同行することになる。十月十四日、パヴィアに。そしてその四日後、シャルルは、ピアチェンツァに入った。その間、オルレアン公ルイによって、ナポリの海軍がラパッロで敗戦を喫したとの報を受けとる。さらに、パヴィアに幽閉されていたミラノ公爵ジャンガレアッツォの死の報にも接した。この時を待っていたイル・モーロは、急ぎミラノへ帰り、ここに、ミラノ公爵になろうとする彼の野心は実現したのである。

15世紀末の北イタリア

　ピアチェンツァで、シャルルは、法王からの特使の訪問を受けた。それは、十字軍遠征計画を、シャルルの言うように考えなおしてもよいから、ナポリ征服の意志をひるがえしてほしい、という要旨である。しかしシャルルは、それを拒否するばかりか、今年のクリスマスを、ローマで法王と一緒に祝いたいとまで特使に言った。

　このやっかいな巡礼者を、法王はどうにかしなければならなかった。彼は、全枢機卿のローマ召集令を発した。来ない者は、聖職剥奪《はくだつ》をすると言って。だが、これも無駄に終った。あいかわらずシャルルのそばにいるローヴェレの暗躍で、枢機卿たちには、法王にではなく、副官房職《ヴィーチェ・カンチェリエレ》であるアスカーニオ・スフォルツァ枢機卿に従うようにとのシャルルの意向が示されたからである。スフォルツァ、ローヴェレ両枢機卿の背後には、フランスの大軍が控えている。親仏派でもなかった枢機卿たちも、これでは浮足だってしまった。

　さらに、法王は窮地におちいる。オスティアの城が、コロンナの軍勢によって奪われてしまったのだ。九月十八日、この要所を占領したコロンナ勢は、その城にフランス国旗をかかげた。これによって、ナポリとローマの間は切断された。

　ロンバルディア地方を横切り、ロマーニャ地方に入ったフランス軍を、イタリア人は、恐怖におびえながら迎えた。総勢九万の大軍には、スイス兵、ガスコーニュ人、そしてドイツ兵と、各国籍の傭兵が入りまじってはいても、それは、フランス王の下にという意志に統一された軍隊であった。イタリア人が見慣れていた、小規模で、しかも金で動く傭兵隊とは違っていた。

　そして、これほどの軍を動かすのはどんな人物か。誰もがこの疑問を持ったとみえて、当時の記録には、シャルル八世の容貌《ようぼう》を記したものが多くある。それらによれば、この二十二歳の若い王は、背丈が低く、弱々しい体格であり、大きな頭と短く細い足が不均衡で、その彼が馬で行く図は、ひどくこっけいな感じがしたという。

「フランス王は——と、ヴェネツィア大使コンタリーニは書いた——貧弱な容貌をしている。顔はゆがんでいて、両眼は大きく、それがやぶにらみでどっちを見ているのか判然としない。たれ下った鼻はやたらと大きく、くちびるは厚く、それがいつも半開きのままである。彼は、人と話す時、やたらと身体《からだ》をゆすったり、頭を動かしたりするくせがある」

　堂々とした容貌への古典的な讃美《さんび》の生きているイタリアで、まして、騎士物語や十字軍遠征に酔うだけのシャルルのような君主は、どんな小国といえども、その地位を保つわけにはいかなかったであろう。しかし、この醜い小男は、今、自らの「器量《ヴィルトウ》」に誇り高かったイタリアの君主たちを、その足下にしいている。何故《なぜ》か。イタリア人が、自らの犠牲をもとにして解答を迫られた問題はここにあった。

十一月、ロマーニャで、またもナポリ軍がフランス軍に敗退したとの報が広がった。その月のはじめの日、フィレンツェでは、恐怖にふるえる民衆に向って、サヴォナローラの説教が火を噴いていた。

「これこそ、神が下したもうた剣だ。予言は的中した。鞭《むち》がふりおろされる。これこそ、神の下したもうた怒りの試練だ」

メディチ家の地位は、このドメニコ派の修道僧の前にゆらいでいた。九日、フィレンツェ市民は、蜂起《ほうき》した。町中に「市民《ポポロ》！　自由《リヴェルタ》！　球《パッレ》（メディチの紋章）を降ろせ！」の叫びがこだました。メディチ家の当主ピエロと弟のジョヴァンニ枢機卿《すうきけい》は、変装して町を逃げ出した。興奮した民衆は、メディチ家の邸宅に侵入し、芸術品や貴重品を奪った。

ローマでも法王が、ますます窮地におち入っていた。フランス軍と呼応するコロンナ、サヴェッリの豪族が、不穏な動きをやめなかったのである。

十一月八日、シャルルは、ルッカに入城。ここに待っていた法王特使のピッコローミニ枢機卿は、王から会うことさえ拒否され、ただ、

「永遠の都で法王と会うのを楽しみにしている」

という、王の伝言を得ただけだった。

十一月九日、シャルル、ピサに入城。ここで王は、サヴォナローラと会った。サヴォナローラは、シャルルを「キリスト者の王」と呼び、イタリアを解放し、教会の改革のために神からつかわされた者、と王を讃《たた》えた。メディチもまた、トスカーナ各地の城塞《じょうさい》をシャルルに捧《ささ》げた。フランス軍が、自分たちでさえ驚いたほどの、イタリア人の右往左往ぶりである。

15世紀末の中央イタリア

十一月十七日、シャルル、フィレンツェに入城。大歓迎の中を進む王に向って、フィレンツェの民衆は、

「フランス《ヴィーヴァ・》、ばんざい《フランチァ》！」

と叫ぶ。ここでシャルルは、フィレンツェ共和国の保護料として、以後年金十二万フィオリーノを支払うよう要求し、それは簡単に容《い》れられた。

二十二日、シャルルは、全キリスト教徒に向って宣言を行なった。㈠ナポリ征服後に、十字軍遠征を行う。㈡法王として適当でないボルジアを退位させ、新法王を選出するための宗教会議開催を約束する。この二つである。

宗教会議開催は、法王ボルジアにとって脅威であった。彼の法王即位は、スフォルツァ枢機卿一派を買収することによって成功したのだ。宗教会議は避けたかった。「聖職売買《シモニア》」の禁止の項にふれるからである。彼は、フランス王と近いスフォルツァ枢機卿に、王との間の斡旋《あっせん》を頼んだ。枢機卿の出した条件、チェーザレをコロンナ側の人質とすることさえも、法王は承諾した。チェーザレは、ローマの南をかためるコロンナ一党の本拠に、人質として連れていかれた。しかし、真の黒幕は、反ボルジアの気に燃えるローヴェレ枢機卿である。スフォルツァの斡旋は、不成功に終るしかなかった。

十一月二十八日、シャルルはフィレンツェを出発し、十二月二日、シエナに入城。ここでようやく、法王特使の枢機卿ピッコローミニは、王と会えた。しかし効果はなかった。シャルルは、ローマの門を開けること、これにさからえば無理にでも入ってみせる、と豪語しただけである。

ローマでは法王が、あらゆる方策が無駄に終るのに、一時、我を失う。アスカーニオ・スフォルツァ、サンセヴェリーノ、ルナーテらの枢機卿、プロスペロ・コロンナやフランス大使を、カステル・サンタンジェロに閉じこめてはみたものの、事態の悪くなるのを防げるわけもなかった。フランス王からの強硬な抗議を受けて、法王は彼らを釈放するしかなかった。そうする間にもシャルルの大軍は、もうすぐそこに近づいていた。

十二月十日、ローマの防衛のためのナポリ軍が、ローマに到着した。だが、五千の歩兵、千百の騎兵の軍であった。ローマを守るのは、彼らとオルシーニ一党だけである。しかし、オルシーニとて信じ切れるわけもない。

その同じ日、シャルルは、ヴィテルボに入城していた。例によって無血入城である。こうして、ローマ法王庁の領土は、次々とシャルルの進路の前に道を開けた。

誰もが、ローマの運命を予想した。民衆は、先を争って逃げようとし、各国大使は、ローマに居住するそれぞれの国民の保護を、本国から命ぜられた。

ナポリ王アルフォンソは、ガエタの城塞に、年金五万ドゥカートを保証すると言って法王にローマから逃げるようすすめた。しかし、これを法王はことわった。法王特使に任命された枢機卿たちの乗った馬が、白い砂煙をあげて、サン・ピエトロ広場から走り去るのを、人々は、ここ連日見るのだった。法王特使に任命された枢機卿たちは、スフォルツァ、サンセヴェリーノ、ペラウルド、ピッコローミニと枚挙にいとまがない。いずれも、親仏派の枢機卿たちである。

十二月十七日、チヴィタヴェッキアにフランス軍入る。翌日、全ヴァティカンは、万一の時のために、貴重品を避難させる召使たちの動きで、朝からあわただしかった。枢機卿たちの馬も、いつでも発《た》てるように準備を完了していた。そしてその翌日、十二月十九日、モンテ・マリオの丘に、初めてのフランス兵の姿があらわれたのである。馬に乗って、丘の上を行き来しながら、ヴァティカンの方を見ている小隊のその姿は、法王の部屋からもよく見えた。ローマの人々は、恐怖のどん底に投げこまれた。風評が広まった。法王はローマから逃げるらしいと。たしかに、二十三日には、法王ははじめて、ローマ逃亡の考えに傾いたらしい。ヴェネツィアへ逃げるというのがそれである。しかし、スペイン、ヴェネツィアの大使たちの願いで思いとどまったというより、すでに、逃亡は不可能になっていた。海路は、オスティアにこもるコロンナ勢によって断たれ、陸路もまた、ローマをかこむフランス兵の数が増していた。

ヴィテルボから、チヴィタヴェッキア、そしてブラッチャーノと、確実に南下を続けるフランス軍の本隊は、すでに、ローマから五十キロの距離にまで近づいていた。

シャルルは、法王への使節を派遣した。

「ローマ市内にいるナポリ軍を、ローマから撤退させること。そのための通行許可証を与える用意があること。もし、これを拒否した場合、フランス軍は、ローマ市内での戦闘も辞さない覚悟である」

この通告をもった使節がローマに発つとほとんど時を同じくして、それまで、ナポリ王の軍役についていたことで法王側にあったオルシーニ一党が、シャルルに恭順を申し入れていた。


十二月二十四日、シャルルからの使節を迎えて、ヴァティカンの恐怖は、刻一刻、大きくなっていた。ローマの市民の代表は法王に会見を求め、

「二日の間に、フランス王となんらかの妥結をしなければ、われわれが、ローマの城門を開けて王を迎えるつもりだ」

と迫った。フランス使節、そしてローマの市民代表を引見したあと、アレッサンドロ六世は、人を遠ざけた。法王宮の回廊に、一人、腕を組んで立ちつくす法王の白い長衣を、冬の夕映えがあかく染めていた。いつまでもじっと動かない法王の大きな後ろ姿を見ながら、遠慮して近づこうとしなかった近習《きんじゅ》たちも、フランス王の使節が、

ふたたび会見を要求していることを告げないわけにはいかなかった。法王は、王からの書簡だけを持ってこさせた。それには、次のように書かれてあった。

「ローマのすべての城門を、われわれの前に開くこと。抵抗は無用である。われわれはただ、ナポリへの通行の自由を求めているのであって、法王ならびに教会には一指もふれる気はない」

　この書簡を読み終ったのちも、しばらくの間、法王の口からは一言も発せられなかった。また長い時間がたった。そしてようやく、法王は決定を下したのである。ナポリ軍の隊長が呼ばれた。その隊長に向って法王は、ナポリ軍のローマ撤退を命じた。命じたというより、頼んだという方がふさわしい。すぐさま、法王のこの決定の意図を察知した隊長の口調は激しかった。

「ナポリを見捨てるおつもりか」

　法王はしかし、一言の弁解もしなかった。隊長は、怒りにふるえながら退出した。

　そのあと、法王は、王への返事を書かせた。これまでの王の要求のうち、ローマの開城、ナポリ軍のローマからの撤退、フランス軍のナポリへの通行の自由の項は受諾した。しかし、十字軍遠征についてと、王子ジェームの引き渡し、そして宗教会議開催の項には、一言もふれてはいなかった。この返書をもたせて、使節をフランス王の陣営へ送った法王は、次に、再度、カステル・サンタンジェロに閉じこめていたアスカーニオ・スフォルツァ枢機卿を釈放させた。条件はただ一つ、コロンナの陣営に人質となっているチェーザレの返還である。これらをすべてしたのち、法王は、チェーザレが帰ったら、すぐにも呼ぶようにとだけ言い残して、自室に引きこもった。夜になって、ナポリ軍はローマを出ていった。

苦いクリスマスが過ぎていった。

翌日から、ヴァティカンはにわかに忙しくなった。フランス王を迎える儀式や、応接の人選のためである。シャルルをどこに宿泊させるかも大問題だった。ローヴェレ、スフォルツァの両枢機卿は、シャルルに、法王宮の中にとすすめたりしていたので、そんなことになっては困るヴァティカン側としては、どこか適当な場所を早く決めてしまわねばならなかった。法王に助言を乞《こ》う秘書官たちに、法王は腹を立てて、

「お前たちは私の頭をへんにする。フランス人たちには、どこに泊ろうと勝手にさせろ」

と言うのだった。フランス王の宿所は、サン・マルコ宮殿（現ヴェネツィア宮殿）と決められた。シャルルは重ねて、ヴァティカンのあるテヴェレ河の西には軍を入れ

ないと言ってきたからである。

二十七日、フランス軍の前衛部隊が、ローマに入りはじめた。

一四九四年十二月三十一日、シャルルのローマ入城の日である。その日の朝、法王庁の式部官で、詳細な記録を残した年代記作者でもあるドイツ人のブルカルドは、儀式や諸事の打合せのため、法王から王の許《もと》へ派遣された。その日の彼の記録には、次のように記されている。

「王は、ローマへは、おおげさに入りたくないといった。そして三キロもの間ずっと、私を王のすぐうしろに進ませた。彼はその間、絶えず私を質問ぜめにした。法王にはどのような儀礼をとるべきか、またチェーザレ枢機卿にはどんな風に接したらよいかとかである」

フランス軍のローマ入城は、午後の三時から始まり、夜の九時まで続いた。王が、ポポロ門から入ってきたのは七時頃になる。門の前には、ローマ市民の代表が出迎え、王シャルルに、ローマ全市の城門の鍵《かぎ》を捧げた。

行進の第一陣は、スイスとドイツの歩兵からはじまった。その後に、五千のガスコーニュ人の射手が続く。次に、五千のフランスの騎士の一団が、各々《おのおの》三人の従者を従えて行く。そのあとに、六百の親衛兵にかこまれて王が馬を進める。王シャルルのすぐうしろに、ローヴェレとスフォルツァ両枢機卿が従い、彼らの次に、コロンナ、サヴェッリ両枢機卿、そしてコロンナ一党が続いた。ヴィア・ラータ（現ヴィア・デル・コルソ）の直線に走る通りを、延々と果てしなく続く大軍の行進に、ローマの民衆はただ驚くばかりだった。しかし、なによりも彼らを怖《おそ》れ驚かせたのは、三十六門の大砲が、眼前を馬に引かれていくのを見た時だった。それでも彼らは、眼前を行進していくこの大軍にむかって、

「フランス《フランチァ》！　コロンナ！　ヴィンコリ！」

と歓声をあげ続けた。ヴィンコリとは、サン・ピエトロ・イン・ヴィンコリの枢機卿であるローヴェレの通称である。

シャルルがサン・マルコ宮殿に入ったあと、宮殿の周囲はすぐに二千の騎兵が警護につき、その他の市内の要所も、フランス軍がかためてしまった。そして、二門の大砲は、テヴェレ河の岸にすえられた。その砲口は、ヴァティカンにぴたりと照準を定

めてあった。

法王宮の回廊からは、夜になっても続々と入城してくる、フランスの軍勢をよく見ることができた。あかあかと燃えるたいまつの火に浮び上って、それはまるで、巨大な黒い蛇が行くようだった。「フランチア！　コロンナ！　ヴィンコリ！」と叫ぶ歓声の波が、テヴェレの河風にはこばれてきた。

法王は、寒風の中に立ちつくし、彼方《かなた》の光の中の騒ぎを、じっとみつめていた。チェーザレは、その父の背後に立っていた。しかし、父法王の静かな眼差《まなざし》とは違い、彼の眼はきらきらと輝き、くい入るようなその眼差は、なにものをも見のがさないとでもいうように鋭かった。そして、この父と子は、その時、二人とも同じことを考えていたのである。

第五章

フランス王は、法王をどうするつもりか。イタリアだけでなく、ヨーロッパ各国も、シャルルの次の出方に注目していた。事実上、今では法王は、フランス王の捕虜である。ローマ市内は、フランス兵の略奪に日夜おびえる日が続いていた。テヴェレ河の西には入らないというシャルルの約束も、いまや空文と化していた。その中で法王は、カステル・サンタンジェロに避難するようにとの近臣たちの懇願を、断固としてしりぞけ、法王の座所である法王宮から動こうとはしなかった。彼を護《まも》る親衛兵は、わずか一千にすぎなかったのだが。

一四九五年一月二日、チェーザレは、父法王から特使に任ぜられ、シャルルの宿所に向った。彼の役目は、法王からの提案を持っていくというよりも、敵情偵察である。フランス王は、この法王の息子をそっけなく迎えた。そして、以前からの法王への要求事項をくり返すだけだった。それどころか、以前は、ナポリ王位継承権を認めよというのが最大の王の要求であり、それを容《い》れないならば宗教会議を開催するとおどしていたのに、王のまわりにいるローヴェレ以下の枢機卿《すうきけい》たちに煽動《せんどう》されて、今では、宗教会議の件の方を、強く迫るようになっていた。さらに、ローマの要塞《ようさい》カステル・サンタンジェロを開け渡せとまで言った。法王は、彼の長い生涯の中で、おそらく、最も微妙で危険な時を迎えていた。

チェーザレのもって帰った王の要求に、法王は、あいまいな回答を送っただけだったが、カステル・サンタンジェロの譲渡だけは、断固として拒絶した。すぐさまフランス軍は、三十六門の大砲を、ずらりとテヴェレ河の岸に並べ、そのすべての砲口は、カステル・サンタンジェロに向けられた。それを見た法王は、自ら、チェーザレ、モンレアーレ、カラーファ、オルシーニ、サンジョルジョ、パッラヴィチーニの六人の枢機卿を従え、カステル・サンタンジェロに移ったのである。そして、いまにも大砲に火をつけそうなフランス軍に向ってこう言わせた。

「お前たちがしようとしていることは、私を殺すだけでなく、ここにある聖者や殉教者の聖遺物もともに破壊することになろう」

大砲は、ついに火を噴かなかった。

しかし、この断固とした態度にでながらも、法王は、裏では、フランス王との間の連絡を断とうとはしなかった。なるべく早くフランス軍をローマから出すこと。それが法王にとっての先決問題であった。チェーザレ、パッラヴィチーニ、リアーリオと、法王特使となった枢機卿たちとシャルルとの間で、交渉が続けられた。その間にもシャルルは、ローマの大寺院のミサに出かけ、そこにある聖遺物に、つつしんで礼拝を捧《ささ》げたりした。それでいて一方では、ローマに住むユダヤ人のシナゴーグが、フランス軍によって焼打ちにあうという事件もおきた。

ようやく、一月十五日、法王と王との間に協定が成立した。シャルルの要求事項のうち、ナポリへの通行の自由は認められた。オスティアの城塞は、ローヴェレ枢機卿に返された。その上、ジェーム王子は、十字軍遠征までフランス王が預かることになり、四カ月の間、チェーザレ枢機卿を法王使節として王の許《もと》に置くことさえも決った。使節といっても、実質は人質である。さらに、王の二人の近親を枢機卿に任命するとまで法王はつけ加え、シャルルはこれを承認した。しかし、この中のどこにも、シャルルの以前からの要求の三大事項、ナポリ王位継承権、十字軍遠征計画、教会を改革するための宗教会議開催については、少しもふれられてはいなかった。これを知った親仏派の枢機卿たちは、驚き怒った。とくに、ローヴェレの怒りはすさまじく、王自ら、彼をなだめるほどだった。しかしシャルルは、明日にひかえた法王との最初の会見に興奮していたので、枢機卿たちの願いを聞くゆとりもなかった。絶望した彼らのうち、スフォルツァ、ルナーテ両枢機卿は、ミラノに向けて発《た》ってしまった。ただ、ローヴェレは、シャルルのそばについているよりしかたがなかった。

翌十六日、王の偉容を示しながら、シャルルは法王宮に入った。法王は、カステル・サンタンジェロから秘密の通路を通って、法王宮で彼を待っていた。アレッサンドロ六世は、三重冠までつけた法王の第一礼装である。周囲には、これまた緋《ひ》の衣の枢機卿たちが、ずらりと法王をとりまいていた。法王の前にきたシャルルは、思わずひざまずいていた。ついで、法王のつま先に三度接吻《せっぷん》し、さし出された手の指輪にも、おずおずと口をつけた。そしてようやく、シャルルは口を開いた。

「私は、聖ペテロの地上での代理人であられる法王猊下《げいか》に、服従と忠誠を再び捧げにまいりました。私の祖先であるフランスの王たちが、かつて捧げたと同じように」

勝負はついた。自分の土俵で勝負することを選んだ法王の方が勝ったのである。暖かい微笑と喜びを身体《からだ》中にあらわしてシャルルを立たせた法王は、真心のこもった言葉とともに、ふるえている彼を抱擁した。

その翌日、サン・ピエトロ大寺院では、フランス王のために荘厳なミサがあげられた。寺院に入る時も、うやうやしく聖水を受けたシャルルは、最前列に用意されていた席を遠慮し、最年長の枢機卿の次の席にすわった。

二十五日、サン・パウロ寺院でのミサに出席する法王とフランス王が、サン・ピエトロ大寺院からサン・パウロ寺院までの間を、二人で馬を並べて行くのを見たローマの人々は、わが眼を疑った。彼らの後には、各国大使や枢機卿たちが従い、フランス軍の将軍たちもこの行列に加わっていた。

二十八日、シャルルの出発の日である。法王にナポリ王位継承権を認めてもらえなかった彼は、それでもナポリ征服をあきらめなかった。宿所のサン・マルコ宮殿を出た彼は、法王への別れのあいさつのために、ヴァティカンへ向った。あいかわらず、「私の息子よ」と言ってシャルルを感激させたあと、法王は、シャルルを自室に連れていった。チェーザレだけが呼ばれた。ここで、彼ら三人の間でどのようなことが話されたのかは、誰も知らない。しばらくして出てきたシャルルは、ほとんど涙を流さんばかりだった。

出発の時が来た。サン・ピエトロ広場を埋めたフランス軍勢の中を、王は馬に乗り移った。その馬は、チェーザレが王に贈った六頭のうちの一頭だった。馬上から、王はもう一度、法王にあいさつをした。バルコニーに立った法王は、おごそかに祝福の手ぶりでそれに返した。シャルルは馬を進めた。その王の左側には、チェーザレが、これも馬で従っていた。彼らに続く一群の中に、トルコの王子ジェームの、気だるそうな姿も見えた。

二人の人質を加えたフランス王シャルル八世の軍勢は、ローマの城壁をうしろに、ヴィア・ラティーナを進んで行った。この道は、シャルルにとっては、とりわけ感動をそそる道だった。なぜならばこの道は、二百二十九年前、彼の祖先でもあるシャルル・ダンジューが、ナポリ征服のため南下したと同じ道であったのだ。馬を進めながら、シャルルは陽気だった。しかし、王と馬を並べて行くチェーザレは、それと対照的に口数が少なかった。

マリーノの地に着いた一行を迎えた知らせは、シャルルをひどく喜ばせた。ナポリ王のアルフォンソ二世が、王位を子のフェランディーノにゆずり、シチリアに逃げてしまったというものである。カラーブリア公であった頃、オートラントでのトルコ軍に対する勝利で、イタリア第一の武人とされていたアルフォンソ二世を、シャルルはやはり怖《おそ》れていた。しかし、かつての猛将に、どのような心境の変化が生じたのかは誰も知らない。ナポリ王国を捨てた彼は、シチリアへ渡り、そこの修道院に閉じこもったまま一生を終える。一方、父から王位をゆずられた幼いフェランディーノは、防戦に努めるよりさきに、彼も逃げることにした。カプリ島の北西にあるイスキア島にである。

ますます陽気になったシャルルとその軍勢が、マリーノを出てしばらく行った頃のことだった。それまで、一行の中に、ひときわ贅沢《ぜいたく》に飾りたてた十九の櫃《ひつ》を背にした馬の一団が、従者に連れられていくのを誰もが知っていた。そして、黒いビロードのおおいの上にししゅうされている、チェーザレ枢機卿の紋章から、この十頭の馬と櫃が、誰のものであるかも知っていた。しかし、この頃、その中の二つの櫃をつけた一頭の馬だけが、ひそかに一行からはずされて、道のわきの藪《やぶ》の中にかくされたのには、誰一人として気づいた者はいなかった。他の十七個の櫃をつけた九頭の馬は、そのまま、陽気なフランス人と共に行軍を続けていった。

その夜の宿泊地は、ローヴェレ枢機卿の所有地ヴェレトリだった。王と二人の人質の宿所は、ローヴェレの屋敷に決められた。チェーザレは、王をその寝所まで送っていった。そして、しばらく王となごやかに歓談した後、彼もまた、自分に与えられた寝室へ戻った。

夜半を過ぎた頃、馬丁の格好をした一人の男が、そっと屋敷を抜け出したのに気づいた者はいなかった。王の守備兵たちも、行軍の疲れとナポリ征服の容易な見通しによる安心感で、寝惚《ねぼ》け眼をしばたたかせただけだったから、みすぼらしく背をまげて歩くこの男を、誰一人として見とがめようともしなかった。町はずれに、二人の男が待っていた。近くの物陰に、三頭の馬が、ひっそりとかたまっているのも見えた。二頭の馬には、それぞれ一個ずつの櫃がつけられていた。ここまでたどりついた馬丁の格好をした男は、待っていた二人と合流した。ふたことみこと、ひそやかな言葉がかわされた。やにわに馬に飛び乗った三人は、はじめはゆるく、そしてだんだんと全速力で馬を飛ばした。彼ら三人の背後には、深い眠りに沈んでいる町だけが残された。馬丁を装《よそお》っていたのはチェーザレ、そして彼を待っていた二人は、従者一人と友人のドン・ミケロットである。夜の海を左に、ローマへの道をひたすら馬を走らせるチェーザレの顔からは、さわやかな若い笑いが消えなかった。

翌朝、人質の枢機卿の様子を見にきたシャルルの家臣は、白い寝床の上にぬぎ捨てられている緋の衣を発見した。このチェーザレ枢機卿逃亡事件は、ただちに、まだ寝床にあった王に報告された。王の怒りはすさまじく、捜索のため走り去る家臣たちをおびえさせた。屋敷も町の中も、しらみつぶしに調べられた。しかし無駄だった。チェーザレの影も形もないとの報告を受けた王は腹を立て、枢機卿の荷をすべて焼き捨てろと命じた。庭にもってこられたチェーザレの贅沢な十七個の櫃は、火をつけやすいようにふたがあけられた。その瞬間、誰もが、はっとして王の顔を見た。怒り狂った王シャルルは身体をふるわせ、どもりながら、

「消え失《う》せろ！」

とだけ言って部屋に入ってしまった。十七個の櫃の中身は、すべてガラクタだった

のである。

その頃チェーザレは、すでにローマに帰っていた。ただ慎重を期して、ヴァティカンにも自分の宮殿にも、立ち寄らなかった。法王庁の役人をしているフロレスの家にひそんでいたのだ。その日、父法王とは秘《ひそ》かに会ったらしい。そして、二日後、彼は、すでにスポレートにいた。

二十歳にもならない若者に愚弄《ぐろう》され、怒り心頭に発したシャルルは、ヴェレトリの代官の絞首刑《こうしゅけい》と、町の焼打ちを命じた。しかしこれは、ローヴェレ枢機卿の嘆願によって結局は考えをひるがえしたが、それでもローマの法王へは、強硬な抗議文を送りつけた。それに、

「枢機卿はどこを探しても見つからず、こちらも心配している状態である」

と、悠然と答えた法王よりも、ローマ市の代表者たちがあわてた。ローマ市は、すぐさま三人の代表をシャルルの許へ送り、ローマ市はチェーザレ枢機卿のやったことに関しては全く無関係であると釈明させた。数日後、逃げたチェーザレがスポレートにいるということを知ったシャルルは、スポレート市に対して、チェーザレ引き渡し

の要求を送りつけた。が、スポレートからの返事は、次のようなものだった。

「枢機卿は、供二人をつれ、たった三騎で笑いあいながら、すでに出発され、今はこちらにいると思ったら、もうその次はあちらに影がという具合です」

二月五日、八日間も無駄にしてしまったシャルルは、チェーザレをあきらめて、ナポリへ向って出発していった。その二日後、ガラクタの入った十七個の櫃を積んだ馬の一行が、従者につきそわれて、陽気にローマへ帰って来た。三月の末になるまで、チェーザレの消息を誰も知らなかった。


ナポリを簡単に征服したフランス軍は、この美しい港町の享楽《きようらく》的な生活におぼれるのも簡単だった。「ナポリ、シチリア、イェルサレムの王」と称して、勝手に戴冠《たいかん》してしまったシャルルはもちろん、フランス兵たちもまた、宴に遊びに羽目をはずす毎日が続いた。彼らの間では、手に入れたナポリ女の肖像画を描かせることが流行した。王自らもその数の多さを誇った。しかし、征服されたはずのナポリ人は、別に、フランス人から大損害を受けたわけではなかった。なにしろ、征服者を迎えるのには慣れたナポリっ子である。女たちは、フランス人から出来る限り金をしぼりとり、肖像画家も彼女らと結託してもうけた。ナポリ王国の家臣たちも同じだった。シャルルをおだてている裏で、イスキア島にいるナポリ王と連絡を続けていた。巷《ちまた》には、脚の曲がった大鼻の王を笑いものにした小唄《こうた》がはやった。

その間にも、フランス人の楽しみに影をさすようなことが起りはじめていた。まず、もう一人残った人質の、王子ジェームの死である。フランス側は、はじめはそれを隠そうとした。しかしすぐ、ローマを発つ直前に、ボルジアによって毒を盛られたためだと発表した。だが、次いで起ったことは、今度はほんとうにシャルルの酔いを吹きとばしてしまった。対フランス王を目的とした、大同盟の結成がそれである。息子チェーザレの逃走で身軽になった法王アレッサンドロ六世が、復讐戦《ふくしゅうせん》を開始したのだった。法王の呼びかけに、イタリアの国々はすべて賛同した。フランス軍侵入の手びきをしたミラノのイル・モーロでさえも。イタリア諸国は、その歴史上、珍しくも一致した行動をとろうとしていた。さらに、シャルルのやり方に反感をもちはじめたスペイン王と神聖ローマ帝国皇帝も加わって、四月十二日、同盟は正式に成立した。

シャルルはあわてた。その彼にとって、征服した地で捕虜にならないためには、急ぎフランスに帰るしか道はなかった。それでも全軍の半分は、モンパンシェ将軍の指揮下、ナポリの守備に残ることになった。

五月二十日、シャルルは、あわただしくナポリを後にした。ローヴェレ枢機卿も一緒だった。ローマで法王と会いたいというシャルルの要求を、アレッサンドロ六世は逃げることにした。五月二十七日、二十人の枢機卿と各国の大使を従え、ヴェネツィアとミラノから送られた一万の軍勢に守られて、法王はオルヴィエートへ向った。ローマには、モートン、パッラヴィチーニ両枢機卿が、法王代理として残った。オルヴィエートでは、チェーザレが待っていた。彼は以前から、法王庁領土であるオルヴィエートの総督でもあった。

一方、六月一日にローマに着いたシャルルは、法王代理である二人の枢機卿から、うやうやしく迎えられた。誰もが、シャルルが法王の欺《あざむ》きに復讐するのではないかと怖れたが、フランス軍は、前回よりも静かだった。シャルルも、サン・ピエトロ大寺院に参拝しただけだった。二日後、シャルルとその軍は、そのままローマを出ていった。

チヴィタヴェッキアで、再度、法王に会見を申し込んできたシャルルを、法王はまた逃げることにした。六月五日、法王は、その全宮廷を従えて、今度はペルージアへ向った。逃げるといっても、それは陽気な逃避行だった。結果はすでに出ていたのだ。シエナ、ピサと、行きとはうって変った冷たい歓迎を受けながら、シャルルは、急行軍で北へ向っていた。フィレンツェには、立寄ることさえやめた。ポッジボンシで待っていたサヴォナローラの、王に教会改革の遂行を迫る熱弁も、もはやシャルルの足をとめることはできなかった。王には、できるだけ早く、アスティにいるオルレアン公指揮下の軍と合流する必要があった。

しかし、フォルノーヴォの近く、タローの河岸までたどりついた時、そこに待機していた同盟軍と出会《でく》わしてしまった。同盟軍の総司令官は、マントヴァ侯爵《こうしゃく》フランチェスコ・ゴンザーガである。すでに、行きの時の半分の軍勢のうえ、敗走のような急行軍で、兵を多く捨ててきてしまっていたフランス軍は、総勢一万を数えるだけだった。歴史上、タローの戦闘として有名なこの戦いは、事実上は一時間たらずで勝負がついた。シャルルは、分捕品も何もかも味方の兵まで捨て、やっとの思いでアルプスを越え、フランスへ逃げ帰ったのである。イタリア侵入のためアルプスを越えてから、まだ一年もたってはいなかった。ナポリへ残してきた他の半分の軍勢も、この後にナポリ王国軍との戦いで全滅する。フランスの兵たちの多くは、こうしてイタリアにその墓をもつことになった。シャルルとそのフランス軍は、イタリアに二つの贈物をした。一つは、イタリアの現状の再検討であったが、このまじめな贈物は、何ものにもとらわれない自由な魂と、感受性の鋭い何人かの人々にしかとどかなかった。しかし、もう一つの贈物は、またたくまに、全イタリア、そして全ヨーロッパを風靡《ふうび》することになる。

それは「フランス病《マール・フランチェーゼ》」と呼ばれた。今日では、「ヴィーナスの病」と呼ばれているけれど。

第六章

当時、謎《なぞ》めいた噂《うわさ》の絶えることのなかったボルジア家の人々の中で、最も暗い影をもつのは、法王アレッサンドロ六世の三男ホアンであったろう。普通、父親というものは、子供の将来を気づかうものだが、アレッサンドロ六世は、その父親の中でも、最も子供たちに期待し、彼らを助けることに熱心な父親であった。

その彼の長男は、歴史上では母親の名も不明な結びつきから生れたペドロ・ルイスである。スペイン出身である父親の、生国への郷愁から、彼は早くからスペインへ送られ、フェルディナンド王臣下の武将として重用されていた。王の姪《めい》と婚約し、スペイン宮廷の中で、このガンディア公爵《こうしゃく》は、イタリアにいる父の期待と希望であったのに、父の法王即位の四年前、若年で死んでしまった。次男はチェーザレである。母は、法王ボルジアの最愛の人ヴァノッツァ・カタネイで、彼女を母としてホアン、ルクレツィア、ホフレの他の三人の子が生れた。チェーザレは、父法王の本拠ローマ法王庁の中で、その父の後継者と目され、そのために早くから聖職の籍に入れられていた。そして、この彼より一歳年下の弟がホアンである。ホアンは、兄ペドロの死後ガンディア公爵となり、その許嫁《いいなずけ》ドンナ・マリア・エンリクエスまでゆずられ、死んだ兄に対していだいていて果されなかった父法王の期待を一身に負うことになった。もちろん、この継承の簡単な成功には、ローマ法王と深い結びつきをもとうとする、スペイン王フェルディナンドの思惑も働いていた。

一四九三年八月、シャルル八世のイタリア侵入の一年前、ホアンは、スペインへ向って船出した。結婚と、スペイン王への目通りのためである。ローマからチヴィタヴェッキアまで陸路をとり、そこからバルセローナまでは、四隻《せき》のガレー船隊を従えての船旅であった。この重要な機会に、法王は、ホアンに一通の手紙を持たせた。彼ら家族の間で日常に使われていたヴァレンシア方言で書かれたこの手紙は、法王アレッサンドロ六世の、父親としての情愛をよく示している。その中のいくつかを拾ってみれば、まず実用面で、ガレー船の船長にはいくらチップをやったらよいかとあり、その金額まで示し、多すぎても軽く見られるし、少なすぎると吝嗇《けち》だと思われるからとある。そして、バルセローナ上陸時には、どの家臣を従えるかも記し、どの装飾品を着けるかを一日毎《ごと》に指定している。また、宗教面にもふれ、常に聖母には敬虔《けいけん》な祈りを忘れず、良きキリスト者として生活するようにと書き、夫婦生活については、食事も眠る時もいつも妻と一緒にすることとある。さらに、まじめな生活をし、夜歩きなどしないよう、賭事《かけごと》には手を出さないようにとまで忠告し、最後には、美容まで心配して、常に手袋をはめていること、スペインでは手の美しさが重視されるからとつけ加えて終っている。息子ホアンは、その時十七歳であった。

船中でのことは、史料もなく知られていない。しかし、バルセローナに上陸するやいなや、ホアンは、父の手紙に書かれてあったことなど、すっかり忘れてしまう。その月の末、スペインの王、そして女王のイザベッラ臨席のもとに結婚式は行われた。ところが、この義務を済ませたホアンは、まもなく花嫁を放り出してしまった。魅惑的なこの港町は、彼を楽しませる材料にこと欠かなかった。宮廷の中で、王と重臣たちの前でおとなしくしているよりは、彼は、同年輩の若者たちと遊ぶ方を好んだ。ホアンに従ってきた家臣たちは嘆き、それをローマの法王に通報した。スペインからローマにとどく手紙はすべて、このガンディア公爵の無軌道ぶりを嘆いたもので、ローマからスペインへ送られる手紙はすべて、息子に忠告し彼を叱《しか》る手紙だった。ついに、チェーザレまでが動員される。十一月、チェーザレは、ホアンにあてて次のような手紙を書いた。

「弟殿、われわれは、法王猊下《げいか》の威光の輝くこの大地に、常に接吻《せっぷん》しなければならないのだ。そして、われわれのためを思い、われわれを育ててくれたあの方のために、常に祈らねばならない。だから、あの方に奉仕し、あの方の喜ばれるように努めるべきだと思う。それは、われわれのできるかぎりの感謝を、法王猊下にわかっていただくための、小さな試みでもあるのだから」

しかし、十八歳の兄のこの忠告も、どうやら無駄に終ったらしい。ローマでは、この頃になっても、ホアンの結婚が実際に遂行されたとは、誰も信じなかった。だが十二月四日付の手紙で、ホアンは父法王に、結婚を遂行したことを誓っている。しばらくして、若い公爵と夫人は、バルセローナから領地のガンディアに移った。そこには、かつて父が、長男ペドロ・ルイスのためにととのえておいた城もあったのである。しかし、静かなこの小都市の生活は、ホアンを死ぬほどの倦怠《けんたい》に追い込んだ。それでも、その後の二年間、彼はスペインに留っていた。

シャルル八世のフランス軍侵入という大きな事実によって、力を持たない者の惨《みじ》めさを痛感させられた法王アレッサンドロ六世は、教会軍の充実というその意図を、いよいよ実行に移しはじめていた。そして、その第一歩は、ローマ近郊に大きな勢力をもち、たびたび法王をおびやかしてきたローマの豪族たちに向けられた。とくに、ローマから五十キロの距離のブラッチャーノを拠点として、ローマ北部を事実上支配していたオルシーニ一族は、「教会の咽喉《のど》にひっかかった骨」(グイッチャルディーニ)といわれた豪族たちの中でも、最強の一つであった。

一四九六年の春、ガンディア公爵ホアンは、法王によってローマに呼び戻された。法王は、彼を教会軍総司令官にして、自分の意図を実現する望みを託したのである。すなわち、ホアンは、ボルジアの「剣」にならねばならなかった。彼は、六月、妻と二人の子をガンディアの領地に残してスペインを発《た》ち、ローマに向った。

イタリアに着いたホアンを待っていた待遇は、以前とはがらりと変ったものだった。

それは、法王の息子の一人に対するものではなく、ローマ教会の重職にある人に対するそれであった。出迎えには、チェーザレが法王特使として派遣された。ローマに着いたホアンは、父法王から大きな喜びと共に迎えられた。十二月二十六日、サン・ピエトロ大寺院において、正式に、教会軍総司令官《カピターノ・ジェネラーレ・デッラ・キエーザ》、教会の旗手《ゴンファロニエレ・デッラ・キエーザ》に任ぜられ、アレッサンドロ六世自らの手で、元帥杖《げんすいじょう》と三種の旗を授けられた。三種の旗は、一つは聖ペテロの鍵《かぎ》のついたローマ教会のもの、もう一つは、ボルジア家の紋章の牛を描いたもの、そして第三の旗は、山を裂く雷光を紋章としたガンディア公爵のものであった。チェーザレは、それらをホアンに授ける父法王から、ひとつひとつ弟に手渡しをする役目だった。

枢機《すうき》卿《けい》会議が承認した法王教書に裏打ちされた、対オルシーニ攻略戦の始まりは輝かしいものであった。ホアンの軍事的才能に幾分かの不安をいだいていた法王が、ウルビーノ公爵グイドバルド・ダ・モンテフェルトロを副将として付けたこともある。ローマに送られてくる戦報は、オルシーニの要塞《ようさい》が次々と落ちたことを知らせ、法王を狂喜させるものだった。法王ばかりでなく、ヴァティカン全体が、このガンディア公の戦勝にわきかえった。しかし、その中でただ一人、この祝勝さわぎから遠い自分の気持を、苦く味わっていた男がいた。チェーザレである。彼は、狩りへ行くと称して、馬で遠出する日が続いた。そういう時、彼は馬を、思わず戦場へ向けていた。弟が指揮している戦闘が行われている場所を、すぐ眼下に見る小高い丘の上に立つ一騎の姿をみとめた人は多かった。両軍を左右に見る丘である。一度などは、それを敵に見つけられ、追いかけられたこともある。ただ、彼の馬の脚の速さだけが、チェーザレを災いから救った。

しかし、打ち続く戦勝の報に、ほころびっぱなしであった法王の顔も、少しずつ引きしまり曇る時がやってきた。本拠ブラッチャーノの城塞にこもって、最後の必死の抵抗をするオルシーニ一族を、ホアンの軍はどうしても破ることができなかった。湖を前に鉄壁の防禦《ぼうぎょ》を誇るこの城塞を指揮していたのは女だった。バルトロメア・オルシーニである。彼女は、城の塔高くフランス国旗をかかげ、兵を満載して湖上を渡ってくる教会軍の船を、砲撃によってひとつひとつ的確に沈めてしまった。戦況は逆転した。両岸からのはさみ撃ちにもあい、後退して陣営をたてなおすことも不可能になった教会軍は、敗走に次ぐ敗走の連続である。八百の死者、そして副将ウルビーノ公は、傷つき捕虜になってしまった。ホアンは、かろうじてローマへ逃げ帰った。しかし、勝利にいきおいを得たオルシーニ軍は、それを追ってローマの城壁にまで迫った。法王は、オルシーニに講和を提案しなければならなかった。翌年の二月、講和は成った。オルシーニは毎年五万ドゥカートを法王庁に支払うこと。そのかわりに、オルシーニ討伐を指示した法王教書は、破棄するというものだった。法王側にとっては、面目丸つぶれである。この講和の成立によって、ローマ城壁の近くまで迫っていたオルシーニ軍は引きあげ、捕虜も返してきた。ウルビーノ公爵の釈放には、高額の身代金《みのしろきん》を要求してきたが、それをホアンは知らぬ顔をきめこみ、ウルビーノ公は、自分でそれを都合しなければならなかった。

アレッサンドロ六世は、このオルシーニから得た屈辱を、今度はローマの南を支配下に置く反ボルジア派との戦いで雪辱しようとした。目的は、オスティアの城塞である。このテヴェレ河口をかためる要塞は、シャルル八世の侵入時にローヴェレ枢機卿の所有を認められてから、フランス国旗がひるがえり、ローヴェレと近い、有名な海賊のモナルドとその部下によって守られていた。教会軍を率いるのは、前回と同じく教会軍総司令官のガンディア公ホアンである。しかし、次々と法王のもとにとどく戦報は、始めからホアンとその軍の惨憺《さんたん》たる戦況を知らせるものばかりだった。怒りと屈辱で顔を紅潮させながら、法王は、一人のスペインの武将に助けを求めねばならなかった。彼と彼の副将のプロスペロ・コロンナの前に、オスティアの城塞が落ちるのは簡単だった。

鎖につながれた海賊の首領を先導にして、ローマへ凱旋《がいせん》の入城をしたスペインの武将は、市民たちの歓呼に迎えられた。彼の横には、再度の戦いでますます自らの非力を暴露してしまったにもかかわらず、それを少しも気にかけていないホアンが、自分の方が勝利者であるかのように、誇らし気に馬を並べていた。苦々しい思いを隠して、表面はこのスペイン人の勝利を喜ぶ風を装《よそお》いながら彼を迎えた法王は、戦勝の祝いに、「復活祭のしゅろ」を授けようとした。しかし、スペインの武将は、「金のバラ《ローザ・ドーロ》」を要求した。これは、法王にとって、たび重なる屈辱の思いを、また新たにすることだった。「金のバラ」は、法王から俗人に与えられる最高の賞である。もし教会軍総司令官であるホアンがこの勝利を得ていたならば、当然、彼に与えられるべきものであった。一介の武将には過ぎた褒賞《ほうしょう》なのだ。しかし法王は、このスペイン人の希望をかなえてやるよりしかたがなかった。誰もが、この勝利の事実上の功労者を知っていたからである。サン・ピエトロ大寺院で行われた、このスペインの武将のための壮麗な「金のバラ」の授与式に列席した人々の多くは、その顔に軽蔑《けいべつ》の薄笑いをうかべていた。それは、この席にも出ているホアンひとりに向けられたものではなく、彼のような男を出したボルジア家すべてに向けられたものであった。参列者の中に、チェーザレもいた。彼の眼は、まっすぐ弟に向けられていた。法王から「金のバラ」を授与されるスペイン人のうしろに、なすこともなく従っている弟に。チェーザレは笑ってはいなかった。ただ、その眼の底には、軽蔑よりも深く強いものが光っていた。この時のスペインの武将こそ、スペイン王フェルディナンドの家臣で、ナポリ一帯に勇名の高かったゴンザーロ・フェルナンデス・ダ・コルドーバである。彼は、この後のボルジア家の盛衰に、そしてとくにチェーザレに深い関係をもつ男となる。

一四九七年六月七日の朝である。法王からの枢機卿会議召集の令状を受けとった枢機卿たちが、ヴァティカンに集まってきた。彼らを前にして、法王は一通の教書の承認を求めた。それは、ナポリ王国の新王の王位継承権に対する法王の承認を記したものだった。前年、幼いナポリ王フェランディーノは死んでいた。彼は、跡継ぎの王子を残さなかったので、王位をめぐる争いは激しかった。その中で、幼王の伯父にあたるフェデリーコが、着々と王位に向って地歩を固めていた。しかしフランスも、執拗《しつよう》にナポリの王冠を狙《ねら》っている時、フェデリーコの何よりも必要としたもの、それが、彼の王位継承権を法王に認めてもらうことだったのである。それをしてもらうために、彼は法王に、一つの取引を申し出た。王権を認めてもらう代りに、ベネヴェントの地を法王に譲渡するというものである。会議に集まった枢機卿たちは、ナポリ王位継承を認めることの裏に、ベネヴェントが法王領に入るならまだしも、法王がその地を息子のホアンに与える策略が秘められていると悟った。

しかし法王は、脅迫と懐柔という、ボルジアの二つの武器を使う名人である。この法王の前に、枢機卿たちは敵ではなかった。ただ一人、老齢のピッコローミニ枢機卿が、法王ボルジアの〝親族主義《ネポティズモ》〟を非難して反対をとなえた。しかし彼もすぐ、自らの口をおおわねばならなかった。ピッコローミニもまた、その伯父ピオ二世によって枢機卿に昇進した身であったのである。枢機卿会議は、法王教書を承認した。そして二日後、ナポリ新王戴冠式《たいかんしき》を行う法王代理として、枢機卿チェーザレが任命された。

兄と弟は、七月の初めに、ローマを発ちナポリへ向うことになった。兄は法王代理として新王の戴冠式を行うため、そして弟は、ベネヴェントの領土をもらい自分の公国とするために。彼ら二人は、九月にはローマに帰ることになっていた。その後ホアンの方は、妹のルクレツィアを伴ってスペインに発つはずになっていたからである。

法王は、娘を夫のペーザロ伯と別れさせる気だった。ミラノのスフォルツァと近い関係をもち続けることは、ボルジアにとって決して有利とはならなかったからである。ホアンは、輝かしい栄達の道を進んでいた。戦場での数々の不名誉も、彼をボルジアの剣に育てることに熱心な父法王にとっては、まだまだ我慢しなければならないことのようであった。ボルジア家には、ホアンの他に適当な男子がいなかったからである。チェーザレは僧籍にあり、末弟のホフレはまだ幼なすぎた。

弟ホアンの周囲をとりまく華やかな快楽のざわめきに背を向けて、兄チェーザレの心境は複雑だった。ホアンは、ガンディア公爵《こうしゃく》としてスペイン宮廷に地歩を固めながら、今度は、ベネヴェントの領土をもらい、ナポリ王国内の重臣の地位までも得ようとしていた。ナポリ王国の国情の定まらない時、ホアンの歩もうとしている道は、ナポリの王冠に通ずる可能性も多分にふくんでいた。おそらく父の法王も、いずれはと思っていたにちがいない。ホアンの前途は、大きく開けていた。

一方、チェーザレは緋衣《ひい》の人である。法王はこの息子の上に、教会の中でその名と実力を高めてきたボルジア家の伝統の後継者を見出《みいだ》していた。カリスト三世、アレッサンドロ六世と続いたボルジア家の伝統を継ぐ者として。この幸運とチェーザレ自身の「力量《ヴィルトウ》」をもってすれば、彼にもまた、枢機卿の中で大きな影響力を持ち、その富においても君主たちに劣らない生涯を約束されたことであろう。安定した地位、豊かな生活、人々から尊敬を受ける立場、これが、「教会の君主たち《イ・プリンチピ・デッラ・キエーザ》」と言われた枢機卿というものである。正式に結婚できないことなど、男にとっては不都合なことは少しもない。だから、今日に至るまでの教会の長い歴史の中で、枢機卿の緋の衣を得た人は、誰もそれを手放そうとはしなかった。

しかし、チェーザレの眼は、人々が狂喜してまとう緋の衣のはるか向うを見ていた。だが、その彼の視線は、ある厳しい現実によって断ち切られていたのである。なぜならば、枢機卿には昇進できた彼は、しかし父たちとは違う生れであった。ボルジア家の法王たち、カリスト三世もアレッサンドロ六世も、正式な結婚から生れた嫡子《ちゃくし》である。それなのにチェーザレの出生は正式どころか、カトリック教理では二重に認められていない、結婚してはならない聖職者の私生児。それが彼の野望の限界を決めていた。

父法王の力によって、枢機卿にまでは昇進できた。しかし、枢機卿昇格の時のあのスキャンダルを起したカトリック教理という壁は、彼を、それ以上の地位に進ませることを不可能にしていた。いかにアレッサンドロ六世の力が強く、巧妙に策謀をめぐらそうと、それは無理だった。「聖ペテロの玉座」に、チェーザレは坐《すわ》ることは絶対に出来ない。法王の三重冠は、彼の頭上に輝くことは決してない。第一人者の地位。それはチェーザレに、微笑すらも与えようとはしなかったのである。

父の法王も、この息子の立場をよく知っていた。しかし、神の地上での代理人として、カトリック教理を守り、広めていかねばならない立場にあるのが法王である。何もできなかった。ただ、チェーザレを、枢機卿の中でも有力にまた金持にしてやることと。それが法王に出来る限界であった。そしてアレッサンドロ六世は、二十二歳を迎えようとしているこの息子が、それで満足するだろうと思いこんで疑わなかったのである。

第七章

トライアヌス帝やティトゥス帝の浴場の遺跡から、それほど遠くもないサン・ピエトロ・イン・ヴィンコリ教会の近くに、ヴァノッツァの住む屋敷がある。チェーザレ、ホアン、ルクレツィア、ホフレと四人の子を与えたこのかつての愛人に、法王アレッサンドロ六世は、深い思いやりを今でも忘れなかった。糸杉の木立にかこまれたこの屋敷の美しさは、その半生を、ボルジアの愛人として陰にかくれて送ることに満足していたヴァノッツァへの、法王の感謝を示しているかのようであった。

その年の六月十四日の午後遅く、いつもはひっそりと静まりかえっているこの屋敷の門を、幾人かの優美な服装をした人々が入っていくのが見えた。この屋敷の女主人ヴァノッツァが開いた、ごく内輪の宴にまねかれた人々である。それは、一カ月もたたないうちにナポリへ発《た》っていく息子たち、チェーザレとホアンのための母親の心づくしであったのだ。政略に翻弄《ほんろう》される自分にいや気がさし、尼僧院《にそういん》に閉じこもったままのルクレツィアの他は、ボルジア家の兄弟たちとその親しい人々は皆来ていた。夏の初めの甘い夜を楽しむように、宴席は庭園の中にしつらえられていた。まだ美しさの十分残っている母親をかこんで、それはなごやかな雰囲気のうちに進んだ。

チェーザレは、僧衣でなく俗人の服を着ていた。派手な色彩のものではなかったが、裁断の見事なその服は、彼の細身の鞭《むち》のような肉体を浮き出させていた。浅黒い肌、黒い髪に、青味がかった灰色の眼が深い光をたたえ、ただ官能的な黒い髭《ひげ》とそれにうまった唇が、そのややもすれば厳しくなりがちな彼の秀麗な容貌《ようぼう》を、かろうじてやわらげていた。

一座の華はホアンだった。彼の将来には、少しの影も許されないと確信しているかのように楽し気にふるまうホアンは、戦場での失敗など気にもしていなかった。妻をスペインに置いたままのこのローマでの生活を、十分に楽しんでいた。

この頃では、父の愛を一身に集めているかに見える彼の勢力は大変なものだった。その傲慢《ごうまん》な態度は、ことごとにアスカーニオ・スフォルツァ枢機卿《すうきけい》と衝突し、常に忍耐に訴えねばならないのは、今ではアスカーニオの方だった。華やかに人々の眼を集めていたその夜のホアンは、かたわらに、見なれぬ一人の仮面をつけた男をひきよせていた。一座の誰一人その男の名を知らなかった。ただこの数カ月、ホアンの近くにいつもいた一人の若い男に似ていた。それでも人々は、不安にも不思議にも思わなかった。人々はささやきあっていた。たぶん、ホアンの情熱的な不倫の恋の相手だろうと。

末の弟のホフレも、妻のサンチャと来ていた。黒髪の情熱的なナポリ女のサンチャは、幼い夫にあき足らず、ローマに来たとたんにチェーザレと親しくなり、ホアンとも、彼がスペインから帰った時から関係があった。この義兄たちとのスキャンダルは、法王の心配の種でもあった。

夜半近く、人々はヴァノッツァに挨拶《あいさつ》し、それぞれ帰途についた。ボルジア家の人々は、その住いのあるヴァティカンの方角へ向った。心地よい夜の大気の中を、人々はゆっくりと歩を進めた。テヴェレ河のそば、もうヴァティカンも近いという時、ホアン一人が、もう少し夜気を吸いたいからと、連れの仮面の男を同じ馬の背に乗せ、馬丁だけを連れて一行を離れた。人々は、危険だからせめて武器でも持っていくようにと言ったが、彼は、すぐ帰るのだからと笑うだけだった。ローマの街は暗く、道には人影もなく、家々は窓を閉ざし、建物の壁をくりぬいたほこらの中の聖像を照らす常夜灯が、淡い光と影を落している以外は全く怖《おそろ》しいほどの闇《やみ》、その闇の中にホアンは消えた。

翌日、ヴァティカンでは、法王が朝から忙しかった。ナポリでの新王の戴冠式《たいかんしき》の打合せで、午前中は過ぎた。ホアンは現われなかった。法王は少し心配したが、以前にも彼が娼婦《しょうふ》の家に泊り、そこを出るのを人に見られたくないため、夕方まで帰って来なかったことがあったので、そんなことだろうと思っていた。しかしガンディア公は、夕闇が降りた後も姿を現わさなかった。法王は、今では不安を隠すこともできなかった。親衛隊のスペイン兵たちが街に走った。路《みち》という路を走りまわる武装したスペイン兵に、市民たちは、オルシーニかコロンナの軍勢がローマを襲撃してくるのかと思った。ガンディア公の馬丁が発見された。しかし、瀕死《ひんし》の重傷の身で、何も聞き出せないうちに死んでしまった。誰の胸にも、ホアンの死の予感がした。

その頃、テヴェレ河の岸につないだ舟の中で寝ていたという、一人の船頭が連れてこられた。ジョルジョという名のその船頭は、次のように物語った。

六月十四日から十五日にかけての夜、彼がいつものように舟の中で寝ていると、奇妙な物音に目を覚まさせられた。そして、二人の男がスキャボーニの病院のわきの小路から出て来るのを見た。男たちは、用心深くあたりに気をくばりながら進んできた。少したって、白馬に乗った男が一人、鞍《くら》の後ろにくくりつけた人間の身体《からだ》を、左右から二人の馬丁にささえさせながら近づいてくるのが見えた。彼らは、河岸のところにきて止った。騎士は、男たちに命令した。男たちは、動かない人間を馬の鞍から降ろし、河の中に投げ込んだ。船頭ははっきりと、騎士のうまく投げ込んだかどうかをたずねている声を聞いた。「はい、御主人様」と、男たちが答えた。河の水はゆっくりと流れていた。何かが水の上に浮んでいた。死人の着ているマントが、風をはらんで流れてゆくのだった。それに向って、男たちは石を投げつけた。再び騎士の命令で、男たちは土の跡を消した。騎士と男たちは、サン・ジャコモの病院の方へと立ち去った。夜がもどった。

船頭は、届け出る気などなかったと言った。彼は今まで、こんなことには始終出会っていた。そして、それらはいつも闇に葬《ほうむ》られてしまっていたのだからと。

この瞬間、法王は我を忘れた。信じなかった。他の人は皆、予感が適中したことを悟ったが、彼だけは信じようとしなかった。テヴェレ河の大捜索が始められた。三百の舟が網を投げては河底を探すのを照らす何千というたいまつの火で、テヴェレ河の両岸は、一晩中昼のように明るかった。

翌日の正午近く、ポポロ広場近くの河底から、ガンディア公ホアンの死体が引き上げられた。服はそのまま、両手をしばられ、全身に九つの傷があった。致命傷と思われる大きな傷が、喉元《のどもと》を深くえぐっていた。短剣もさしたまま、手袋はベルトにひっかけてあり、財布の中には三十ドゥカートも入ったままだった。マントの裏には、河の泥がいっぱいへばりついていた。

ホアンの死体は、カステル・サンタンジェロに運ばれた。汚れた服が脱がされ、身体が洗われた。そして公爵《こうしゃく》の正装を着せられ、教会軍総司令官の紋章が胸につけられた。彼はこの時二十歳でしかなかった。

その日の夕暮時、葬列はサンタ・マリア・デル・ポポロ教会へ向った。親族、僧侶《そうりょ》、貴族たちに付きそわれ、百二十のたいまつの火に照らされて、音もなく集まった群衆の中を、葬列はカステル・サンタンジェロを出た。その時、人々は、城の開け放された窓の向うの暗闇の中に、失った息子の名を呼ぶ、法王のほえるような声を聞いた。

このガンディア公惨殺《ざんさつ》事件の報《しら》せは、すぐさまローマ中に、そしてイタリア中に広まった。ヨーロッパ諸国の大使たちも、それぞれの君主たちへ、くわしい情報を送るのに忙しかった。

その渦中《かちゆう》に置かれた法王は、自分が拷問《ごうもん》を受けたかのように苦しんだ。三日の間、彼は食事もとらず、寝ようともしなかった。事件から五日後に開かれた枢機卿会議に、彼は憔悴《しようすい》した姿を現わした。

「最も耐えがたい打撃――法王のスペイン風の低くひびく声がとぎれがちに聞えた――私は、公を心から愛していた。もしすべてをもとにもどすことができたらと思うと。しかし、いかに自分の罪のむくいからとはいいながら、こんなにむごい死に方とは……」

彼は泣いていた。そして枢機卿たちを見まわして言葉を続けた。

「教会内部の再編成を行いたい。親族主義は廃止するつもりである。以後、教会の職は、それに適した者に与えられるであろう」

こういう法王の口調は、もうしっかりしていた。直ちに、枢機卿コスタが、改革の責任者に任命された。

その間にも、教会警察による捜査が続けられていた。まず、あの夜にホアンと一緒だった仮面の男が追及された。しかし、その生死さえもつきとめることができなかった。容疑者の名が、次々にあげられた。

まずアスカーニオ・スフォルツァ枢機卿——暗殺の動機は、完全といってもよいほどにあった。彼と死んだホアンとの不仲は、誰一人知らぬ者はいないほどだったし、ミラノ公国派は、今ではテロに訴えるより他にどうしようもないほど、教会の中で孤立していた。フランスの再度の野心が今はミラノに向けられている時、ミラノはぜひとも教会との友好関係を必要としていたので、反ミラノ最先鋒《さいせんぽう》のガンディア公を暗殺する動機は十分にあったのだ。その上、公が最後に消えた地点が、ちょうどアスカーニオの宮殿の近くだったことが疑いを深くさせた。宮殿の家宅捜索も行われた。しかし、何も得られなかった。法王は、アスカーニオの無実を公表した。

次にウルビーノ公グイドバルド——彼は、オルシーニとの戦いの時ガンディア公に同行し、敗戦の後、捕われの彼を置去りにして、公が逃げてしまったということからの恨みのためと見られた。しかし、周知のウルビーノ公の温厚誠実な性格から、これも問題にならなかった。

妻ルクレツィアとその実兄ホアンとの間の不倫の恋に嫉妬《しっと》したとして、事件当初しきりと名をあげられたペーザロ伯も、当時ミラノにいたことが証明され、これも妻のサンチャを兄に奪われた恨みからといわれた末弟のホフレも無実。敵の多かった、いやほとんど敵ばかりといってもよいガンディア公暗殺事件は、迷宮入りの様相を示し始めた。事件発生後二十一日目の七月五日、法王は、突然捜査打切りを公表した。同時に、ボルジア家の人々はヴァティカンから遠ざけられ、ホフレとサンチャは、ナポリへ出発させられた。二十二日には、チェーザレもまた、死んだホアンと共に行くはずであったナポリ王の戴冠式出席のため、ローマを発った。

全イタリア、全ヨーロッパの、このヴァティカンで起きた謎《なぞ》の暗殺事件に集中した眼も、

「彼もまた人々をすなどる漁夫であることを示すために、アレッサンドロ六世は自分の子を網でとった」（サンナヴァーロ）（一〇九頁《ページ》の注を参照）

とまでうたわれた巷《ちまた》の噂《うわさ》も下火になった頃、事件から八カ月が過ぎた一四九八年二月二十二日、われわれは初めて、暗殺の首謀者としてチェーザレ・ボルジアの名を見《み》出《いだ》す。その日、ヴェネツィア駐在のフェラーラ公国の情報官アルベルト・デッラ・ピーニャは、エステ公に次の手紙を送った。

「あらたに私が人から聞いたところによりますと、ガンディア公の死は、枢機卿の兄によるものだということです」

あらためて、好奇の眼がボルジアにそそがれた。事件直後のあらゆることが、ふたたび人々の口にのぼった。この八カ月間、ただの一度もチェーザレの名は噂にも聞かれなかったので、それは一層好奇心をあおりたてた。暗殺の動機としては、㈠義妹サンチャをめぐるチェーザレのホアンに対する嫉妬。㈡妹ルクレツィアをめぐる兄弟間の愛の葛藤《かっとう》。㈢父法王のホアンへの寵愛《ちょうあい》に対するチェーザレの嫉妬。㈣「私は誰がやったかを知っている」という事件直後の法王の言葉。㈤母のヴァノッツァが事件直後に法王と会い、その後法王による捜査打切りの命が出されたことから、きっとヴァノッツァは、暗殺者を知っていたのだろうということ。㈥ナポリから帰ったチェーザレに対して、法王は接吻《せっぷん》をさせただけで口もきかなかったこと。これらが人々の噂にのぼったことである。

しかし、あくまでも人々の噂であり、今日まで残っているのも、巷の噂をしるした年代記作者たちの書いたものである。事件の当事者たちは、一言も残していない。大使たちの書簡からも、新事実は少しも見出せない。そして不思議なことに、われわれがボルジア家の人々、とくにアレッサンドロ六世とその周囲を調べる時、最も信頼できる記録を残してくれた法王庁式部官のドイツ人ブルカルドの日誌は、あの事件の当日の六月十四日からしばらくの間が欠けている。そして、この時から五百年後の今日まで、好奇心に燃える多くの学者たちが、あらゆる古文書庫《アルキヴィオ》をひっくり返しているのに、この事件の首謀者を知る決定的な史料は、ついにひとかけらも発見されていない。

(注)　イエス・キリストが、ガリラヤ地方を宣教していたとき、彼は、海辺で網を打っているシモン(後の聖ペテロ)とその兄弟アンデレに出会い、こう言った。
「私についておいで、私はあなたたちを人を漁《すなど》る者にしよう」
シモンとアンデレは、網を捨てイエスに従った。

後にイェルサレムで十字架にかかったイエスが、復活し、再び弟子たちの前にその姿を現わしたとき、イエスはシモンを、〝私の羊たちを牧する者〟に指名した。

このイエスの言葉によって、初代法王はシモン、すなわち聖ペテロ（〔伊〕サン・ピエトロ）とされた。ローマ・ヴァティカン内にあるサン・ピエトロ大寺院の名も、これに由来する。だから後代の法王たちも、人を漁る者、すなわち聖ペテロの後継者ということになる。また、イタリア語では、法王の代称として、〝パストーレ〟（羊飼い）を使うことも多い。

第八章

一四九八年、夏。ガンディア公ホアンが暗殺されてから、すでに一年の歳月が過ぎようとしていた。ローマに駐在している各国の大使や情報官たちは、ここしばらくチェーザレ枢機卿《すうきけい》の姿を見かけないことに気づいた。あの暗殺事件以後、ボルジア家の人々にそそがれていた注視の中で、それを義務としている彼らの眼まで欺《あざむ》くことができたのは、チェーザレが、まず四月頃から、宗教儀式などの公式行事に参列しなくなりながらも非公式には顔を見せ、しばらくしてからはそれらの集まりからも姿を消すというやり方で、自分の宮殿と法王宮内の父の私室にこもってしまったからであった。何かをたくらんでいる。誰もが、この若い枢機卿の動静を探ろうとした。しかしこの頃のチェーザレは、社交界に姿を見せないばかりでなく、彼の好きな狩りにも出ようとはしなかった。病気だとは誰も思わなかった。法王付の召使の話から、しばしばチェーザレと法王が、二人だけで、長時間話しこんでいるということを知っていたからである。そして、彼らに不審をいだかせたもう一つの事実は、シャルル八世のイタリア侵入以来、事実上途絶えていたフランスとローマ教会の関係に、あらたな転換が起きようとしているらしい気配であった。フランスは、前王シャルルの死後、オルレアン公ルイが、ルイ十二世として王位についていた。この頃ローマに、王の使節らしいフランス人が何人も訪れ、法王とチェーザレを訪問することが多かったのだ。各国大使は、今さらのように、法王とチェーザレの周辺に監視の眼を光らせるのだった。しかし、このボルジア家の二人は、彼らに真相をつかませるだけの時を与えなかった。

七月十七日、法王は枢機卿会議を召集した。集まった枢機卿たちの前で、チェーザレは発言を求めた。緋《ひ》の衣と赤い帽子をつけた彼は、立ち上って言った。静かな、しかしきっぱりとした口調だった。

「私の心は、この緋の衣を身につけていながらも、常に現世だけを見つめて来ました。ただ法王猊下《げいか》の御希望だけが、その私を、今まで聖職に引きとめていたのです」

枢機卿返上とともにヴァレンシア大司教職をも捨て、俗界に降りるという宣言である。互いに顔を見あわせている他の枢機卿たちに、法王は、自分もこのヴァレンティーノ枢機卿の決意を認めたと言った。ひき続いて行われた投票も、全枢機卿の賛成票で終った。チェーザレは、緋の衣を脱ぎ捨てたのである。サヌードは、その『日誌』の中に書いた。

「かつて、枢機卿アレーリアが、修道僧になるために緋の衣を返上したいと申し出たことがある。しかし枢機卿会議は、多くの反対票を投じた。それが、今回は全員が賛成した。神の教会の何と地に落ちたことか」

全く前例のないこの事実を知った人々は皆、教会をいま動かしているのは、ようやく二十三歳を迎えようとしているこの若者だと気づいた。法王はただ、この息子の意図に力を貸してやる存在でしかなくなったと気づかされたのである。だが、誰も何の対策もなく、枢機卿という名誉と総額三万五千ドゥカートを越える年収を捨てる者はいない。緋の衣を捨てたチェーザレが、その代りに何を取ろうとしているのか。人々が臆測《おくそく》や噂《うわさ》を口にしはじめた頃には、チェーザレはすでに準備を完了していたのである。

前年の夏、法王代理としてナポリ王の戴冠式《たいかんしき》に行ったチェーザレは、豊かで広大なアラゴン王国を自分の眼で見た。ナポリから南へ、プーリア、カラーブリア、そしてシチリアとイタリア半島の三分の一以上を占めるこのアラゴン王国が、その強大な外観に比べて、その内政がいかに混乱した状態にあるかもよく見てきた。そして、死んだ弟ホアンに与えられることになっていたベネヴェントの領土を王からもらったことによって、彼もまた、ナポリ王国の一員となっていた。チェーザレは、その野望実現の可能性を、まず、このナポリ王国に見たのである。

アラゴン王家の命数は知れていた。国内に多くの封建領主《バローネ》をかかえ、彼らの反抗に手を焼いていた王家は、老練な政治家フェランテ王の死後、その権威と実力を建て直すことのできる一人の支配者も持てなかった。このナポリ王国の王権に近づく最短距離は、現王の嫡出《ちやくしゆつ》の王女との結婚である。サンチャのような先王の庶出の王女との結婚は、するだけでも無駄だった。チェーザレは、王女カルロッタを狙《ねら》った。そのための下準備の駒《こま》は、自分の妹のルクレツィアだった。すでにペーザロ伯と離婚させられ

ルイ十二世

ていたルクレツィアは、こうして、サンチャの兄のビシェリエ公アルフォンソに嫁いで行った。しかし、当の王女カルロッタが、チェーザレと結婚するのを嫌う。まだ彼が枢機卿をやめるなど予想もしなかった彼女は、「枢機卿夫人《カルディナレッサ》」（つまり愛人という意味）と呼ばれるなどいやだと言った。王フェデリーコ二世も、ボルジアを王権に近づけるこの結婚を好まなかった。チェーザレの野望は、挫折《ざせつ》したかに見えた。

しかし彼は、ナポリへの打診を続けながら、一方、フランスにも眼を向けていた。ヴェレトリでのチェーザレの逃亡事件に歯ぎしりさせられたシャルル八世とでは、話のもっていきようもなかったであろう。だがボルジアにとって幸いにも、フランスの王はルイの代になっていた。

新フランス王ルイ十二世は、王位即位後、離婚を考えていた。ルイ十一世の王女でせむしのジャンヌ・ド・ヴァロアを離婚し、故シャルル八世の未亡人のアンヌ・ド・ブルターニュと結婚したがっていた。アンヌは、ブルターニュ公国という大きな持参金を持っていたからである。しかし、キリスト教国の王として、離婚を成立させるのはむずかしい。それまでの結婚が無効であったということにでもしなければならない。それも教会の長である法王の認可が必要であった。ルイが法王に近づいたのはこのためである。

このルイに、ボルジアは条件を出した。チェーザレのために、領土と花嫁をというのである。ルイは承諾した。お互いに不都合なことはなかった。もう一つ、ルイの心を占めていたものがあった。イタリアの北部ロンバルディア地方の征服である。これもまた、ボルジアにとって不利なことは少しもなかった。ルクレツィアとスフォルツァ家の一人ペーザロ伯は離婚して、その方のつながりもない。さらにミラノ公国の当主イル・モーロを除くことは、教会の中でいぜんとして力の強い、イル・モーロの弟アスカーニオ・スフォルツァ枢機卿の背景をつぶすことになる。この点でも、ルイとボルジアの利益は合致した。利己主義に徹した男たちの間では、妥協は常に可能である。

こうしてルイとボルジアの間に、協約は成立した。ローマとパリの間を、秘密の使者の往来が激しくなった。協約の一つ一つは確認された。ルイが、チェーザレをフランスの宮廷に招待することなどであり、さらにルイの希望により、彼の腹心であるルーアンの大司教ジョルジュ・ダンボアーズを枢機卿にすることもつけ加えられた。これもボルジアによって承諾された。赤い帽子は、チェーザレ自身がフランスへ行く時に持っていくということになった。

ヴァティカンの古文書庫には、以上の協約にさらにつけ加えられた九箇条の証文が残っている。日付は、チェーザレが枢機卿を返上した日の一日前、七月十六日である。

㈠キリスト教徒の王（フランス王の代称）は、チェーザレ閣下にフェデリーコ王の息女を結婚させることを約束する。

㈡さらに閣下には、フランス国内のヴァランスとドアーズの領土を与え、そこからの全収入を保証すると共に、公爵《こうしゃく》の位を与えることを確約する。

㈢同じく閣下に、王の費用でまかなわれる三百の槍騎兵《そうきへい》を与えること。これは必要により増兵することも可能である。

㈣三万ドゥカートの終身年金も約束する。

㈤ロンバルディア地方征服成功の折には、アスティ伯領も与える。

㈥聖ミカエル宗教騎士団の騎士の称号も与え、それはフランス宮廷で承認される。

㈦チェーザレ閣下のローマ不在時における法王猊下《げいか》の安全をはかるため、一千の兵を王の費用で派遣する。さらに王は、法王猊下をいかなる敵からも守護する義務を負うことを宣言する。

㈧ナポリ王国に対しては、法王猊下の許可なしには、いかなる行動も起さないことを誓う。

㈨最後に、法王は、ジュリアーノ・デッラ・ローヴェレ枢機卿とレイモンド・ペラウルド枢機卿がローマに帰れるようにし、昔の恩讐《おんしゅう》を忘れて実の弟のように暖かく迎えてやってほしいこと。

これらすべてを、王の名によって約束する。

チェーザレが緋の衣を脱ぎ捨てる前に、すでに、このような準備が完了していたのである。そして、この中では明確に記されてはいないが、チェーザレに軍事的援助をフランスが与えるとした第三項、これが後になって最大の威力を発揮してくるのだ。

こうして、ヴァレンシアの大司教であったことからその通称をヴァレンティーノ枢機卿と呼ばれていたチェーザレは、今、ヴァランスの領主になって、奇《く》しくもイタリア語では同じく、「ヴァレンティーノ公爵」と呼ばれるようになった。誰もその頃のこの若者の心境を知ることはできない。ただチェーザレは、しばらくの間ヴァレンテイーノ枢機卿と署名しては、それを強く消して、ヴァレンティーノ公爵と書き直していた。

六隻《せき》のガレー船が、チェーザレをマルセーユまで送るため、王から派遣されてイタリアへ向っている頃、ローマでは法王が、息子のフランス出発の準備に忙しかった。ルイ十二世の離婚承認書も出来上り、ルーアン大司教のための赤い帽子もととのえられた。チェーザレの服装にも心がくばられた。ローマ中の仕立屋が総動員され、絹やブロケード、金糸や銀糸入りの豪華な服地はローマから消えたと言われるほど、さらに足りない分はヴェネツィアから取り寄せられた。素晴らしい馬も、何十頭となくマントヴァから着いた。フランスまでチェーザレに従う随員も厳選された。

一四九八年十月一日。チェーザレ出発の日である。その日は、年代をへた黄金の酒杯の浮彫りの肌に、やわらかな陽光が微妙な光の諧調《かいちょう》をかもし出しているような、いかにもローマの秋を思わせる一日だった。父に出発のあいさつを終えたチェーザレは、サン・ピエトロ広場に彼を待っている一行にもどった。白いどんすに金糸のふち飾りのある上着、黒のビロードのマントと同じ布のふちなし帽には白い羽根がついていた。

ふりそそぐ秋の陽光の中に、見事な栗毛《くりげ》の馬に乗った息子のりりしい姿を見て、法王もひどく満足気だった。そしてバルコニーから身をのり出しながら息子に向って、フランスへもこのように堂々と馬で入るようにと言った。

随員の一行には、チェーザレに影の如《ごと》く従うドン・ミケロットの姿も見えた。さらに三十人の貴族たち、従者、小姓、馬丁、楽師と、合わせて約百人、二十頭近い馬、それに十二の馬車と七十頭のらばは荷を運ぶためである。チェーザレの懐中には、二十万デュカートもつまっていたと記録に残っている。

十月三日、六隻のガレー船は、チヴィタヴェッキアの港を離れた。チェーザレは、先頭を行くロアーズ号の舳先《へさき》に立っていた。マントは風をはらんで後方になびき、長い髪の毛は強い海風に舞い上った。黒いタイツに包まれた足はしっかりと甲板を踏まえ、片手はふちなし帽を強くにぎりしめていた。そしてその彼の眼は、はるか行手の水平線にまっすぐに向けられていた。

第二部　剣

（一四九八〜一五〇三）

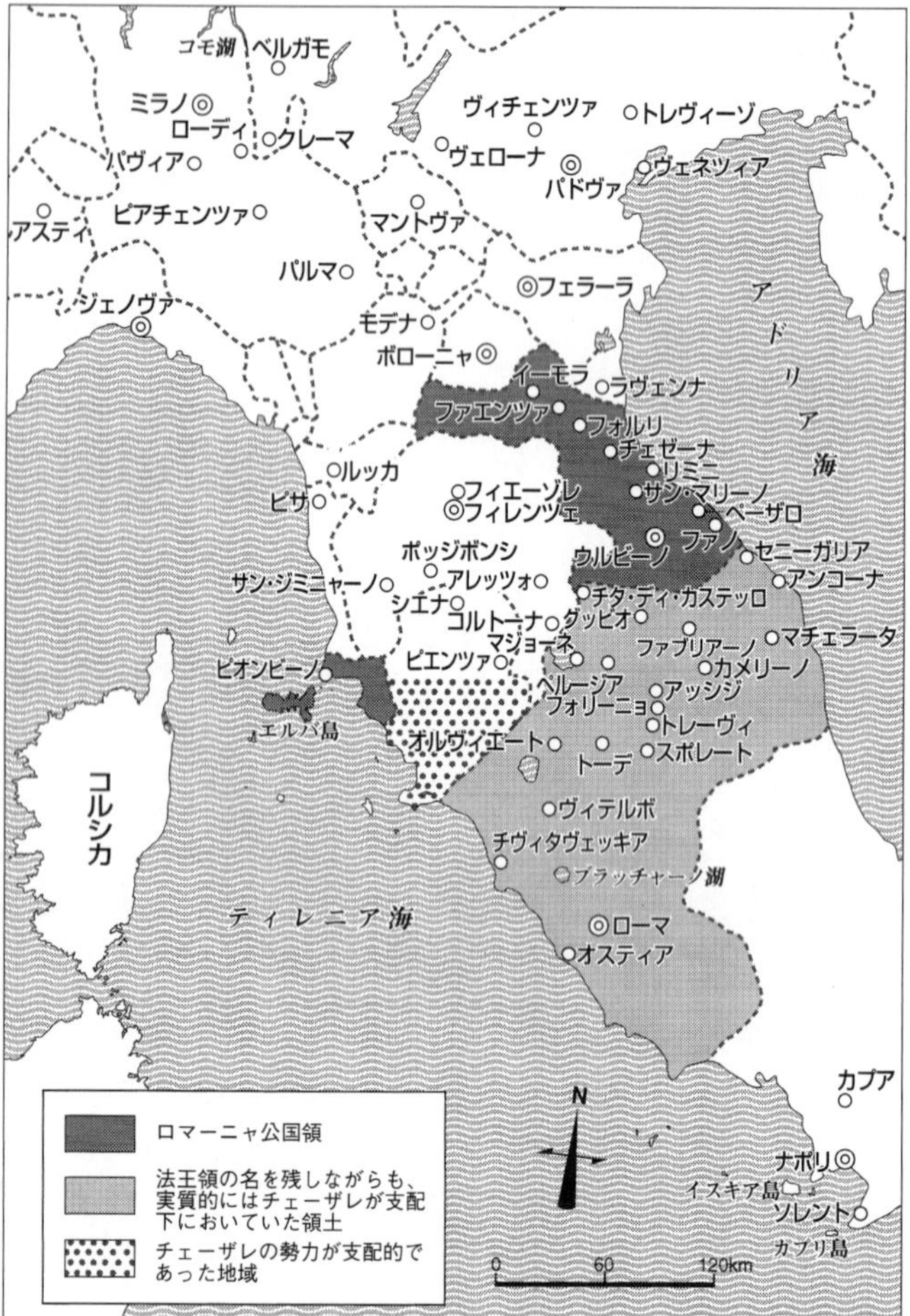

チェーザレの勢力分布図

第一章

一カ月余りもの航海を無事に終えて、五隻《せき》のガレー船を従えたロアーズ号がマルセーユの港に入ったのは、秋も終ろうとする頃であった。チェーザレにとって、初めての外国である。港には、国賓としての待遇をというルイ十二世の命によって、フランス宮廷の高官や貴族代表が出迎えていた。その他にも、法王の息子への礼として、多数の教会関係者も待っていた。チェーザレは、マルセーユに数日滞在した。長い船旅の疲れを休めるためである。そのあと、アヴィニョンへ向った。チェーザレの華麗な一行を、フランスの人々は驚きの眼で見守った。彼らは、あこがれの土地イタリアから来たこの若い貴族とその一行から、文明の香りと都会の洗練さを感じ取ったのである。

ローマ教会と関係の深いアヴィニョンでは、さらにおおげさな歓迎が彼を待っていた。その上ここでは、ボルジアの宿敵だったローヴェレ枢機《すうき》卿《けい》が出迎える。ルイ十二世の仲介によって一応表面的には法王と仲直りしたローヴェレは、法王によってアヴィニョンの駐在大使に任命されていたのである。この老狐《ろうこ》は、昔のことは忘れたとばかり、今ではチェーザレの歓迎に費用を惜しまなかった。七千ドゥカートが、彼の懐中から流れ出たことになる。この地に十余日滞在した後、チェーザレの一行はヴァランスへ向った。

ヴァランスは、新領主を迎えて大騒ぎだった。この古い小さな町は、市の金庫が空になるような振舞いをした。ヴァレンティーノ公爵《こうしゃく》チェーザレは、ただ一回の祝宴で、テーブルに次々と運ばれてくる料理の山を見なければならなかった。二十八羽のにわとりの丸焼き、二十四匹のうさぎのトマト煮、百六十八羽の白やまうずらと二十四羽の黒やまうずらの串刺《くしざし》、十六羽のあひる、二十八羽のきじばと、三十七羽の山しぎ、六匹の子うさぎとつぐみとひばりと十二羽のくじゃく、十羽のきじの丸焼き、子牛の片腿《かたもも》と牛の腿二つの丸焼き、百五十キログラムの塩づけの脂肉、羊の舌を煮てゼリーでかためた皿が十二、その他にうずらの肉のペースト、ケーキ、パイ、イギリス風プリン、さらにトルティーニ、アーモンド、オレンジ、糖菓、ブドウ、プラム、なつめやしの実に、ざくろ、……そしてブドウ酒はあふれるばかりと記録には残っている。チェーザレは、その若い食欲をおおいに発揮した。

この地でチェーザレは、フランス王から、ロワール河の近くのシノンで、十二月十八日に待つという通知を受けた。ヴァランスを発《た》った彼とその一行は、リヨンを後にした。

一方、ルイ十二世の方は、どうやってチェーザレを迎えようかと迷っていた。全宮廷を引きつれて城外で迎えるか。いや、ヴァランス公国の領主として自分の臣下でもあるチェーザレの、しかも俗界の第一歩であるこの機会にしては丁重すぎる。では城内で待つか。いやそれでは、法王アレッサンドロ六世の息子に対しては礼に欠ける。というわけでルイは、その中間をとることにした。

チェーザレが到着する日、王は、城門の外まで出迎える役に、腹心のダンボアーズを指名し、あとの宮廷人たちを引きつれて自身は狩りに出かけた。そして、町に入る二キロ手前のところで、町へ向う途上のチェーザレに、偶然に出会ったという風にして、最初の邂逅《かいこう》を持とうと考えついたのである。ところが、落ちつきなく狩りを終えたルイは、偶然の出会いの場所に着くのが早すぎた。まだ、チェーザレの一行の姿も見えなかった。ルイとその家臣たちは、その野の中の一本道に立って待つわけにもいかず、近くの林の中にひそんで待つことにした。ずいぶんと長い時間がたったように思えた。ようやく、道のはるか向うから、人馬のざわめきが聞えてきた。チェーザレとその一行は、ゆっくりと進んでいた。樹々《きぎ》の間から、行列が近づきそして通りすぎるのを眺めて待っていたルイは、やっと林を出ることができた。

いかにも狩りの帰りに偶然に出会ったという風に、ルイと家臣たちは、声高に笑ったり武器をガチャガチャさせながら、チェーザレの一行に近づいていった。その彼らを、チェーザレはすでに馬を止めて待っていた。さりげない狩衣《かりぎぬ》のこの一群の中に、王がいるのにも気づいていた。チェーザレは、自分の家臣たちに馬から降りるよう命じた。チェーザレに近づいた王は、自分よりもよほど年下のこの若者が、自分に向けた眼をそらさないことに気づいた。王は、

「狩りの帰りで失礼するが、どうも公爵の御一行と見うけたので」

と言った。そして続けて、

「城でお待ちする、長い旅、ごくろうであった」

と言った。それに対するチェーザレの簡潔な謝辞を受けたルイは、家臣たちを従えて早足で城へ帰っていった。もしチェーザレが馬を降りようとしたら、いやそのまま、というつもりでいたルイの思惑は無駄に終った。若者は、馬上から自分に言葉をかけ

た王と、これも馬に乗ったまま、王の周囲にいる家臣たちの前で、馬を降りようとはしなかったからである。道を遠ざかる王とその一行をやり過して、チェーザレたちはゆっくりと進んだ。その日の午後に予定されている入城の前に、全員の身仕度をととのえる必要もあった。

テュールの町へ入城したチェーザレの一行を、ヴェネツィア大使は次のように母国にあてて報告している。行列の一番手は、衣装を入れた美しい櫃《ひつ》を背にしたらばの群れで始まり、二十四頭のこれも美々しく馬衣をつけたらばが武具を背にして続く。これらのうち、二十四頭がそれぞれフランス王の色である赤と黄の馬衣で行き、十二頭は、黄色のらしゃ、十頭は金色のブロケードの馬衣で飾られている。従者にひきつれられていくこのらばの一群のあとに、馬が続く。この気品ある動物たちは、それぞれ、銀糸の手綱、スペイン風の金色のふさ飾り、ドイツ製の輝く馬具、黒ビロードやブロケードの馬衣で飾られている。このあとには、十八人の小姓が馬で続く。彼らのうちの十六人は、ブロケードのふち飾りの上着に深紅色のビロードのマントを着け、他の二人は、金色のクレープ風の絹織物の衣装をまとっていた。この後に、六十人の従者が、そろいの黒のビロードの服に金の胸飾りで続き、さらに、二頭のいかにも頑丈そうならばが、貴重品を入れた櫃を背にして行く。その櫃の中には、宝石等、王への贈物、そして多分、フランス王ルイ十二世の離婚承認のための法王教書、またフランス人が熱狂する聖遺物なども入っているらしい。この後に続くのは、ローマの貴族たちである。さらに、城外で迎えた王代理のダンボアーズとフランス宮廷人が先導で進む。

ついに、城門の下にチェーザレの姿が見えてきた。十八人の親衛兵の中心に、ひときわ高く美しい馬上姿の彼は、宝石と金色のブロケードの馬衣が輝く鹿毛《かげ》の馬にまたがり、フランス風の衣装を身にまとっていた。幅広い黒ビロードの左の袖口《そでぐち》は、十二本の金糸のふち飾りが走り、右袖は金襴《きんらん》がひじをゆるくおおっている。それらが合さった胸には、きらきら輝くダイヤのボタンと、これも評価できないほど高価な胸飾りが下がっている。タイツと長靴は、いずれも黒のビロード製である。頭には、黒いビロードのふちなし帽をかぶり、それには、精巧に細工されたルビーの百合《ゆり》が二つ輝いている。百合は、フランス王家の紋章である。チェーザレの動静を探るためフランスに来ていたミラノのスパイは、イル・モーロにあてて、「人間が見ることのできる最高の美と富の結合」と書き、「神聖ローマ帝国皇帝といえども、誰一人、このようにローマへ入城したものはいなかった」とヴェネツィア大使も書いた。しかし、ここには一つ欠けているものがあった。軍隊である。チェーザレは、まだそれを持ってはいなかった。

城の窓に顔をおしつけて、ルイは、チェーザレ入城の有様を見ていた。この華麗な行列に何が欠けているかを、当のチェーザレはよく知っていたが、ルイは、その時は気づかなかった。王はただ、公爵の身分を越えたこの豪華さに度胆《どぎも》をぬかれていただけだった。自分のこれまでの結婚の無効を認めた法王教書を手にしたルイは、この二十日後、先王シャルルの未亡人アンヌとの結婚式をあげた。王の腹心のダンボアーズも、枢機卿の赤い帽子を受けとったことはもちろんである。

チェーザレは、またたくうちにフランス宮廷を征服してしまった。気が向かなければ自分からはほとんど話しかけないほど無口な彼に、王以下宮廷の人々は、その好意を示すのにおおわらわだった。王は、彼を自分の息子と呼びながら、常にそばから離さなかった。ミラノのスパイは、そのチェーザレの日常を細かく報告しながら、終りに、「今世紀の最も美しい男」だとつけ加えた。アヴィニョンから先廻りをし、王のそばでチェーザレを迎えたローヴェレ枢機卿も、お世辞とはいいながらも、法王への手紙の中にこう書いた。

「法王猊下《げいか》に、私は、当地でのヴァレンティーノ公爵のこの素晴らしい成功を黙っているわけにはいきません。公の若々しさ、慎重さ、才覚など、公の肉体と精神に神から授けられたものは、この宮廷のすべての人の心を征服してしまいました。公は、王の最高の好意を獲得し、王もふくめてすべての人々から、尊重されておられます。千人の友人を、私のこの言葉の証人にさせることができるほどに」

この周囲のざわめきの中で、チェーザレだけは冷静さを忘れなかった。王妃アンヌの宮廷に預けられているナポリ王女カルロッタに対して、その心をつかむための手をつくしながらも、一方ではルイの真意を探っていた。そしてルイが、シャルル八世と同じく、ナポリ王国征服の望みを捨てていないことに気づいた。ボルジアがローマで得ていた情報によれば、ルイはミラノ攻略を策していた。しかし、この地でチェーザレが察知した王の真意は、まずミラノを、そして次にナポリをも征服するというものであった。危険を身近に感じだしたミラノ公イル・モーロの必死の説得にもかかわらず、ナポリ王があいかわらずチェーザレに娘をやりたがらないことなど、もはや彼にとっては重要なことではなかった。最初は、王女カルロッタをチェーザレにと思っていた王ルイも、今では、その結婚に気が進まないらしかった。チェーザレはナポリを捨てた。彼の眼は、ロマーニャ、そしてトスカーナ地方に向けられる。そのために、彼はフランスと、即《すなわ》ち武力を持つルイと近い関係を得る決心をした。ナポリ王子と結婚している妹のことなど、その時の彼の胸中にはなかった。

「王の名によって誓う」と法王に約束してしまったルイは、チェーザレのためにもう一人の花嫁を探さねばならなかった。これはすぐに決った。シャルロット・ダルブレである。兄は、ナヴァーラ国の王であり、各王室との縁戚《えんせき》関係も多いことから、法王の息子の相手としては申し分ないどころかそれ以上の縁組である。ナヴァーラ王も、フランス王からのこの申し込みを、条件を出しながらも受諾した。条件の一つは、僧籍にある弟を枢機卿に昇格させること。第二は、シャルロットのナヴァーラ国継承権を放棄すること。そのうえ、夫の死後もし子が無い場合、ヴァランス公国の継承権は妻に帰すとまでである。チェーザレは、自領を持たない、そして正式にも認められていない法王の息子という出生の屈辱を、ここでも味わされることになった。

一四九九年五月十日、アンボアーズの城で、結婚式は終った。この結婚式は、チェーザレにとって、その後の方針を定める意味で重要であった。チェーザレ・ボルジアとその親族、同盟者すべては、ミラノ公国とナポリ王国を攻略するルイ十二世に協力し、ルイは、チェーザレのイタリアでの行動に協力を約束するという契約の成立を意味したからである。

王と王妃が新郎の両親のような役割をしたこの結婚式は、それほど盛大なものではなかったが、内輪の親しみにあふれた心をつくしたものになった。式の後の宴では、花婿の王は花婿《はなむこ》のチェーザレよりも嬉《うれ》しそうだった。その後に続いた馬上槍試合では、花婿も出場し、優勝者に与えられる月桂樹《げっけいじゅ》の冠を、花嫁の手から授けられ、人々の陽気な歓声を浴びた。

初めての夜もまた、チェーザレは、フランス宮廷人に話題を提供することを忘れなかった。当時の支配者階級にとって、結婚は政治なのである。だから、それが遂行されなければ、政治の効力が発揮されたということにはならないので、遂行されたかどうかを立証する必要があった。その夜の証人は、王と王妃、そして必ず聖職者も加わるという慣例によってダンボアーズ枢機卿の三人であった。この結婚の成行きを心配して、ローマで待っている父法王に送られた急飛脚のもたらした報告によれば、チェーザレは彼ら三人の前で、一回、そしてもう一回と遂行する毎《ごと》に王に合図し、それが六回を数えた時には、さすがの王も笑い出し、「私よりよほどブラーボだ」と言ったという。

ただ、フランス王は、その場で賞讃《しょうさん》しただけでは十分でないと思ったのか、ローマにいる法王に次の手紙を送った。

「ヴァレンティーノ公爵は、私の時よりも、四本も多く槍を折った。二回と、夜食をとった後、さらに六回もである」

信心深いキリスト教徒には、認めもできない堕落した法王アレッサンドロ六世の息子への、王の厚遇に抗議するパリ大学の学生たちのデモによる騒ぎが、潮のように遠く聞える中でそれは行われたのだった。「悪魔の子」、「悪魔の子」とくり返す声の中で。

この九日後、黄金製の貝殻状の飾りのついた銀の肩章をつけ、白いどんすのマントを後に長くひいてひざまずいたチェーザレは、聖ミカエル宗教騎士団の一員に叙せられた。中世に始まった長い伝統を誇る宗教騎士団の、それも正式の結婚から生れた嫡《ちゃく》子《し》しかなれない騎士の名誉を、彼は自分の手にしたのである。

数日後、養子縁組を認める華麗な儀式も行われた。チェーザレとその子孫は、以後フランス王家の名と、紋章である百合の使用を許されることになった。法王の私生児としての生れを持つこの元枢機卿は、これ以後、チェーザレ・ボルジア・ディ・フランチア、フランス王の親族、ヴァランスの公爵《こうしゃく》となったわけである。

この元枢機卿との間に得た果実を、ルイはなるべく早く味わおうとした。シャルルの時のように、反フランス同盟が成立でもしたら終りである。今のうちに、せめてミラノだけでもものにしなければと考えた。それには、法王側も異存はないように見えた。一四九四年のあのフランス軍侵入の時、あくまでも反フランスの立場を貫き通したアレッサンドロ六世も、今では息子の意図を援助する役にまわっていた。ただし裏では、法王は特使として甥《おい》のモンレアーレの枢機卿を任命し、彼にイタリアの各国を歴訪させて、かつての反フランス同盟の精神を鼓舞させた。もちろんミラノも含まれている。ボルジアは、ルイを一時的に利用しようと考えていたのである。チェーザレの目的さえ達せられれば、あとはルイは無用であった。その時が来れば、反フランス同盟が生きてくる。表裏二面のカードを使っての勝負、これが二十四歳を迎えようとしているチェーザレの勝負、すなわち政治であった。

しかし、新婚早々の幼い妻シャルロットは、夫の頭の中で何が動いているのかを知らなかった。彼女の知っているチェーザレは、美しくたくましい、そして妻には繊細な心づかいをしてくれる若者だった。夫が、結婚式の四日後には、領地を家臣の一人にまかせてしまい、ここアンボアーズの城に自分と二人だけでいるのが退屈でないらしい様子を見ながら、妻は幸福でいっぱいだった。自分たちは世間のことなど忘れて、二人だけの世界に満足している若い恋人たちなのだと彼女は思った。

だがシャルロットにとって、その夫と二人だけの時はすぐに終ってしまう。五月二十日、いよいよミラノ攻略の第一歩をふみ出したルイ十二世に、チェーザレも同行することになったのである。リヨンに向う夫は、妻の同行を希望した。そして王とその軍がリヨンで待機している約二カ月の間が、彼女とチェーザレが共に過す最後の時となった。ある朝、ようやく十七歳になった妻に、フランスの自領の全権をゆだねて、チェーザレは馬で去って行った。しばらくして、シャルロットは自分が懐妊したことを知った。

九月九日、チェーザレはグルノーブルにいた。今度の戦いで、彼はすることは何もなかった。アルプスを越えてイタリアになだれこむフランスの軍勢と、東から廻るヴェネツィア共和国軍にはさみ撃ちになったミラノ勢の抵抗はすぐ消えた。イル・モーロは、二十万ドゥカートの金貨を持って、縁戚関係にあるドイツの神聖ローマ帝国皇帝マクシミリアンを頼って逃げてしまった。十月六日、チェーザレは王ルイに従って、ミラノに入城する。法王特使のモンレアーレ枢機卿、ローヴェレ枢機卿も一緒だった。ミラノの城には、続々とイタリアの君侯たちが、王に戦勝の祝いをのべにやってきた。イル・モーロの義父でもあるフェラーラのエルコレ・デステ、かつてシャルルをタローの戦いで破ったマントヴァのフランチェスコ・ゴンザーガもいた。ミラノの大寺院《ドゥオーモ》で、ミラノ公爵の称号を受けたルイは、チェーザレへの親愛の情を、イタリア諸侯たちの前でおおっぴらに示すのだった。ボルジアの存在に無気味なものを感じていた彼らは、そのルイとチェーザレから不安気な視線を離さなかった。マントヴァ侯フランチェスコは、彼の妻イザベッラ・デステにあてた手紙に、「われわれは、ヴァレンティーノ公爵の様子にもっとよく注意する必要がある」と書いた。

ミラノの豪壮な城の中で、華やかな宮廷人にかこまれながらも、チェーザレは別れてきた妻を忘れなかった。菓子や、ヴェネツィアから取寄せた服地やキプロス産のブドウ酒を、妻に送らせた。後に、彼がイタリアの中で重要な立場を得た時、妻をフランスから呼ぼうとしたことがある。しかしそれは、シャルロットからの、病気で無理という返事で実現しなかった。また、彼女の方からも一度、彼にフランスへ帰ってくれという要請もあったが、それはチェーザレが受け入れるはずもなかった。イタリアでの彼の野望が着々と実現しつつあり、チェーザレはイタリアを離れることができなかった。しかし、シャルロットの病気というのは、彼女の本心ではなかった。ルイ十二世がチェーザレに警戒心をいだき始めた頃から、彼女は事実上の人質にされていたのである。シャルロットは、フランスから出て、ナヴァーラの兄のところにも行くことができなくなった。女の子が生れていた。ルイーズと名附けられた。イシュダンの城で、彼女は父の顔を知らないこの娘と二人、ひっそりとその一生を終える。

第二章

いよいよ、チェーザレにとって初陣《ういじん》の時がやってきた。ルイは、フランスがミラノ公国攻略成功後なら、チェーザレを援助すると約束していたのである。動き出したチェーザレの最初の目標は、イタリアの中部ロマーニャ地方に向けられた。もちろん、いかなる征服にも、それを始める時には大義名分が必要になる。だが、法王を父にもつ彼にとって、それは簡単なことだった。法王領内に勝手にのさばる小僣主《せんしゅ》どもを制圧し、教会のものは教会に返す。これでは、キリスト教国の誰も文句はつけられない。まして、公式には法王領土であるロマーニャ地方での小国分立の乱脈ぶりは、よく知られている事実だった。

ロマーニャの小僣主たちは、かつては教会からそれぞれの地方の治政をまかされ、「法王代理《ヴィカーリオ》」という官名を与えられていた。だから、教会に代って統治をし、一定の年貢金《ねんぐきん》を教会に納める義務が彼らにはあった。ところが、法王のアヴィニョン幽閉時代から続いた教会の権威の低下が、彼らを以前のように柔順な法王代理のわくから解放してしまっていた。すでに半世紀以上もの間、誰も年貢金を納めようとはせず、法王に服従しようともしなかった。フェラーラ公国も法王から封土された国だったが、これは何代にもわたるエステ家の善政によって、一つの独立国家の体制を確立してしまい、教会もそう簡単には手を出せない状態にあった。しかし、エステ家ほどの力をもたないロマーニャの小僣主たちは別である。歴代の法王は皆、彼らを服従させようと硬柔双方の手段を用いたが、それらはすべて無駄に終っていた。とくに、ローマの中にコロンナ、オルシーニというやっかい者の豪族をかかえている法王にとって、遠方のロマーニャの小僣主の横暴を制する余裕もなかったのだ。当時の教会国家の無力は、彼ら小僭主たちの行動を野放しにさせていた。マキアヴェッリは、卑小な私利私欲に走って、治政のやり方を知らない彼らを批判して書いている。教会の権威の回復、横暴な僭主たちの制圧、チェーザレはこの誰も非難のしようもない二点を、軍事行動の正当化の大義名分としたのである。あとは、法王アレッサンドロ六世が、彼らに対して宣戦布告をするだけだった。法王教書を最後として、準備は終った。

イヴ・ダレグレ指揮下の三百の槍騎兵《そうきへい》、ディジョン指揮のガスコーニュとスイスの歩兵四千。これらはルイ十二世が貸してくれた。費用はチェーザレ持ちである。その他に、アキッレ・ティベルティとエルコレ・ベンティヴォーリオの軍勢も傭《やと》った。さらに、イタリア、スペイン兵をとりまぜた軍勢は、有名な傭兵《ようへい》隊長ヴィテロッツォ・ヴィテッリが指揮する。総勢、一万五千。寄せ集めというしかないこの傭兵軍の総指揮を取るのがチェーザレだった。

一四九九年十一月五日、ルイ十二世は、マントヴァ、ボローニャ両国に対して、チェーザレの軍の領国内通行自由の承認を要請。その二日後、彼は、ミラノ公国を部下のイタリア武将トリヴルツィオにまかせ、自分は全家臣を従えてフランスへ帰った。

十一月九日、チェーザレはミラノを出た。イタリアの各国が、この元枢機卿《すうきけい》が戦場の人としてどれほどの能力を示すかとかたずをのんで見守っている中を、彼とその軍勢は、古代のローマ街道と同じ道を進んでいった。ピアチェンツァ、パルマ、レッジヨ、そしてモデナと。チェーザレの最初の攻撃目標は、カテリーナ・スフォルツァ伯《はく》爵《しゃく》夫人の領国フォルリとイーモラである。チェーザレが、まず最初に彼女の領国を選んだ理由は、フォルリがロマーニャ地方の要《かなめ》として重要な地勢を占めていること、そして、ミラノのイル・モーロ敗退によって、スフォルツァの勢力がイタリアの中で衰退しつつあるという二点にあった。しかし、ボルジアにも誤算がなかったわけではない。カテリーナは、女ながらも馬鹿《ばか》にはできない敵だったのである。二十四歳のチェーザレの初陣の相手として、三十六歳になってもまだ美しいこの女傑は、なかなかに手強《てごわ》い相手となった。それは、まだ交戦しない前に証明される。

十一月十七日、モデナに入ったチェーザレは、そこに待っていた二人のボローニャの使節と会った。彼らは、チェーザレ軍の行動に対するボローニャの承認を伝えてきたのだった。このボローニャの領土内通行承認によって、チェーザレはすぐにも、行軍を続けることができるわけだった。しかしその日、軍はモデナに置いたまま、彼は数騎を従えただけで、急ぎローマへ発《た》った。馬を駆けるだけ駆けさせた彼は、翌日の朝にはヴァティカンに入っていた。その時は誰も、チェーザレのこの不可解な行動の理由を知らなかったが、後日判明した事実から推測すると、法王からの急報によったものと思われる。カテリーナ・スフォルツァが、法王の毒殺を謀《はか》った計画が暴露したというのだった。法王親展の手紙を持たせてローマへ送った彼女の家臣が、それを法王に渡す前に捕われ、一部始終を白状したという。それによれば、その手紙はペストで死んだ死人の胸に置かれ、菌の附着した手紙に法王がふれればそれに冒され、やがては死ぬという段取りになっていたということである。赤い毛織の布で巻かれたものものしい包装は、持参者を菌から守るためだった。「重罪に価《あたい》する企て」とブルカルドは書き、『フォルリの年代記』も、プリウリの『ヴェネツィア年代記』もこの事件を記し、マントヴァの情報官カタネイは、この月の二十一、二十四、二十六日と三回も、これについて報告している。マキアヴェッリも、この事実に言及した。しかし、他の何人かの年代記作者たちは、これを、カテリーナに対するボルジアの意図を正当化するためのでっちあげとしている。

いずれにしても、四日後の二十一日、チェーザレは再びモデナにもどっていた。二十三日、行軍が再開された。エミーリア街道を進む彼らのはるか前方に、塔の林立する町が見えてきた。イーモラである。カテリーナの領国の最初の要塞《ようさい》がそこにあった。

カテリーナ・スフォルツァ

「最高の精神と度胸を持った女、疑いもなくイタリアのプリマ・ドンナ」と、『ヴェネツィア年代記』作者に讃《たた》えられたカテリーナである。彼女もまた、生涯の決戦をまじえる意気で、チェーザレを待った。かつて、ブラッチョ・ダ・モントーネと勇名を競い、一介の傭兵隊長からミラノ公爵にまでなったフランチェスコ・スフォルツァを祖父に持つカテリーナには、自分の中を流れている血に対する強い誇りがあった。坊主《ぼうず》の息子になど負けてはいられなかった。この誇りが、波乱に富んだ彼女の半生をささえてきたのだ。父のミラノ公ガレアッツォ・マリーアは、彼女が十三歳の時に暗殺された。その直後、法王シスト四世の甥《おい》ジローラモ・リアーリオと結婚したが、この夫もまた、彼女が二十四歳の時に家臣の手で暗殺された。第二の夫ジャコモ・フェオも暗殺。この時の彼女の復讐《ふくしゅう》は、イタリア中を震駭《しんがい》させたほどすさまじかった。メディチ家出身であった第三の夫だけが、病死という普通の死に方をする。息子をしりぞけ、事実上の当主としてその領国を統治していた彼女は、男に負けない巧みさで馬をあやつり、そのすらりとした美しい身体《からだ》を甲冑《かっちゅう》でしめつけるのもいとわなかった。心情もまた、古代のアマゾンのようだった。愛することと憎むこと、その二つともに情熱を燃やした。さらに、危機に強い度胸があった。第一の夫が暗殺された時のことである。陰謀者たちが城塞の外に彼女の子供を連れてきて、その城塞を明け渡さなければ子供を殺すとおどした時、城塞の上に立った彼女は、やおらスカートをまくり、大声でどなり返したものである。

「馬鹿者奴《め》、子供などこれであといくらでも作れるのを知らないのか」

啞然《あぜん》として口を開けたままだった陰謀者たちは、時をかせぐという彼女の計略にまんまと乗ってしまったのである。子供が殺されなかったのはいうまでもない。

しかしこの「女丈夫《ヴィラーゴ》」は、政治を知らなかった。その十三年の治世は、弾圧と恐怖でもっていた。領国の民心は、すっかり彼女から離れてしまっていたのだ。チェーザレの前に、イーモラの民衆は戦わずして城門を開ける。

十一月二十五日、チェーザレはその軍の先頭にたって、イーモラへ入城した。民衆の、「解放者《リヴェラトーレ》！」という歓声につつまれて。カテリーナにとって、この報《しら》せは打撃だった。彼女は、イーモラの市民の人質を、直ちに絞首刑《こうしゅけい》にしてしまった。チェーザレにとっても、これでイーモラを手に入れたというわけではない。ここの要塞が残っていた。守りの固いことで知られたこの要塞は、城代ナルドがその防戦を指揮していた。チェーザレは、まず周囲に砲列を敷き、次いで降服をすすめた。一切の罪は問わず、希望すれば自分の部下とする、という条件である。城代はそれを拒否した。戦闘が始まった。要塞の守りはかたかったが、次第に大砲が威力を発揮し、守備軍の犠牲者の数がふえ始めた。十二月八日、時期は良しとみたチェーザレは、これ以上死者はふやさないようにと、再び降服をすすめた。ナルドは、三日間の猶予《ゆうよ》を願った。その間にフォルリからの援軍が来なければ、要塞を明け渡すといって。チェーザレは攻撃を中止させ、約束の時を待った。しかし、カテリーナは、フォルリでの防戦準備に忙殺されていた。ナルドの援軍要請が、受け入れられるはずもなかった。イーモラは、完全にチェーザレに屈したのである。十二月十三日、法王特使のモンレアーレ枢機卿によって、勝利が祝われ、イーモラは以後法王の名によって統治されることが宣言された。降服した武将ナルドは、チェーザレによって手厚く遇され、自分の隊に入るようさそわれた。しかし彼は、旧主カテリーナ伯爵夫人を敵とすることだけはできない、殺されてもしかたがないが、もし許してくれればしばらく放っておいてほしいと答えた。チェーザレは強要しなかった。後になって、チェーザレの下で働くことを承知した彼は、ドン・ミケロットと共に、チェーザレに最も忠誠をつくす部下の一人となる。

次の攻撃地はフォルリだった。カテリーナの領国の首都である。チェーザレとその軍は、エミーリア街道を南下していった。一方、カテリーナは、フォルリの町に近接するラヴァルディーノの城塞に敵を迎え撃つつもりだった。二千の兵が、彼女の総指揮の下に籠城《ろうじょう》することになった。しかし、それもまた寄せ集めの傭兵からなる軍勢である。戦いの結果はわかりきっていたが、彼女はチェーザレから出された、城塞を明け渡せば年金附の平穏な一生を保証するという講和の条件をはねつけたのだ。そして、子供たちや宝石など貴重品を、第三の夫の実家であるフィレンツェのメディチ家に預け、彼女ひとり絶望的な防戦に必死だった。しかし、イーモラの前例は打撃だった。先手を打ってカテリーナは、フォルリの長老たちを呼びにやった。伯爵夫人の前にかしこまった彼らに、彼女は、ヴァレンティーノ公爵チェーザレに対して抵抗するか、それともイーモラの例にならうつもりか、と問うた。長老たちの答えは後者だった。彼らは、カテリーナの圧政に苦しんでいたし、イーモラの民衆に対するチェーザレの寛大な処遇を聞き知っていたのである。事実上、フォルリもまた、チェーザレの前に城門を開けたことになる。カテリーナには、ますます城塞での防衛だけが頼りとなった。このフォルリの民衆の態度を、「まるでいんばいのようだ」とサヌードはその『日誌』に書いている。しかしマキアヴェッリは、カテリーナが防戦を真剣に考えたのなら、城塞に力を入れるよりも民心を掌握することに努めるべきであった、と書いた。

十二月十九日、夕暮のフォルリの町へ、チェーザレは歩兵隊にかこまれて入城した。ひどい雨の日だった。甲冑の上に絹の服を着け、白い馬に乗ったチェーザレの、いつものように白い羽根をつけた帽子から、雨水がたえずしたたり落ちていた。町の長老たちに迎えられた彼に、その中の一人、カテリーナがとくに信頼していたヌマイが、自分の家を宿所として提供した。

翌日は上天気だった。カテリーナの籠《こも》るラヴァルディーノの城塞に向けて、砲列が敷かれた。そしてチェーザレの命令一下、大砲は次々と発砲された。まだその余韻があたりにこだましている頃、矢が城壁の上の守備軍に向っていっせいに放たれた。数日間、これがくり返された。クリスマスともなれば兵士には休息が許されるが、司令官は休んでいるわけにはいかない。その日チェーザレは、馬で城塞の周囲をめぐる堀の岸まで来た。従者がトランペットを吹いて、伯爵夫人と話したいという彼の意向を伝えた。胸間城壁に、カテリーナが姿を現わした。馬を降りたチェーザレは、例の羽根のついた帽子を手に持ち、舞踏を申しこむ時のように優雅に頭を下げた。カテリーナの方も、彼に負けずおとらずやさしく腰をかがめた。チェーザレは、名誉ある地位と安全を保障するから無謀な犠牲を重ねることはないのだと、彼女に降服するよう説得を続けた。しかしカテリーナは、昂然《こうぜん》とこの彼の申し出を拒絶した。自分は運命の行きつくところまで行くつもりだ、たとえそれが死であろうとも、と言いながら。第一回目の会談はこうして決裂した。それでもチェーザレは、まだ説得による無血開城の望みを捨てなかった。

数日して後、彼は再び堀の岸まで来た。ところがその日は、城壁の上にはカテリーナは現われなかった。そのかわりに堀にかけ橋が降ろされ、彼女はその橋に近づきながら、やさしくここで話そうと彼をさそった。その気になったチェーザレが、かけ橋に一歩足をふみ入れようとした時である。鉄鎖のかみ合うすさまじい音をひびかせながら、橋は彼の眼の前で上ってしまった。危うく、彼は、わなにかけられるところだったのである。重大事に平静を失ったカテリーナの家臣が、彼女の命令より早めに橋をあげてしまったのだ。女からは常に何か教えられる、という古いことわざを痛感させられたチェーザレは、馬にとび乗り、怒りに青ざめながら本陣に駆け戻った。

この時から、対話は、言葉ではなく武器に代った。大砲が連日のように火を噴いた。砲撃は十五日間も続いたが、それでも城塞はびくともしなかった。チェーザレは、伯爵夫人を生きたまま捕えた者には一万ドゥカート、殺した者には五千ドゥカートの賞金を出すと全軍に布告した。しかし、イタリアではじめて出会うこの真剣な抵抗を受けて、戦闘にいや気がさしていたフランス兵たちは、もう町から出て戦線に加わろうともしなくなった。チェーザレは彼らを放っておいた。その間に彼は、ラヴェンナから舟を二隻《せき》取り寄せた。町中からまき束も集められた。満々と水をたたえた堀の中にこのまき束を埋め、その上に舟を固定させて橋をつくろうというのである。大砲も、そのすべてが一箇所に向けて砲口を集中させた。これだけの準備を終えたチェーザレは、町へ昼食に帰った。その席で彼は、数日後には伯爵夫人はわれわれの手の内だといい、三百ドゥカートを賭《か》けるといった。フランスの一隊長がそれを笑いとばし、三百ドゥカートの賭に応じた。他の隊長らも次々と賭けた。チェーザレの思惑は当った。総司令官のこの自信ある態度は、たちまち全軍に広まり、町に残っていたフランス兵なぎった。

たちも、われ先にと陣地に駆けもどった。早く事を決しようという意気が、全軍にみ

城壁の一箇所を狙《ねら》った集中砲火は、二つの点で戦術的に成功した。第一は、それによって、橋をつくる間守備軍からの妨害を防げたこと。第二は、城壁をくずすことができ、城塞内に入りこむ道を獲得したことである。一月十二日、その日は、一カ月近くもの籠城に耐えたラヴァルディーノの城塞とその女城代カテリーナの、最後の抵抗の日となった。午後、チェーザレの合図で、城塞内突入が始まった。

戦闘はすさまじかった。自ら血刀をふりまわして奮戦したカテリーナが、最後まで勝負を捨てようとはしなかったからである。さして広くもない城塞の中は、四百、フランス側の情報では七百ともいわれる死者でうずまり、傷ついた兵士の断末魔のうめき声が、城壁にこだました。降服は、彼女の意志によったのではなかった。部下の隊長が裏切ったのである。夜に入る頃、ついにカテリーナは、チェーザレの部下の手に捕えられた。夜半近く、チェーザレとその副将イヴ・ダレグレに両側から介ぞえされて、カテリーナは城塞の外に出た。

その夜と次の日の一日中、チェーザレは、カテリーナを連れて自室に引きこもってしまった。世論は沸騰《ふっとう》した。自由を失った高貴な女性に対する侮辱的行為だと言うの

である。しかしチェーザレは、自分の欲することをしただけだった。この最も女らしい魅力にあふれた美しいアマゾンに、自分の初陣《ういじん》の戦利品として、それにふさわしい待遇を与えたにすぎない。

フォルリの攻略成功によって、チェーザレは、武将としての第一の関門を通過することができた。しかも、四つの国籍に分れた寄せ集めの傭兵隊《ようへいたい》をひきいてである。しかし、征服するだけでは何にもならない。征服地の治政者として、やらねばならないことは山積していた。

まず彼は、自分の軍隊の兵士に、従来はあたりまえのこととされていた占領地での略奪を厳禁した。違反者には、将校といえども死罪をもって対した。民心を懐柔する必要からだった。征服した土地は、ひとつひとつ、将来の自分の王国の一部となるのである。その時のために、民衆のものにはふれてはならなかった。ただし、敗北した敵の君主のものは、遠慮なく奪ってしまったが。イーモラもフォルリも、市民は誰でも彼に苦情を訴えることができた。こうして彼は、部下の暴走を許さず、占領地のすみずみにまで眼を光らせることができた。

第二に、彼は占領した土地の、総督と城塞の城代だけは自分の部下を配置したが、それ以外の市の代表委員会や長老には手をつけなかった。従来のまま、彼らに行政をまかせたのである。フォルリとイーモラの総督には、腹心のレミーロ・デ・ロルカを任命した。

二十三日の朝、チェーザレは次の目的地ペーザロをめざしてフォルリを出た。一万五千の全軍と共に進む彼とイヴ・ダレグレにはさまれるように、黒のヴェールをかぶったカテリーナが、同じく馬で進んだ。「イタリアのプリマ・ドンナ」と言われたこの女の前途には、ローマのカステル・サンタンジェロ幽閉という不幸が待っていた。その後、釈放されてフィレンツェに行った彼女は、そこで九年後に死ぬ。二度とフォルリを見ることなしに。

フォルリを出たチェーザレの軍勢が、モンテフィオーレの町に着いた時だった。急ぎの飛脚が、彼らに追いついた。ミラノを守っていたトリヴルツィオ将軍からのもので、チェーザレに従っているフランス兵全員に、至急ミラノへ帰れという命令をもってきたのだった。一度ミラノを投げ出して逃走したイル・モーロが、マクシミリアン皇帝の援助を受けて、ミラノの奪還を企て、すでにコモを占領し、続々とミラノの城外に迫っているという情報である。トリヴルツィオは、ひとまず城外に撤退し、ティチーノの地で援軍到着まで時間をかせぐつもりとのことだった。

チェーザレには、何もできなかった。静止したままの彼の視線の前を、四千三百のフランス兵は、彼ら自身の武器の他に大砲まで持って立ち去っていった。チェーザレの第二の目標ペーザロ攻略は、ここで中絶を余儀なくされた。残った兵だけで戦い続けていくことは無理だった。フランス兵は、数の上では少数だが、いずれも戦闘に慣れた精鋭だったのである。チェーザレは、これ以後も常に大胆な行動の天才であることを示す。しかし、彼自身、無謀は決して許さなかった。ペーザロは、いつかは自分のものになる。次の機会を待てばよかった。ひとまずローマへ。今の彼にできることはそれしかなかった。

第三章

フォルリで、チェーザレが対カテリーナの戦いに忙殺されていた頃、ローマでは法王アレッサンドロ六世が、重大な宗教儀式を主催していた。その年のキリスト生誕祭は、一千五百回目にあたっていたのである。

明けて一五〇〇年の年を迎える。キリスト教者にとって喜ばしいこの年、ローマにはヨーロッパ各地から訪れる巡礼者の群れが、日を追うごとにふえ始め、それは復活祭の日に向って、ローマの町を埋めつくすほどになっていた。巡礼者は、そのほとんどが白い粗末な巡礼衣をつけ、自然木の太い杖《つえ》をついて、ローマ市内の寺院や教会に参詣《さんけい》した。ローマの四大寺院といわれるサン・ピエトロ、サンタ・マリア・マジョーレ、サン・ジョヴァンニ・イン・ラテラーノ、サン・パウロの各寺院には、讃美歌《さんびか》を唱《うた》う彼らの声が、四六時中、絶えることはなかった。法王の説教を聞くため、サン・ピエトロ広場には二万人の人が集まったという。聖地イェルサレムが異教徒の手にある時、彼ら信心深いキリスト者にとって、ローマは唯一《ゆいいつ》残された聖地であった。

堅い言葉を話す、この北から来た貧しい身なりの彼らを、冷たく見つめていたのはチェーザレである。それに背を向けるというのではなく、ほとんど敵意を秘めた挑戦が、無言の彼の行動を通してほとばしり出た。

二月二十六日、その初陣《ういじん》の勝利を祝ってローマへ入城してきた彼とその軍勢が人々を驚かせた。そろいの黒ビロードの制服に身を固めた親衛隊の中央に、同じ黒ビロードの服に銀の胸飾りを光らせ、白馬に乗って行くこの元枢機卿《すうきけい》の一行は、巡礼者たちを蹴散《けち》らすかのように進み、彼らは神に嘆きの祈りを捧《ささ》げながら道を開けるのだった。出迎えの枢機卿たちを従えて、チェーザレの行列はコルソ通りを進み、ミネルヴァの神殿、カンポ・ディ・フィオーリとローマ市の都心部を迂回《うかい》した後、テヴェレ河の橋を渡ってカステル・サンタンジェロの前で隊列をととのえ、法王宮へ向って行進していった。

三月九日、法王アレッサンドロ六世は、フォルリとイーモラにおけるカテリーナ・スフォルツァとその子の治政権を破棄し、チェーザレにその継承権を与える教書を発布した。

三月二十九日、サン・ピエトロ大寺院で、チェーザレは法王の手から「金のバラ《ローザ・ドーロ》」を受け、同時に教会軍総司令官に任ぜられ、「教会の旗手」の称号をも受けた。旗と元帥杖《げんすいじょう》も彼に授けられた。

翌日、巡礼者たちは、再度神に嘆きの祈りを捧げねばならなかった。彼らの眼の前で、彼らの最も嫌悪《けんお》する古代ローマ風の凱旋式《がいせんしき》がくり広げられたからである。しかも法王の息子、名誉ある枢機卿の位をも捨てたチェーザレによってそれは行われた。その日、古代ローマの将軍の凱旋にならって、軍隊の行進を先頭に十一の美々しく飾ら

西暦1500年当時のローマの主な教会と、巡礼者たちを描いた図

れた馬車の行列は、ナヴォーナ広場をひとめぐりした後、ヴァティカンの前までローマの中心をねり歩いた。ユリウス・カエサルの勝利を描いた楯で飾られた十の馬車の後には、猛々《たけだけ》しい、四頭の白馬の手綱をさばくチェーザレの、馬車の上に昂然《こうぜん》と立つ姿が見られた。彼の眼は、道のはしに群がる群衆を見てはいなかった。まっすぐに前方に向けられたままだった。

その数日後、サン・ピエトロ大寺院に参詣に来た巡礼者たちは、寺院の前の広場に低くめぐらされた木の柵《さく》を見、その周囲にむらがるローマの民衆を見て、いったい何事だろうと不思議に思ったが、それが謝肉祭期間中の娯楽の一つだと知って愕然《がくぜん》とした。

その時である。柵の中に六頭の牡牛《おうし》が次々と放たれた。猛り狂う牡牛は、柵を出ようと荒れ狂い、猛然と柵にぶつかるたびに、そのあたりにいる民衆は悲鳴をあげて柵から離れた。しかし彼らはすぐに柵にもどってきて、声をあげたり、物をぶつけたりして牛を怒らせた。砂煙が、そこら中をおおった。砂煙の向うに、チェーザレが姿を現わした。彼は、鹿毛《かげ》の馬にまたがり、白いえりの深く切れたゆったりした袖《そで》のブラウスと、灰色のタイツを着け、手には一本の槍《やり》、腰には短い剣をさしただけだった。

牛はいっせいに、その彼に向って襲いかかった。地ひびきを思わせるひづめの音。舞い上る砂塵《さじん》。柵にしがみついて見ている群衆からは、猛然と突進する牛によってあたり一面濃くたちこめる砂塵の上に、狙《ねら》いをつけるチェーザレとその馬の上体だけが浮き上って見え、時折、砂塵の中から獰猛《どうもう》な牛の黒い顔が現われるのが見えた。その時、槍先が肉に突き刺さる鈍い音が聞えた。一頭の牛が静止したのを人々は見た。次の一瞬、牛は地ひびきをたてて倒れた。あとには、血をたたえた赤い海が四つ、くっきりと残っていた。

ほとんど一呼吸の後、二頭目が打ち倒されていた。三頭目。チェーザレの次第に紅潮する頰、砂塵によって白く変った頭髪、その下で燃えるような眼、そして滝のように流れる汗は、薄灰色のタイツを濃くにじませた。四頭目の牛は、柵に頭を突っこんで死んだ。眉間《みけん》から吹き出た血が、そのあたりに見ていた人の間に飛び散った。五頭目。あふれ出た血で黒くしめった地面は、最初の時のような砂煙はもうたてなくなっていた。チェーザレの乗る馬の脚も、今でははっきりと見えた。

砂煙もおさまり、人々がかたずを飲んで見守る中、チェーザレは、じっと一頭残った牡牛に眼をあてていた。全身まっ黒に光っているこの牛は、どれよりも大きく猛々しいことで、初めから目立っていた。今それは、最後の決戦の時を迎えて、鋭い角をまっすぐにチェーザレの乗る馬のわき腹に向け、頭を低く下げ、低いうなり声をあげながら前脚で地面をけっていた。チェーザレは、槍を投げ捨てた。かわりに剣を抜きはなった。牛が突進してきた。あらたな砂塵が舞い上った。人々はその中に、鋭い一撃を受けた骨の砕ける音を聞いた。そして彼らの見たものは、剣の一撃を首に受けて、サン・ピエトロ大寺院の石段の下に倒れている牛の巨体だった。一瞬後大歓声が起った。このような事を楽しむすべを知っているローマの民衆は熱狂していた。チェーザレはそれに答えようともせず、抜き身の剣を手にもったまま、死んだ牛を見降ろしていた。

遠くからやってきた巡礼にとって、このローマは、まるで悪魔の巣のように思われた。寺院で祈る彼らの声は、だんだんと狂的な調子をおびていった。彼らにすれば、六月二十九日にヴァティカンに落ちた雷も、それによって頭に二つの傷を受けた法王も、すべてが神罰であった。そして、サン・ピエトロ広場が牛の血で染められた時から三カ月後に起きた事件は、ますます信心深い彼らの心を、最後の審判の時が近づいたという恐怖でふるえあがらせる。今度は、牛の血ではなかった。流れたのは人間の血だった。

ここしばらく、ルクレツィアの夫ビシェリエ公は、ローマでの自分の立場に不安を感じる日が多かった。かつては友好関係にあったローマとナポリが、チェーザレのフランス行きを境にして急速に冷却していくのを、法王のそばにくらす彼が気づかないで済むわけもなかった。すでにこの一年前、彼はルクレツィアの第一の夫ペーザロ伯がしたと同じように、馬でローマを逃げ出したことがある。しかしその時は、今、法王の機嫌をそこなうことなど許されないナポリ王の頼みで、渋々妻の許《もと》へ帰ってきた。

六カ月の身重だったルクレツィアの喜びは大変なものだった。彼女は、この美男の南国の貴公子に夢中だったのである。しかし、息子ロドリーゴまで得たこの夫婦の間も、その後一年と続けることができなかった。

七月十五日の夜半過ぎ、ビシェリエ公は法王宮を出た。法王の看病のためそこに移っていた妻のルクレツィアと妹のサンチャを訪問し、法王をも交えた楽しい夕食を済ませてきたのだった。一人の従者に送られてサン・ピエトロ広場を横切ろうとしていた公に、暗闇《くらやみ》から突然、数人の男が襲いかかった。公は応戦した。しかし、多勢に無勢だった。たちまち公は、重傷を負って倒れた。その時まで恐怖で動けなかった従者は、ようやく我をとりもどし、法王宮へ走り、その扉をたたいて救いを求めた。その声を聞いて走り出てきた衛兵の姿を見て、今まさに公を馬の背に乗せて走り去ろうとしていた男たちは、公をそのままにして、逃げ去った。衛兵たちが倒れている公のそばに駆けつけた時は、暗殺者たちの乗って逃げていく馬のひづめの遠ざかる音が聞えるだけだった。

公は、ヴァティカン内の法王が住居にしている部屋の一つに運びこまれた。右腕と左ももに重傷を負っていた。この無惨《むざん》な夫の姿を見て、ルクレツィアはうめき声をたて、気絶してしまった。宮殿の中は、時ならぬこの凶事に騒然となった。法王も怖《おそ》れおののき、動かすことのできない公の病室とされたその部屋を、すぐ自分の親衛兵たちに守らせた。

翌朝、すでにローマでは誰一人、この事件を知らない者はいなかった。その日、ヴェネツィア大使カペッロは次のように書いた。

「誰がさせたのか。一人もそれについてはふれない。ヴァティカンの関係者たちはもちろん、各国大使もそれにはふれない。しかし、誰もがそれを知っている。ここローマでは、事件についての噂《うわさ》でもちきりだ。ただ誰も、一人の名だけは口にしない」

若さのおかげか、それとも万一の毒殺を怖れて食事も三度三度自分達でこしらえ、同じ部屋に寝起きまでしたルクレツィアとサンチャの看病のためか、ビシェリエ公の回復は早かった。もう寝床を離れ、窓のそばまで自分で歩いていけるほどになった。しかし、一カ月過ぎた八月十八日の夕方、突然、公の死の報がローマ中を驚かせた。

その日の午後、ルクレツィアとサンチャは法王に呼ばれ、二つ扉向うの法王の私室にいくため、しばらくの間部屋を外にした。瞬時もおかず、部屋を守っていた法王の兵と医者は捕えられた。ドン・ミケロットが部屋に入った。扉は閉められた。しばらくしてもどってきた女二人は、扉の外に見慣れぬ武装兵を見た。彼女たちに向って、ドン・ミケロットは、公は、不用意に床に落ちて亡《な》くなられたと説明した。彼女たちの、せめて遺体に会わせてくれという願いも無駄だった。数日前、「朝起らなかったことは、夕べには起るだろう」と言った、法王のため息にも似た予言が適中したのである。

もう誰もが、この惨劇の首謀者の名を口にするのをはばからなかった。ただ、彼らの噂にのぼった動機はさまざまだった。妹に横恋慕したチェーザレの嫉妬《しっと》からだとか、ナポリ王女カルロッタと結婚できなかったチェーザレの、ナポリ王家への恨みからだとか言われた。これらの噂に対して、チェーザレは次の公式弁明を出しただけだった。

「ビシェリエ公は、私を殺害する陰謀を企てていた。故《ゆえ》に今度の事件は正当防衛である」

しかし、ローマ駐在の各国大使たちは、世間にうずまく感情的な噂など信じてはいなかった。冷静な観察を要求されるのが彼らの職業である。彼らは、このようやく二十五歳になろうとする、チェーザレという男を理解しはじめていた。それまでの世の中を支配してきた宗教的良心とか道徳、倫理などから全く自由な男。その目的遂行に際しては、合理性、現実的有効性への判断だけで行動できる男。それがチェーザレという男の本質であることを理解しはじめていたのだ。彼らは、本国の君主や政府に対して、この暗殺事件を起したチェーザレの動機として次の四項目を推測して報告した。

㈠ローマの中での自分の立場を強固にするのに邪魔な存在は消す。とくにビシェリエ公は、法王に反抗を続けるコロンナ一族と親しい関係にあった。

㈡ナポリを捨てたチェーザレにとって、これ以上ナポリ王家との関係を保持することは有効どころか障害になり始めていたこと。また、ルクレツィアは、他に使い道はいくつもある。

㈢最愛の娘ルクレツィアがナポリ王家の一員と結婚していることによって、容易に反ナポリに踏み切れないでいる法王の気持を、決定的な、そして再びもとにもどれないようなところまで追いやり、自分の必要とするフランスとの提携に向わせるために。

㈣ナポリ征服を意図するフランス王ルイ十二世に、自分の忠誠を示すために。

いずれにしても、ビシェリエ公の死は、チェーザレにとって少なからぬ利益をもたらすことであった。父の法王も、チェーザレのこのやり方を知らないわけではなかったが、自分ではどうしようもないほど成長してしまったこの息子を、父親は怖れながら、しかし深く愛してもいた。

第四章

南のローマでチェーザレが、古代ローマ風凱旋式《がいせんしき》やスペイン式の闘牛、義弟ビシェリエ公暗殺事件などで人々の耳目をそばだたせている間に、北のミラノでは、フランスの優位が確立しつつあった。一度はミラノ奪還を策して攻勢に出たミラノ公爵《こうしゃく》イル・モーロが、決定的な敗北を喫して、自らもフランス軍の捕虜となり、ここにイタリアの五大列強の一つスフォルツァ家のミラノも、完全にフランスの下に屈したのである。かつて権謀術数の達人といわれたイル・モーロも、フランスのロシェの地で十年間の捕囚生活を送りながらその生涯を終える。

イル・モーロの没落は、チェーザレにとって、その行動再開を意味した。チェーザレは、再びフランス軍の援助を期待できることになった。彼は、第二次攻略に着手する。しかし、すぐにも軍事行動に移れたわけではない。彼には、自分自身で思いのままに動かせる軍事力がなかった。軍事力を用いないで攻略できる方法があれば、それを最大限に利用しなければならない。血なまぐさいビシェリエ公暗殺事件に人々の話題が集中している一方で、チェーザレは、着々と、第二次攻略をはじめる下準備を怠らなかった。

第二次攻略の目標は、チェゼーナ、リミニ、ペーザロ、ファエンツァである。第一次行軍でフォルリ、イーモラを攻略したから、第二次では、ロマーニャ地方の残りとマルケ地方の主要部分ということになる。彼はまず、チェゼーナを狙《ねら》った。

フォルリとリミニの中間にあるこの領国は、代々リミニのマラテスタ家に支配されていたが、一四六五年にマラテスタ家の正統が絶えた後、教会の直轄領《ちょっかつりょう》となっていた。しかし、この地方の例にもれず、国内はティベルティ家とマルティネッリ家に分れて争いが絶えなかった。チェーザレはこれに目をつけたのである。極秘のうちに、両家に対して、法王の関心が相手側に向き始めたという情報を流した。ティベルティ家もマルティネッリ家も、この手に完全にのってしまった。互いの憎しみとあせりが表面に出た。ある日曜の朝、サン・フランチェスコ教会でのミサの最中、両家の人々は、ちょっとした出来事に端を発した憎しみに場所を忘れて血を流しあった。事件は、直ちにローマ法王庁の知るところとなった。両家の当主たちが、ローマに召喚された。法王は彼らに向って、こういう状態に置いておくことは神に対して許されないと言い、チェーザレを新しい当主として迎えるようすすめた。彼らといえども、チェーザレを当主としたいとは思わなかったが、何よりもまず、互いに相手の側が勢力を得るのが耐えられなかった。八月二日、法王教書によってチェーザレは、チェゼーナの領主となった。彼は、ローマから一歩も動かずに、一国を手中にしたのである。

その後もなお、チェーザレは休息を知らなかった。第二次攻略に出陣する前に、しておかねばならないことが少なくとも三つあった。㈠リミニ、ファエンツァ攻略に際して、ヴェネツィア共和国の動きを封じること。㈡自分独自の軍事力を編成すること。㈢彼の構想を具体化するための金策。この三点である。

まず第一の点、ヴェネツィア対策は慎重に行わねばならなかった。一人や二人の指導者を暗殺したところで、その政治には何の変化も見せない確固たる共和制を布《し》いているヴェネツィアは、その現実主義に徹した政治と地中海貿易による強大な経済力で、当時、イタリアでは最も強力な、そして最も安定した勢力を誇っていたのである。この国を自分の敵にまわさないこと。これはボルジアにとって、常に大きな問題であった。まして、チェーザレが第二次攻略目標としたリミニとファエンツァは、ヴェネツィアが勢力を拡張しようと狙っていた地方であったのだ。当然、この強国が反対することは予想された。まだ歩みだしたばかりのチェーザレの力にとって、今、ヴェネツィア共和国の反対を無視してまで彼の決意を押し通すことは許されない。彼らの黙認さえ得られれば、チェーザレにとっては成功といえた。

老練な外交で知られたこの強国に対して、ボルジアは硬柔二つの方策を立てる。硬の方は、ヴェネツィアの現状に乗ずることだった。当時ヴェネツィアは、一四五三年のコンスタンティノープル陥落から始まったトルコ帝国の勢力拡大の前に、レヴァンテ（東地中海）海域で守勢にまわらざるをえない立場に追いこまれていた。交易で生き、レヴァンテの海を自国の内海のように思っていた彼らである。この国運の低下の兆候を、悲愴《ひそう》な決意で受けとったのも当然だった。ギリシアの沿岸植民地を次々と追われたヴェネツィアは、この年の六月、ペロポネソス半島の南端に位置する海軍基地のモドーネをも失った。レヴァンテでの二大海軍基地として、クレタ島と並ぶ重要性をもっていたモドーネの陥落は、ヴェネツィア人の心に暗い影を落さずにはおかなかった。「この敗報に、誰一人口もきけなかった。モドーネはヴェネツィア人にとって、ヴェネツィアの玄関口と考えられていたのである」と、その日、年代記作者のサヌードは悲痛な調子で書いている。トルコ帝国に対して必死の防戦にあけくれる当時のヴェネツィア人は、自分たちをキリスト教世界の防壁にたとえて、他のキリスト教国のこの異教徒に対する無為無策を非難した。しかし、レヴァンテをトルコに取られて利益を失うのは、ヴェネツィアだけである。他のヨーロッパ諸国が、ヴェネツィアの提唱する十字軍遠征に、言を左右にして腰を上げようとしなかったのもうなずけることだった。この中でヴェネツィアの最後に頼る相手、それはローマ法王だったのである。チェーザレは、このヴェネツィアの現状に注目した。法王から、十字軍遠征構想をちらつかさせることによってヴェネツィアの気をひく、さらに、トルコ防衛に専念しなければならないヴェネツィアの現状に乗じて、リミニ、ファエンツァの攻略を既成事実にしてしまう。これが、チェーザレの考え実行したことだった。そのうえ、彼は柔の方策をも立てていた。

六月二十九日にヴァティカンに雷が落ち、法王が軽傷を負った時のことだった。見舞いに来た人々の中に、ローマ駐在ヴェネツィア大使カペッロもいた。法王を見舞った大使が帰途につこうとした時、チェーザレがそこまで送ろうと彼に言い、二人は一緒に法王の部屋から退出した。ヴァティカンの中の広く長い廊下を、チェーザレは親し気に大使と腕を組みながら歩いた。チェーザレは、大使の方に顔を寄せ、低い声で言った。

「大使、今度のことでは私はひどく驚いた。もしものことが起きたらと考えると不安でならないのだ。その時には、もちろんそんなことがあってはならないのだが、私はあなた方を父とも思い、自分を預けるつもりだ」

老練な外交官カペッロは、そんなチェーザレを少し見下して答えた。

「公爵、あなた様は聡明《そうめい》な方のようですな。法王猊下《げいか》なくしてのあなた様の立場のむずかしさをよく知っておられる」

大使カペッロは、このようにチェーザレとの会話を本国政府に報告し、続けて、チェーザレがヴェネツィア共和国の貴族の地位を欲していること、次期法王にはヴェネツィア出身者をと思っていることなども書き加えて、ボルジアのヴェネツィアに対する好感情の現われだと判断を下した。

八月八日、法王は、リミニのマラテスタ家、ファエンツァのマンフレディ家、そしてペーザロのスフォルツァを、破門処置に付した。ヴェネツィアからは、何の抗議も出なかった。数日後、チェーザレはヴェネツィア共和国から貴族の称号を受け、その祝いとして、ヴェネツィア市内にある宮殿を贈られた。ここに、チェーザレの準備の第一段階、ヴェネツィア対策はひとまずにしろ完了したのである。

第二の準備は軍事力である。八月二十三日に秘《ひそ》かに結ばれたフランスとの協約、フランスのナポリ征服時はチェーザレが従軍する代りに、今度のチェーザレの軍事行動には、フランス王があらためて三百の槍騎兵《そうきへい》と二千の歩兵をイヴ・ダレグレ指揮のもとに派遣するという協約は成立したが、チェーザレにはもはやフランスに頼り切る気はなかった。自分自身で自由にできる兵を軍の主体としたい。それが彼の願いだった。イタリア中から、当時の最も優秀な武将が集められた。エルコレ・ベンティヴォーリオ、アレッサンドロ・ファルネーゼ、それにチタ・ディ・カステッロの領主で、チェーザレにはその初陣《ういじん》から従っているヴィテロッツォ・ヴィテッリ、さらにペルージアの僭主《せんしゅ》ジャンパオロ・バリオーニにアキッレ・ティベルティも加わっていた。総軍勢一万二千を数える。

最後にチェーザレに残されたのは金策である。何かを成し遂げようとする者は、決して金銭を軽蔑《けいべつ》しない。その重要なことをよく知っているからである。そしてチェーザレには、教会の財産があった。十字軍遠征資金として、アルプスの北の信心深いキリスト教者たちから集めた金を、彼は使った。しかしそれだけでは十分といえなかった。あらたに十二人の新枢機卿《すうきけい》が任命された。新枢機卿はそれぞれ、一万二千から二万ドゥカートを法王に寄附することになっていた。こうしてひとまず金は出来たのである。

九月三十日、チェーザレは自軍を閲兵した。彼の紋章をつけた旗をもつ旗手の整列を見ながら、チェーザレはまだ満足してはいなかった。それはまだ彼自身のものではなかったのだ。彼の軍隊は、相も変らず傭兵隊《ようへいたい》の集まりであった。しかし、今はこれで満足するより仕方がなかった。

翌朝、隊長たちに取巻かれ、チェーザレは、軍勢を従えてローマを後にした。ただ、隊長たちでさえも、この行軍の目的地がどこかを正確に知らされていなかった。それは、総司令官であるチェーザレだけが知っていることだった。北へ、軍勢はそれでも北へ向っていた。

秋深いウンブリアの山あいを行く兵士たちの上に、しめやかな雨が降りそそいでいた。スポレート、フォリーニョ、そしてアッシジと、丘陵の上に作られたこれらの町をぬって、アドリア海へ抜ける行軍である。アッシジを過ぎた頃だった。全軍は四日の間、チェーザレからの進軍の命令がないまま、そこに留まっていた。雨も、ようやく降り止《や》もうとしていた。なぜ行軍を続けないのかと皆が不思議に思い出した頃、誰からともなく、リミニが落ちたという噂《うわさ》が広がった。まだ行程の半分も来ていないのに、リミニが落城したというのである。

アドリア海に接する町リミニは、パンドルフォ・マラテスタの支配下にあった。半世紀前にイタリアをゆるがした高名なシジスモンド・マラテスタの血をひいたこの男は、ただ残酷な性格だけをこの祖先から受けついだにすぎない。リミニの民衆は、誰もこの当主に満足していなかった。パンドルフォが、これまで支配者の地位を保てたのは、リミニ支配のための深遠な配慮をめぐらすヴェネツィア共和国の後ろだてがあったからである。今やそれさえも失った彼に対して、民衆の憎しみは爆発寸前の状態にあった。彼は孤立した。チェーザレは、リミニのこの現状を察知していた。軍隊を四日間待機させていた間に、チェーザレは彼に対して講和を申し入れていたのである。リミニを明け渡す代りに、パンドルフォとその家族には年金を与えての自由を保証すると。パンドルフォはこれを受け入れた。十月十日、妻や子をボローニャに発《た》たせた後、彼はチェゼーナから、チェーザレの家臣の一人オリヴィエリ卿《きょう》を迎え、講和条約に調印した。まるで売買契約のように簡単だった。その同じ日、彼は、ヴェネツィア領のチェルヴィアに向けて、船に乗った。ほとんど、誰もこの当主の逃亡に気づかなかったほどだった。船上で彼は、自分の愛犬を城に忘れてきたのを思い出した。彼はこの時はじめて狂気のようになり、残っている家臣に手紙を出し、犬を探して送ってくれと頼んだ。これが彼の、家臣に送った最後の公文書となった。

二十日後、チェーザレは、その軍の先頭にたって、リミニへ入城した。抵抗は全くなかった。彼は、テヴェレの河岸からアドリア海まで、馬に乗ってきただけである。

ペーザロでも、当主ジョヴァンニ・スフォルツァが、迫り来るチェーザレの軍勢のひづめの音におびえていた。ただ、妹ルクレツィアの第一の夫であった彼に対して、チェーザレは、リミニのマラテスタにしたように講和を申し入れなかった。それだけになお、ペーザロ伯は対策にあわてふためいていた。彼は、近くのサン・マリーノ共和国に次のような手紙を送った。大軍を要請したのではない。

「あなた方に、武装した歩兵を五十人ばかり送っていただきたいと願っているのです。きっとこれで勝てると思うのです。礼金も、金が出来た時に十分するつもりです。どうぞ拒絶などしないで下さい。古いことわざにもあるではありませんか、窮地にある時にこそ友を知ると」

サン・マリーノ共和国は、この彼に対して友情を発揮する代りに、チェーザレに貢物《みつぎもの》を送った。ペーザロ伯は、ウルビーノのモンテフェルトロ公爵《こうしゃく》にも援軍を要請したが、ウルビーノ公は、自分の方も危険にさらされている時だからとことわった。マントヴァ侯爵ゴンザーガへの依頼も無駄に終った。ついに彼は、ヴェネツィア共和国に対して一つの提案を送った。それは、ペーザロをヴェネツィアに譲渡するから、その代償として、共和国がどこかに自分が平穏にくらしていける場所を見つけてくれというものだった。しかし、ヴェネツィアの返事は冷たかった。以前の話ならまだしも、今、チェーザレの馬のひづめに蹴散《けち》らされる寸前のペーザロには用はない、という返事である。万策つきたペーザロ伯は、勇ましく次の声明をイタリア諸国へ送りつけた。

「私と私の家臣一同は、結果がどうなろうともこの場所にふみとどまって戦う覚悟である。私は、私のこの家で、ペーザロの当主として死ぬつもりである」

だがその間にも、リミニのマラテスタの逃亡の報が広まっていた。ペーザロの民衆は、このおびえる当主を冷たく見守るだけだった。十一日の夜半すぎ、ペーザロ伯は、まるで猫のように、そっと城を逃げ出した。荷造りをする暇もなかったらしい。メルカテッロにたどり着いた彼は、そこからウルビーノ公爵夫人に手紙を出し、着がえのシャツを用意しておいてくれと頼んだ。この四日後、エルコレ・ベンティヴォーリオ下のチェーザレ軍の先発隊が、チェーザレの名によってペーザロを占領した。十月二十三日、チェーザレ自ら、四百の親衛隊をひきつれただけで、ペーザロに無血入城した。

アドリア海沿岸地域の攻略を続けるチェーザレの次の目的地は、ファノであった。その途上に一つの城塞《じょうさい》があった。そこには以前から、彼の隊長の一人ジャンパオロ・

バリオーニの仇敵《きゅうてき》が捕われていた。バリオーニが復讐《ふくしゅう》したがっていたのを知っていたチェーザレは、そこの城代に向って、彼らの引き渡しを命じた。城代は拒否した。その拒否の代償は高くついた。城代の答えに怒りを爆発させたチェーザレの命によって、瞬時もおかず、その城塞は砲撃の前に吹きとび、周囲の家々は略奪と放火に消えてしまった。ファノは、あわてて抵抗をやめ、城門を開けた。

これまでのチェーザレの行動を、不安をもって見守りながらも、それほどの恐怖をいだかなかった人々は、この残酷な事件によって目を覚まさせられる。あらためて、この若い男に、人々の眼が集中した。マントヴァ侯爵は、岳父にあたるフェラーラ公に次の手紙を送った。

「フェラーラ公爵殿には、このわれわれ共通の危険に対して、どのように考えておられるか知らせていただきたい。公爵殿は、われわれの中でも最も経験が豊富でおられる。われわれは、絞首台《こうしゅだい》に一人がつるされ、他の一人がそれを見ながら助けもできないで、次にくる自分の番をいたずらに待つということにはなってはなりません」

フェラーラ公エルコレは、この手紙に状況の静観をすすめただけだった。しかし、チェーザレの力を怖《おそ》れ始めたのは、何もマントヴァとフェラーラの二国だけではない。フィレンツェ共和国は、マキアヴェッリをフランスへ派遣し、ルイ十二世の力でボルジアを牽制《けんせい》してもらおうと努める一方、チェーザレの隊長の中のオルシーニとヴィテロッツォを通じて、またボローニャは、マルヴェッツィ隊長を、ウルビーノはバリオーニ隊長を通じて、それぞれチェーザレに領国不可侵の保証を頼んできた。これらに対して、チェーザレは、約束だけは与えた。しかしどの国も、安心してチェーザレの言葉を信じた者はいなかった。

それまでは、ほとんど戦いも交えずに城門を開けさせてきたチェーザレの前に、必死の抵抗を試みる人々があらわれた。以後四カ月間にわたる、ファエンツァの攻防戦がそれである。

フォルリとイーモラの中間に位置する小国ファエンツァの当主は、十五歳の少年アストール・マンフレディだった。他のロマーニャの小国と違って、ファエンツァは比較的良政にめぐまれていた上に、年若い当主は民衆の人気を集めていた。この危機に際して、彼らはアストールに同情し、一致してチェーザレに抵抗することに決めたのである。アストールの人気は、その若さだけにあったのではない。彼の環境の悲劇性が、民衆の同情心を一層深めていた。彼の父ガレオットは、武将として、また詩人として高名だったが、ボローニャのベンティヴォーリオの娘フランチェスカを妻としていた。しかし、フェラーラで知合った絶世の美人を深く愛してもいた。この愛人は尼《に》僧《そう》だった。表向きには、ひたかくしにしていたこの愛人の存在を妻が知ってしまったことから、悲劇が始まる。嫉妬《しっと》に狂った妻は、ある日、夫を自室に招き、待機させてあった殺し屋の手にまかせた。これが単なる家庭内の悲劇で終らなかったのは当然である。早速、ボローニャが、野心の手をのばしてきた。一方、残忍な当主夫人に反対する家臣たちは、反ボローニャで団結した。国内は分裂の危機におちいったが、それを回避させたのは、フィレンツェのロレンツォ・デ・メディチの調停だった。彼の力によって、その時三歳だったアストールは、以後母親と離されて、ファエンツァの当主の地位につかされたのである。民衆は、少年の彼にただようこの暗い悲劇の影に同情していたのだった。国の長老たちは、成長していくアストールを、いかにも自分たちが育てているような愛情で、もり立ててきたのである。彼らの親愛にこたえるかのように、アストールは、美しくけなげな気性をもつ少年に成長していた。この少年に対しては、法王からの破門状も、法王代理の称号剝奪《はくだつ》も効果はなかった。ファエンツァの民心は、この少年の下に一致団結していたのである。チェーザレにとっては、何千の兵よりも手強《てごわ》い敵となった。

十一月半ば、チェーザレはペーザロを出た。ファエンツァの城壁の下に着いたのは十九日である。直ちに、砲撃が開始された。攻撃隊の指揮官は、ヴィテロッツォと、イーモラで善戦して以後はチェーザレの配下となったナルドが任命された。戦いは、攻撃軍にとって幸先《さいさき》よい出だしで始まった。チェーザレも自ら陣頭に立ち、矢つぎばやに命令が各隊長に発せられた。しかし、守備軍の守りはかたかった。十日あまりがこうして空費された。さらに、雪と寒さが襲ってきた。それをまともに受けた攻撃軍は、苦戦をまぬがれなかった。十一月の末、チェーザレは持久戦にもちこむ決心をした。ファエンツァの町に通じる道という道はすべて封鎖された。城壁にかこまれた町全体を孤立化する作戦をとったのだ。そして、封鎖作戦に必要なだけの軍隊を残し、残りには、クリスマスの休暇を与えた。ファエンツァを包囲する兵士たちも、休暇を終った兵と交代できるように配慮されていた。これを配置し終ったチェーザレは、自身はイーモラ、フォルリ、リミニと巡視した後、チェゼーナで皆と合流しキリスト生誕祭を祝うことにした。おかげでこの小さな町は、これまでになく陽気なクリスマスを迎えた。

チェーザレとその部下の隊長たちは、おおいに飲み楽しんだ。チェーザレ自ら、あらゆる楽しみの機会をのがさなかった。一晩中踊りあかしたり、雪の舞う広場で、兵士や百姓と一緒になって騒ぐ彼について、当地の年代記作者たちは逐一書き残している。道を行く市井《しせい》の女たちにたわむれるチェーザレやヴィテロッツォらの若者の一群からあふれる笑い声を、チェゼーナの人々は、生命の豊かさそのものであるかのように聞くのだった。こうして、チェーザレにとっては充実した年、一五〇〇年は過ぎていった。

翌年、一五〇一年の三月になっても、まだファエンツァの守りはびくともしなかった。秘《ひそ》かな援助が、マントヴァから送られていた。チェーザレは、ファエンツァの保護者でもあったヴェネツィア共和国を通して講和を申し入れた。条件は、ファエンツァ開城の代りに、アストール・マンフレディを枢機卿に任命したうえ、五千ドゥカートの終身年金をも保証するというものである。アストールはというよりも彼の側近は、これを拒絶した。アストールの名でヴェネツィアの元首《ドージェ》アゴスティーノ・バルバリーゴに送られた返書には、ヴェネツィアがファエンツァを見殺しにしたわけでもないのだから、自分たちは力の限りがんばり抜くつもりだと書いている。しかし、政治には同情の入る余地はない。ファエンツァの人々は、この厳しい現実を知らなかった。

四月、チェーザレはいよいよ決戦の指令を全軍に発した。勝利への自信はあった。フェラーラから来た、エステ家のアルフォンソとイッポーリトの兄弟を自分の陣営に滞在させている。激しい砲撃は、すでに町と城塞を連絡する橋をも吹きとばしていた。それまでの戦いで、全市は攻撃軍の手に落ちていたのである。残るのは、アストールのこもる城塞だけだった。二十日、二度目の襲撃命令である。しかしこの日も、城塞は陥落しなかった。チェーザレ配下の兵の損害は四百を越えた。チェーザレは、手強い抵抗に歯ぎしりしながらも、客の一人アルフォンソ・デステに言わずにはいられなかった。

「このファエンツァ人で成る軍隊をひきいることができたら、全イタリアの征服などは簡単なものだ」

攻撃はさらに二回にわたってくり返された。しかし、四月二十五日に、城塞にはついに白旗がかかげられたのである。刀折れ矢つきた籠城軍《ろうじょうぐん》は、ただ一つの条件をつけただけで、チェーザレの軍門に屈した。その条件とは、アストール・マンフレディの自由の保証であった。

チェーザレは、彼らの希望を受け入れた。彼はさらに、落城後のファエンツァの民衆の安全を保障し、軍勢はその必要な数以外の駐屯はしないこと、軍事以外の要職は以前のままにファエンツァ人の手に残すことなどを確約した。

その日の午後、五百の兵をひきいたドン・ミケロットによって、城塞は開城された。同時に、チェーザレの約束通り、攻撃軍はいっせいに町を離れた。その夜、家臣たちの涙の中を、アストールとその弟のジョヴァンニ・エヴァンジェリスタの二人は、城塞を出て、勝者チェーザレの前に立った。講和の協定によれば、彼ら兄弟は自由であり、どこにでも好きなところへ行けることになっていた。しかし、彼らは家臣の忠告をしりぞけて、そのままチェーザレの許《もと》にとどまった。アストールは、この自分より十歳年長のチェーザレに、恐ろしい敵を感じることができなかった。憧《あこが》れに似た気持を持ち始めていたのだ。チェーザレのそばで、その大胆な輝かしい生き方を共にすること。この思いがアストールを魅了した。それから約一年の間、このマンフレディ家の若い兄弟は、チェーザレの行くさきざきについてまわった。しかし、チェーザレは、ファエンツァの民衆の、アストールに対する忠誠心の強さを忘れてはいなかった。ファエンツァを完全に自分のものにするために、アストールの存在は危険だった。一五〇二年六月九日、ファエンツァが落ちてから約一年が過ぎた頃、ローマのテヴェレ河に、首に縄をつけられた兄弟の死体が浮んだ。

ファエンツァ攻防戦がついに勝利をもって終ったという報《しら》せがローマに着いたのは、四月二十六日の夜である。法王は喜びを隠そうともしなかった。彼は、各国大使の祝いの訪問を、あまりの喜びに泣きながら受けるほどだった。いまや、全ロマーニャ地方は、チェーザレの下に降ったことになる。チェーザレは、法王によって、ロマーニャ公爵に任ぜられた。

第五章

剣を取って二年、イーモラ、フォルリ、リミニ、ペーザロ、チェゼーナ、ファノ、そしてファエンツァと征服してきたチェーザレが、教会領にはびこる小僭主《せんしゅ》制圧という隠れみのを投げ捨てる時が来た。彼の獲得したロマーニャ公爵《こうしゃく》という称号は、イタリア半島の南北を結ぶ主要道路のエミーリア街道一帯を、その勢力下におさえたことを意味した。彼のこの領国の北側には、その政治の巧みさで手強《てごわ》いマントヴァとフェラーラがあった。中位の君主国ながらあなどりがたい力を持つこの二国に対しては、チェーザレも慎重を期す必要があった。そして、さらに北には、強大なヴェネツィア共和国と、フランスの支配下に入ったミラノ公国が広がる。チェーザレの勢力拡張の北の境界線は、エミーリア街道に留まらざるをえなかった。北が現状では困難となれば、残るのは南である。チェーザレは、父の法王の在世中に、いかにしても、ローマまでの全地域を自分のものにしておきたかった。

征服した土地であるロマーニャとマルケ地方を帯状に、そのままそれを南にローマまで拡張しようと意図するチェーザレにとって、それをはばむ二つの国こそフィレンツェとボローニャである。身近に迫りつつあるチェーザレの脅威を感じ、その恐怖におびえた両国は、フランスのルイ十二世に救いを求めた。ルイもまた、自分が援助したとはいえ、チェーザレのあまりの勢力伸長の速さに、危険を感じ出していた。チェーザレの真の敵は、ボローニャでもフィレンツェでもない。フランスであったのだ。だがフランスを敵とするには、チェーザレの力はまだ未熟だった。事あるごとに忍耐を強いられるのは、いまだにチェーザレの方であった。

チェーザレとルイの関係ほど興味あるものは、当時でもそれほど多く数えられるものではない。互いに尊敬を示し、丁重かつ親愛のこもった態度で接しながら、徹底的に相手を利用し、相手の動きを牽制する。ルイはチェーザレを「私の最も愛するいとンスのチェーザレ・ボルジア）と署名し続ける。互いの化かしあいだが、相手が化かされていないこともちゃんと知っている。チェーザレは、その生れからしてスペインに親近感をいだいていたにちがいない。しかし、スペイン王のフェルディナンドが、自らカトリック王と称するほどに信仰があつく、グラナダからムーア人を追い出したことで自信を得て、十字軍遠征に関心を持っていたし、ボルジア法王のやり方には批判を示しもしたから、彼の野望実現のための協力者には適していなかった。チェーザレのルイに対する接近は、何もフランスを好んでいたからではなかったのである。一方、ルイの方も、法王の息子であるチェーザレを、そしてこの頃になっては武将としてのチェーザレを、自分にとって利用価値のある存在として認めていたにすぎない。だから、たかだかロマーニャ地方の所有だけは大目に見はしたが、チェーザレがそれ以上、征服地を広げることには危険を感じていた。

ロマーニャ公国の首都として、地理的にも歴史的にもふさわしい都市といえば、ボローニャ以外には考えられない。世界最古の大学があることで有名なこの街は、学術文化の伝統と共に、教会領の中心としての長い歴史をもっていた。ここを支配しているのは、法王代理に任ぜられているベンティヴォーリオ家である。彼らは、それほど強力な地盤を持っていたわけではなかったが、近隣諸国のフェラーラ、マントヴァ、フィレンツェ、ウルビーノとの間の、柔軟な外交によって、その僭主の地位を保っていた。当主は、老ジョヴァンニである。彼は、新興の君主チェーザレに対して、二つの点ですでに失策をおかしていた。一つは、縁続きでもあるファエンツァのアストール・マンフレディに、秘《ひそ》かに援助を与えたこと。もう一つは、それもファエンツァ攻防戦当時、カステル・ボローネーゼをゆずってくれというチェーザレの要請を拒絶したことである。もし、このボローニャ郊外に多くの城塞《じょうさい》からなるカステル・ボローネーゼをチェーザレが得ていれば、ファエンツァの攻防戦もあれほど長びかなくて済んだであろうとは、誰しもの一致した見方だった。この二つのことを、チェーザレは忘れてはいなかった。

ファエンツァが落ちたその翌日、四月二十六日、チェーザレはボローニャへ使節を送り、あらためてカステル・ボローネーゼの譲渡を要求した。二十七日、その返事がまだとどかないというのに、隊長ヴィテロッツォに一隊をひきいさせ、カステル・ボローネーゼの周辺を略奪と放火で荒させた。これで十分だった。恐怖におびえたベンティヴォーリオは、当時ヴィラ・フォンターナに滞在していたチェーザレの許《もと》へ急使を送る。こうしてカステル・ボロネーゼはチェーザレのものになった。
しかし、チェーザレの本心は、ボローニャそのものの獲得にあった。この時になって、彼の進軍を制止したのはフランス王ルイ十二世である。ナポリ征服のための兵の駐屯地として、ボローニャを重視していたルイは、その代りにボローニャはフランス王が保護すると保証していた。ルイの仲裁で、ベンティヴォーリオとチェーザレの間に講和が成立した。チェーザレは、ボローニャ攻略を見送らねばならなかった。代りにベンティヴォーリオは、以後三年間、百人の武装兵と三百頭の馬をチェーザレに提供し、さらにベンティヴォーリオ家の息子の一人に三千の兵をつけてチェーザレ指揮下の軍勢に従軍させると約束した。挫折《ざせつ》はボローニャだけにとどまらなかった。次の目標フィレンツェの場合もまた、チェーザレは厚い壁を眼前にしなければならなかったのである。

続々と南下してくるチェーザレの軍勢の足音におびえたフィレンツェは、街中が恐怖に包まれていた。だがチェーザレは、何もフィレンツェを目指して進軍していたわけではなかったのである。目的地はピオンビーノだった。チェーザレ自身、いまだにフィレンツェへの野心を表にあらわしてもいなかった。その年、一五〇一年の春、フィレンツェ共和国は混乱と無策にあえいでいた。ピサ戦役による経済、軍事両面の疲れが、フィレンツェに昔日《せきじつ》の威光を失わせていた。さらに彼らは、かつての勢力を回復しようと策すメディチ家をも敵としなければならなかった。ロレンツォ・イル・マニーフィコという大支柱を失ったメディチ家は、それでも執拗《しつよう》にフィレンツェ復帰の機会を狙《ねら》っていたのである。彼らはまだ財力をもっていた。ヴェネツィアも彼らを後援していた。メディチは、ボルジアにも、フランスのルイにも、金をばらまいた。このメディチに対して、チェーザレもルイも否定的な返事を与えなかった。ただ彼ら二人は、フィレンツェ共和国に対する自分たちの意図を通すための手段として、フィレンツェ市民の嫌うメディチを温存していたのである。フィレンツェ共和国は、事ある毎《ごと》にメディチをちらつかせる、チェーザレとルイの双方にふりまわされていた。

チェーザレの軍勢は、南下の速度をゆるめなかった。フィレンツェ共和国は、フィレンゾーラの要塞をかためながら、同時にチェーザレに使節を送り、これは何も彼に対抗してやっているのではないと釈明させた。チェーザレは、衰退の一途をたどるフィレンツェ共和国に、今にも落ちるばかりに熟した果実を見た。だが、ルイという壁があった。フランス王の意を察して、いまだ時期尚早と伝えてきた父法王の手紙が、それに追打ちをかけた。しかし、忍耐は、老人には容易だが若者には苦痛なものだ。チェーザレは時期を待つ必要をよく知ってはいたが、このままフィレンツェに一指もふれずに去るのには我慢ならなかった。その上、メディチとの縁戚《えんせき》関係からフィレンツェに敵意をいだく彼の部下のオルシーニと、フィレンツェ共和国の傭兵《ようへい》隊長をしていた兄が、裏切りの汚名で殺されているヴィテロッツォの恨みを押えることもむずかしかった。

チェーザレは、フィレンツェ共和国に対して、その領国内の通過の自由を要請した。その時すでに、彼の軍は、フィレンツェ領内深くムジェッロまで来ていたのにである。三人の使節が、チェーザレの許へその返事をもってきた。

「軍隊は、各小隊に分れてそれぞれ別の道を通り、要塞のある地域を避けて通る場合にのみ、フィレンツェ領内の通行を許可する。さらに、ヴィテロッツォとオルシーニらの隊長とフィレンツェを外にしているフィレンツェ人（暗にメディチを指している）は、領内通行を禁ずる」

これを読んだチェーザレは、顔色も変えなかったが、そのまま三人の使節を待たすよう命じた。しばらくして使節たちは、チェーザレからの新しい要求を突きつけられた。

それは、フィレンツェ側を震駭《しんがい》させた。㈠フィレンツェは、チェーザレを自国の傭兵隊長として契約すること。㈡ピオンビーノの支配者からの、いかなる援助の要請にも応じないこと。㈢チェーザレのもとに、ヴィテロッツォに選ばせた六人の人質を差し出すこと。㈣メディチ家の復帰を認めるか、または、チェーザレが容認できる政府を作るかのどちらかを選ぶこと、の四つである。これらの要求を出しておいて、チェーザレは軍の進路をフィレンツェの市街に向けさせた。彼は、今はまだフィレンツェ攻略の不可能なことを知っていた。ローマの法王からは、再度、フィレンツェ攻略の時期尚早を説く手紙が来てもいた。今、ここでフィレンツェを押しつぶしては、フランスにいるルイの怒りを買うであろうことも十分知っていた。ただ彼は、あの高慢な回答をもってきたフィレンツェ共和国に、何もしないで去るには耐えられなかったのである。

チェーザレとその全軍は、すでにカンピ・ビゼンツィオまで来ていた。アルノ河は、すぐそこである。フィレンツェ市内では、軍馬のいななきを聞くこともできた。五月十五日、ついにフィレンツェ共和国政府は、チェーザレに対して同盟契約を申しこんだ。三年の間、三百人の兵と共にチェーザレを共和国の傭兵隊長とするというものである。三万六千ドゥカートの年給も決められた。高給を支払って敵を自国の傭兵隊長として契約する。大国フィレンツェの、政府の体面を保つ苦労がしのばれる外交文書である。しかしその裏で、チェーザレの行動を押えてもらおうとルイに対して工作していたフィレンツェは、ナポリ征服のための兵を提供する義務を、ルイからも約束させられていたのだった。

この契約が調印された二日後、フィレンツェ政府は、チェーザレから、カンピの陣営を引き払うという通知を受けた。それでもフィレンツェはまだ安心できなかった。チェーザレが続けて二つの要求をつきつけてきたからである。大砲の提供と九千ドゥカートの年給の前払いである。フィレンツェは、それを呑《の》むより仕方がなかった。しかし、その頃、チェーザレの足許に身を投げ出して、殺された兄の復讐《ふくしゅう》の許しを乞《こ》うヴィテロッツォを、フィレンツェの人々は知らなかった。そしてチェーザレが、ヴィテロッツォに、自分が去った後をまかせてしまったことも知らなかった。カンピ、シーニャ、エンポリ、ポッジボンシは、こうしてヴィテロッツォの怒りの前に、略奪と破壊をほしいままにされた。フィレンツェ政府は、たった一通の不用意な外交文書が、いかに高くついたかを悟らされたのである。

フィレンツェを後にしたチェーザレとその軍は、ティレニア海に向って南下していた。目的地は、ピオンビーノである。かつてはピサの支配下にあったこのエルバ島を含む小国は、その後、アッピアーノ一族の手にゆだねられていた。この地を手に入れることは、チェーザレにとって、アドリア海からティレニア海にわたるイタリア半島の中部の帯状地帯を支配下に置くことを意味する。その上、海港を一つ確保することにもなる。また、エルバ島は、天然の要塞でもあった。

チェーザレの軍を間近にして、当主のヤコポは、ジェノヴァやフィレンツェからの援軍を期待していた。しかし、誰も沈む船を助けようとする者はいない。フランス王への援助要請の取次ぎをたのんだダンボアーズ枢機卿《すうきけい》も、神に祈りを、といっただけだった。

絶望したヤコポは、後を弟に託して、家族と共にジェノヴァへ逃げてしまった。チェーザレの軍は、次々と町の周囲を征服し、エルバ島も簡単に手に入れた。だがその時、ローマからの一通の手紙が、陣営の彼の許にとどけられた。父法王からのもので、ナポリ攻略を決行することになったフランス王ルイ十二世の要請によって、チェーザレも従軍することになったから、至急ローマへ帰るようにというものだった。ここピオンビーノの戦いが、大勢が決したのを見たチェーザレは、父の言葉に従うことにした。戦闘続行の責任をヴィテロッツォにまかせ、彼は一隊をひきいただけでローマへ発《た》っていった。ピオンビーノは、それから三カ月後、悲惨な籠城戦《ろうじょうせん》に疲れ果てた末陥落した。

ルイ十二世は、チェーザレを牽制《けんせい》するあまりに、イタリアにおける彼の政治に、最大の誤りを犯そうとしていた。もう一人のライバルを、自分の土俵にのせてしまったのである。

前年の十一月、スペインのグラナダで、一つの協定が成立していた。スペイン王フェルディナンドとフランス王ルイの間にとりかわされた、グラナダ協定がそれである。内容は、ナポリ王国を、スペインとフランスで二分割するというものだった。ナポリのアラゴン王家はしりぞけられ、首都ナポリとその周辺は王国としてフランスに、カラーブリアとプーリアそれにシチリアは公国としてスペインに分割されることになる。スペイン、フランス両国とも、それぞれ独自にナポリ王と戦い、互いに援助も共同戦線もしないと決められた。ナポリ攻略の大義名分は、あいもかわらず十字軍遠征の基地確保である。

一五〇一年六月十七日、ドオービニイを総司令官とするフランス軍が、ローマ近郊に陣取った。ほとんど同時に、コルドーバ指揮下のスペイン軍も入城してきた。ピオンビーノの陣営を後にしてローマへ急行したチェーザレも、その同じ日の夜、一隊をひきいてローマへ入った。その中には、イヴ・ダレグレ指揮のフランス兵も加わっている。

二十三日、フランス軍総司令官ドオービニイは、部下の隊長たちをひきつれてヴァティカンに法王を訪問し、壮麗な儀式で迎えられた。

その二日後、枢機卿会議が開かれ、グラナダ協定を承認。同時に、アラゴン家から、ナポリ王権を剝奪《はくだつ》してスペイン、フランス両国の王に与える教書も発布された。この方の大義名分は、トルコ帝国に援軍を要請したアラゴン家に対する制裁というものである。王家没落の危機に直面してあわてふためいたナポリ王フェデリーコが、トルコのスルタンに援軍を求めたことは事実だったが、あくまでもそれは口実でしかない。

とはいえ、一四九四年のシャルルの侵入に対して、あれほどに強硬なイタリア主義を貫いた、法王アレッサンドロ六世の政治はどこへ消えてしまったのか。ただ、政治は常に感傷をふみ越えたところでなされる。アレッサンドロ六世とチェーザレは、自分たちの意図を実現するために、フランスと手を結んだことへの支払いをしていたのであった。だが、ボルジアは利益への見通しもなく、ただ支払いをしていたわけではない。ボルジアは、その見通しに確信を持っていた。たとえば、二人の人間が一つの物を狙う時、必ず両者が満足する結果を得た事実はない。最後に得るのは二人の内の一人なのだ。そして今度の場合、二人のどちらが残っても、それはナポリにとっては外国人である。残った一人が、かつてのフリードリッヒ二世やアラゴン家の王たちのように完全にイタリア化しない場合、イタリア人は、遅かれ早かれ、その支配者を追い出した。フェルディナンドもルイも、ただ領土を拡張する野心だけで、その征服地を本拠として、新しい世界を造り出そうとする型の征服者、すなわちマキアヴェッリの説く征服者の理想像からは遠い人間である。いつの日かチェーザレが、イタリア半島の主要部を征服した時、ナポリ王国は、熟れた果実のように自然にチェーザレの手に落ちるであろう。ここに、スペインとフランスのナポリ王国分割を認めた、ボルジアの深意があった。

その頃ローマでは、誰もチェーザレの姿を見た者はいなかった。自分の宮殿に閉じこもっているらしかった。しかし、人前に姿を見せないだけで、彼はその行動を止めてはいなかった。征服した領土の治政のために、終日が過ぎていたのだ。ロマーニャの総督に任命した側近のレミーロ・デ・ロルカには、次々と治政の策を命ずる文書をもった飛脚が送られた。またカステル・ボロネーゼにも、征服後の政策がたてられ実行された。その他の土地にも、彼の政策が実行されつつあった。まだ陥落していないピオンビーノまで、陥落後の対策ができていたほどである。

しかし、着実に征服地に自分の地歩をかためながらも、その頃のチェーザレの心中はおだやかとはいえなかった。彼には、やらねばならないことが山積しているのに、フランス軍に従軍するためだけにローマへ帰ってこなくてはならなかったし、これからの時を空費しなければならないのである。ルイが認める彼の軍事才能は、今度は他人のために使われるのだ。今の彼には、このルイの要求を拒絶することは許されない。まだ一傭兵隊長として働かねばならない自分を、チェーザレは、怒りをもって耐えていた。

まず最初にローマを出て、ナポリ王国攻略に向ったのはスペイン軍だった。そして数日後、フランス軍も、カステル・サンタンジェロの前で勢ぞろいして、法王の祝福を受けた後、ローマの城門を出ていった。しかしチェーザレは、まだ自軍に出発の命を与えなかった。

その同日、一つの情報が、ローマにとどいた。ナポリが防戦の本拠をカプアの地に定め、勇将のファブリッツィオ・コロンナの指揮下、三千五百の兵を配置したという。もう一人の武将プロスペロ・コロンナは、ナポリ市街を守り、王は、アヴェルサの城塞《じようさい》に籠《こも》ったという報《しら》せも続いてとどけられた。チェーザレは、この時になってようやく腰を上げた。彼は、親衛隊の四百を含めた千五百の兵を従えて、ローマを出陣していった。

チェーザレとその軍がカプアに着いた時、フランス軍の主流は、すでに町の外壁の破壊に成功しつつあった。総司令官ドオービニイは、チェーザレの到着後は後を彼にまかせて、自分はフランス全軍をひきいて、ナポリを守るプロスペロ・コロンナと戦うために南下していった。

一千五百対三千五百の戦闘である。激戦となった。チェーザレは、カプアの市中に向けて、攻撃の稲妻をふりそそいだ。敵は誰も容赦されなかった。女も子供も。家々は火をつけられて燃え上った。家を焼かれ、軍馬のひづめに蹴散《けち》らされた民衆の泣き叫ぶ声が、燃えあがる火の柱の中に消えていった。

七月二十四日、カプアは陥落した。一五〇〇年代の戦いの中でも、最も悲惨な落城となった。血が、町の道の石の間を流れ、危うく難をのがれた女や子供のおびえる眼の前で、征服者たちの略奪の場面が展開された。当時の記録によれば、少なくとも四百の死体が、町中に放置されたままであったという。慈悲心は蹴散らされた。

大将のファブリッツィオ・コロンナも捕われた。負傷していた彼は、コロンナ家の人間である彼にとっては敵方になる、チェーザレの隊長の一人パオロ・オルシーニが、寛大にも一万五千ドゥカートを立替えてくれたために、殺されるのだけは免れた。しかし、他の捕虜は、その翌日、全員が絞首刑《こうしゅけい》に処された。ただ、捕えられた女たちは殺されはしなかった。女たちはチェーザレの前に連れてこられ、彼が自分で、その中でも最も美しい女を四十人選び、後は部下の好きにまかせた。

このチェーザレを、歴史家グイッチャルディーニを始めとして、ディ・コンティらの年代記作者たちは、残忍そのものとして口をきわめて非難して書いた。たしかに、チェーザレにとって、戦場での彼の残忍性を表面に出してはばからなかった、これが最初で最後の例である。ただ彼は、血で手を汚すならば、かえって身体《からだ》全体をそれにひたしてしまう方を選ぶ男の一人だった。

カプアの陥落は、ナポリ戦役の様相を決定した。フェデリーコ王は、八月二日、イスキアに逃亡した。その地でトルコの援軍到着を待つつもりでいたが、そのようなことが起ろうはずもない。この翌年の三月、フランスへ行った彼は、王権をルイにゆずり、自分にはその代りとして少額の年金と辺境の伯爵領《はくしやくりよう》をもらい、一五〇四年、トゥールで死ぬ。イタリアの二大名家と名の高かったミラノのスフォルツァ家とナポリのアラゴン家の当主たちは、敵方であったフランスの地で、一人は捕囚の身で、一人は隠居させられ、いずれも屈辱の中にその生を終えねばならなかった。

八月末、すでにフランス軍一色にぬりつぶされたナポリで、チェーザレは、フランス王ルイからの戦勝を祝う手紙とともに、金貨二万ドゥカートを受け取った。傭兵隊長としての彼に支払われた傭兵料である。九月半ば、チェーザレは自軍を従えて、誰よりも早くナポリを後にし、ローマへ向った。義務は、果したのだった。

第六章

ナポリからローマへ帰ってきたチェーザレは、休む間もなく次の行動にとりかかった。ローマ近郊に勢力を浸透させている、豪族の討伐である。今のところ彼の配下にあるオルシーニ家は除外された。攻撃の目標とされたのは、法王に反逆し続けるコロンナ、サヴェッリの両家である。以前からこれらの豪族と深い関係をもっていたアラゴン王家が没落し、またフランス軍がローマの近くにいる時であり、討伐には絶好の機会であった。ローマ豪族の討伐は、ボルジアの本拠であるローマに、平安を確保することを意味した。その後ではチェーザレが、安心してローマを外にすることもできるわけである。

ナポリ王の下で軍事に従っていたために、ナポリ敗戦で大打撃を受けたコロンナ家はもちろん、サヴェッリ一党の抵抗も弱かった。ローマの南のカステル・ガンドルフォ、ロッカ・ディ・パパ、セルモネータと、次々に彼らの拠点は、チェーザレの前に陥落した。これらの新しい征服地は、二つの公国領に分けられ、一つは、ルクレツィアと殺されたビシェリエ公との間に生れたロドリーゴに、もう一つは、ルクレツィアの秘密の子と言われるインファンテ・ロマーノに与えられた。ローマ市以外の教会領は、こうして世間の非難の声をよそに、ボルジア家の人々のものになっていった。

その頃、ヴァティカンでの話題は、法王の娘ルクレツィアの三回目の結婚でもちきりだった。第二の夫ビシェリエ公が暗殺されてから、ネピの城にこもってしまったルクレツィアが、兄チェーザレの希望によって、フェラーラ公国の嫡子《ちゃくし》アルフォンソ・デステと結婚することになったのである。妹の結婚は、チェーザレにとって、フェラーラ公国対策であった。ロマーニャ公国と国境を接しているフェラーラ公国は、無視できない勢力を持ち、チェーザレも簡単には敵にまわすわけにはいかなかった。自分の妹を嫁《とつ》がせて、縁戚《えんせき》関係によって味方としてつないでおこうと考えたのである。ただ、フェラーラの方が、最初はこの結婚話を逃げようとした。ルクレツィアの二人の先夫の悲惨な末路に、エステ家といえども二の足をふんだのである。しかし、老練な政治家であるフェラーラの当主エルコレは、法王の娘との縁組が、エステ家にとって損にならないことも知っていた。フェラーラもまた、ロマーニャ地方の国々と同じく、法王によって封土された国である。法王と友好関係をもつことは、フェラーラにとって悪いことではなかった。一方、チェーザレにとっては、北をかためられれば、安心して南を狙《ねら》えることにもなる。さらに、娘の不幸を哀れに思っている法王アレッサンドロ六世の親心が、この結婚話に拍車をかけた。

この政略結婚を計画したのはチェーザレだったが、彼は、それが決った後は、父の法王にすべてをまかせてしまった。持参金の件などに、彼はわずらわされるのを嫌った。ところが、エルコレからこの結婚のためにローマへ派遣されてきた二人の特使にしてみれば、今や誰よりも実権をもつチェーザレの意向を無視しては事を運ぶわけにはいかない。彼らは、ローマに着いた時から、チェーザレとの会談を申し入れていた。しかし、チェーザレは、なかなか会おうとはしない。特使たちは、いらいらしながら待ち続けた。月日が過ぎていった。彼らは、このチェーザレの態度を、ひどく不安に思い始めていた。

そんなある日のことである。二人の特使は、宿舎にチェーザレからの使いの者を迎えた。公爵《こうしゃく》が会うということづてをもってきたのである。すでに正午近い時刻だった。

特使二人は急いで身仕度をととのえ、使いの者に案内されて、さわやかな秋のローマを背に、チェーザレの住む宮殿へ向った。ペニテンツィエリ宮に入った彼らは、玄関の近くの会見の間で待つと思っていたところを、そこを通りすぎてもなお、誰も何も言わないのを不思議に思った。召使は、中庭を通ってなおその奥に彼らを導いた。階段を上り、カステル・サンタンジェロを右手に眺める長い廊下を行きながら、彼ら二人は、今度は恐怖に襲われていた。チェーザレの数々の残酷な噂《うわさ》を、その時になって思い出したのである。

一つの部屋の前で、召使がその扉を開けた。彼らは、召使に言われるまま、その部屋の中に入った。明るい陽光とさわやかな外気の中を来た彼らは、部屋に入ったとたん、まずその薄暗いのにあわて、次いで部屋の中にこもっている甘い香りに驚かされた。少しだけあけられている厚地のカーテンの間からもれる光が、その部屋の中をほのかな明るさでみたしていた。部屋の中央に一段高くしつらえられてある寝台の天蓋《てんがい》から左右にたれている薄いヴェールの陰に、一人の男の姿が見えた。彼らは、それがチェーザレだと気づいた。

チェーザレは、特使たちが入って来たのを知っていて、それまでの姿勢を変えようとはしなかった。彼は、寝台の背に、ものうげに寄りかかったままだった。薄い灰色のタイツに包まれた右脚を立て、左脚は無造作に投げ出したまま、白いゆったりしたブラウスの袖口《そでぐち》はしどけなく乱れ、その右腕は、立てたひざに気だるく置かれたままだった。

すぐ、部屋の中の薄明るさにも慣れてきた特使二人は、その時になってようやく、寝台のかたわらにひざまずいている一人の女に気づいた。薄いヴェールを通して入ってくる光を受けて、ほの白く浮んでいるその女の顔は、気をのまれるほどに美しく、長い黒髪が、腰のあたりまでおおっている。女は、男の示すどんな小さな気配も見のがさないでかしずこうとするかのように、男の顔をあおぐように見上げていた。

その女にはいちべつも与えないで、じっと、しかしものうげに彼らの方を見ているチェーザレの姿と、そのかたわらにかしずく女。この情景は、二人の老練な外交官に、いつもの冷静さを失わせた。彼らはそこに、甘美と残忍という、官能の二つの鎖を感じとったのだ。

何を話したか覚えがなかったが、主君エルコレ公からのあいさつの言葉を並べたてただけで引き退《さが》ってきてしまった彼ら二人は、チェーザレの真意を探るための、何の言葉も彼から得られなかったのに後になって気づいた。あらためて会見が申しこまれた。しかしチェーザレからは、にべもない拒絶の返事がとどいただけだった。強国フェラーラの特使に会わないで済ますわけにもいかなかったチェーザレにとって、もはや義務は果したのである。

数日後に、特使二人は、あの時の女が唖《おし》であるということを知った。フェラーラにいるエルコレ公に送った報告文の中に、

「唖の女とは、全く理想的な女をチェーザレ公は持っておられます」

と、彼らは書きそえた。

チェーザレから会見の許可を得られずに、ただいたずらにローマに滞在を続けていたのは、何もフェラーラの特使たちだけではなかった。リミニから来た二人の市民代表にいたっては、二カ月にもなるのに、いまだにチェーザレに会ってもらえなかった。ペニテンツィエリ宮の前の道からは、チェーザレの執務室の窓の灯を見ることができた。時折、背の高い彼の黒い影が、窓にうつることもあった。その中で何が行われているのかは誰も知らなかったが、灯は、夜遅くまで、時にはあけ方近くまでともったままだった。日中は法王との打ち合せに過すことが多かったから、彼一人で決定した

り計画をたてたりするのは、どうしても夜になった。広いロマーニャ公国全体に目をくばり、隊長から兵士に至るまでの家臣すべてを効率良く動かし、イタリアだけでなくヨーロッパ中の情報に通じ、ルイ十二世との関係に配慮することまで、新しい君主のチェーザレには、やらねばならないことは山ほどあった。彼の秘書たちは短い睡眠しかとれず、飛脚の馬はいつでも出発できるように準備が完了していた。

「めったにしゃべらない、しかし常に行動している男」と言われたチェーザレが、その執務室から出る時は、必ずローマの人々の眼をそばだたせるようなことをする時になった。各国の情報官や年代記作者たちは、彼らの好奇心を満足させる材料に事欠かなかった。ルクレツィアの結婚を控えて、その頃のローマは、宴《うたげ》や舞踏会がひんぱんに開かれていた。それらを計画するのはチェーザレであり、宴や舞踏会での中心も彼だった。そういう時、父法王の驚きと喜びの眼の前で、二十六歳のチェーザレは、疲れを知らないかのように楽しんでいた。その中で、十月三十日の夜に開かれた彼の宮殿での宴は、ブルカルドをはじめとして年代記作者たちを興奮させたものだった。法王も臨席し、枢機卿《すうきけい》、各国大使がひしめくその夜は、ブルカルドの言葉を借りれば、五十人の「世界で最も古い職業の女たち」も招かれていた。豪勢な食事から始まった宴は、夜半すぎには羽目をはずした無礼講となった。

チェーザレは、女たちに服を脱ぐように命じた。大広間の中央に、背の高い燭台《しょくだい》が一列に並べられた。チェーザレは女たちに、この燭台を一つ一つ倒さないようにしてまわり、自分のところまで走り着いたもののうちで一番早いものと、今夜の床を共にすると言った。嬌声《きょうせい》をあげたのは女たちだった。早速、合図とともに、女たちは走り出した。仰々しく結い上げた頭髪、首や耳、そして腕まで飾りたてた宝石が、白い肉のかたまりとともにゆれた。歓声が、見物の男たちの間からだけではなく、燭台を倒さないように、ろうそくのろうがとび散るのを避けながら走る、当の女たちの間からも絶えなかった。競争は終った。椅子《いす》に坐《すわ》っているチェーザレの前に、一団となって裸体の群れが殺到した。どの女が一番だったかもわからないほどだった。この夜の宴は、テヴェレ河から白い朝霧が立ちのぼってくる頃まで終らなかった。

十二月に入ると、花嫁のルクレツィアにフェラーラまで随行する役の、エステ家の二人の公子がローマに到着した。ヴァティカンは、にわかに忙しくなった。今度の結婚で、はじめてルクレツィアはローマの父の許《もと》を離れるのである。遠くフェラーラの地に嫁ぐ娘のために、法王は、花嫁仕度のすべてに眼を通すほどに気をくばった。

残照がまだやわらかく大気に満ち、冬のローマ特有の冴《さ》えた空が少しずつあかね色に染まりはじめたある日の夕暮、テヴェレ河をわたってペニテンツィエリ宮へ向う道は、華やかに着飾って馬でいく人々でにぎわっていた。その夜開かれる舞踏会に招かれた人々である。嫁いで行く妹のために、ローマでの最後の舞踏会を、チェーザレが催したのだった。全枢機卿はもちろん、各国の大使や高官たち、それにローマの貴族たちはすべて招待を受けていた。主賓は、ルクレツィアとエステ家の公子たちである。法王宮の黒い影を背景に、その夜のため、ペニテンツィエリ宮のすべての窓からあふれたきらびやかな灯火の海が、テヴェレの水面に照りはえていた。

大広間は、続々と到着する客で、今にもあふれんばかりだった。法王の到着が告げられた。枢機卿たちを従えて広間に入ってきた法王は、ひざまずいて迎える人々に、一人一人親切なあいさつを返していた。その彼の顔は、喜びのためにほとんど泣き顔のように見えた。しかし、人々の視線は、その父のかたわらに無言で立つ、チェーザレの方にばかり向けられていた。

音楽が始まった。バラードだった。椅子に坐っていた法王は、かたわらに立つチェーザレに、踊りを始めるようすすめた。チェーザレはその場所を離れ、大広間の中心に、人々にとりまかれている妹の方へ近づいていった。ルクレツィアは、この兄の申し出にすぐ応じた。二人は踊り出した。ゆるやかな甘い音楽が二人を包んだ。その夜のチェーザレは、白一色の衣装を着けていた。白いタイツは、すっきりと伸びた脚をおおい、どんすの上着は厚い胸をしめ、これも白のブロケードのマントが、踊るたびに灯火を受けてやわらかく光った。空色のふちなし帽と、その一端につけられた紫色の宝石で作られた剣の型のブローチが、その夜のチェーザレの唯一《ゆいいつ》の装飾だった。白ずくめの衣装は、彼のきたえぬかれた浅黒い容貌《ようぼう》に映え、二十六歳を迎えたチェーザレを、いつもより若く見せていた。

背の高い兄は、肩にようやくとどく丈の妹を、やすやすとリードしていった。兄のリードに身をまかせきって踊る妹の顔を見おろすチェーザレの眼は、やさしい光をたたえ、口元は微笑できざまれていた。兄よりは五歳年下のルクレツィアの方は、赤い絹の衣装を着けていた。浅黒い肌に黒い髪の兄とは対照的に、長い金髪に白い豊かな肌の彼女には、その赤の色はよく似合っていた。宴の主人が踊り出したのだから、他の人々もそれに続くことが許されたわけである。しかし、誰一人踊り出そうとする者はなかった。大広間の周囲に立って、彼らは、広間の中央を流れるように踊る、チェーザレとルクレツィアの一組を見つめるだけだった。兄と妹は、そこだけが世界のように、いつまでも踊り続けていた。

十日後、ルクレツィアは、フェラーラに向けてローマを去った。

その野望を実現に移し始めてから四年目にあたる一五〇二年、チェーザレの頭の中を占めていたのは、ボローニャ、マントヴァ、トスカーナ、マルケの攻略である。その中の、ボローニャに関しては、ルイの反対でいまだに時期が熟したとはいえない。あなどりがたい力をもつマントヴァに対しては、フランスにいる二歳の自分の娘と、マントヴァ侯爵の長男で一歳のフェデリーコとの婚約を成立させることによって、ひとまず味方につけておく方策をとるつもりだった。残るのは、トスカーナとマルケである。フィレンツェを除くトスカーナ全域と、ウルビーノ以下小国の集りであるマルケ地方。ここが彼の第三次攻略の目標になった。

しかしチェーザレは、すぐにも征服に向うわけにはいかなかった。神聖ローマ帝国皇帝マクシミリアンが、イタリアへ南下する気配を示していたからである。皇帝の真意は、仇敵《きゅうてき》のフランス王がイタリアで勢力を伸張するのを牽制《けんせい》することにあったのだが、皇帝にとってイタリア南下の大義名分はいくらでも作れる。なぜならば、神聖ローマ帝国皇帝の地位は、中世以来、ローマ法王を守護する義務をもつということによって、その名称を与えられてきたのである。だからローマ法王の御機嫌うかがいでも、イタリア各国の視察でも、大義名分には事欠かない。ところが、皇帝に来てもらっては困るのがチェーザレだった。皇帝が遠くドイツにいたために、フランス王と結託してこれまで事が運べたのである。彼にとって幸いしたのは、神聖ローマ帝国皇帝の力が昔日《せきじつ》ほどではなく、イタリア諸国に対しても、今ではそれほどの影響力をもっていないことであった。皇帝の南下には、ボルジアだけでなく、ナポリ分割協定がすでに破綻《はたん》を来たし始めているフランスとスペインも不賛成だった。皇帝は、彼らの反対があっても、もしイタリア諸国が彼を受け入れると言えば、イタリアへ南下してきたにちがいない。その皇帝の決意をひるがえす決め手となったのは、ヴェネツィア共和国の反対だった。ヴェネツィアは、従来から友好関係になかった皇帝よりも、フランス、スペインと近く、かつ現職の法王をもつボルジアを選んだのである。ひとまず、皇帝軍の南下は避けられた。

しかしまだ、チェーザレをローマに留める理由が一つあった。ナポリを征服したスペインとフランス両国が、その二分割統治案をめぐって争い出したことである。ボルジアの予測は、一年もたたないうちに現実になってしまったのだ。チェーザレにとって、この結果は望んでいたものだが、それがあまりにも早く来すぎた。ナポリはまだ、今の彼には遠い目標だった。とはいうものの、その成行きに注意を怠るわけにはいかない。彼はローマを動けなかった。一度、父法王と共にピオンビーノへ行っただけである。そこの滞在も長くはなかった。

しかし、長い間をかけて育ててきた情熱は、一度それを外に出したら、容易に止めることはできない。第三次攻略実行の延期を強いられたチェーザレも、その行動に休息というものを知らなかった。だがそれは、野営地でなされるのではなく、ローマの彼の部屋の机の上で行われた。

目標は、ピサとアレッツォである。チェーザレは、それを手に入れるのに二つの方策を用いた。一つは、部下の秘密工作員を使って、フィレンツェとピサ両共和国の間にある昔からの敵対感情を刺激させたことである。ピサには、フィレンツェに彼が近づこうとしていると匂《にお》わせ、その連合軍で攻撃されて結局は仇敵のフィレンツェに屈服するよりも、ボルジアを選ぶ方がよいと、ピサ市民の世論をその方向にもっていくよう工作した。第二の方策は、例の如《ごと》く武具をちらつかせての脅迫である。チェーザレは、フィレンツェ共和国に復讐《ふくしゅう》の執念を燃やすヴィテロッツォを、それに使った。しかしこの方の軍馬は、時々手綱を引きしめる必要があった。ヴィテロッツォの思うままにさせたら、トスカーナは廃墟《はいきょ》になりかねなかったからである。

五月末、ピサの市民代表が、ピサをチェーザレに保護してもらいたいと願い出るために、ローマを訪れた。以前からピサを狙《ねら》っていたフィレンツェとヴェネツィアはこれに驚いたが、ここまで話が進んでいてはもはやどうすることもできなかった。できないというよりも、このイタリアの二大共和国は、常に互いに牽制しあうばかりで、統一行動をとろうとしなかった。チェーザレは、それもよく知っていた。

六月七日、アレッツォはヴィテロッツォの前に城門を開いた。数日後には、ヴァル・ディ・キアラ全域は、チェーザレの部下の隊長たちの手に落ちていた。フィレンツェ共和国は、ここに来て、完全にチェーザレの勢力の海の中に孤立させられたことになる。

その地方の現状を知り、それを利用し煽動《せんどう》しながら、たいした軍勢を動かすこともなくフィレンツェを包囲してしまったチェーザレは、少しずつ、フランス王ルイの下から離れようとしていた。

これらをし終ったチェーザレには、ようやく軍馬のいななきの中にその身を投げこめる時が来たようであった。

第七章

一五〇二年六月十二日、チェーザレは、四百の親衛兵を従えただけでローマを出た。スポレートでは、軍の精鋭が彼を待っていた。そこを出発した彼とその軍は、行く先々で待機している兵を加えて、雪だるま式に大きくなっていった。すでにその頃、チェーザレは、自領のロマーニャ公国の全家族に対して、一家族につき兵士一人の提供を命ずる布告を出していたのである。これこそ、後にマキアヴェッリによって提唱され、今日に至るまで近代国家の軍事力の中核とされてきた、徴兵制度のはじまりである。それは、従来の金で傭《やと》われた兵で構成された傭兵《ようへい》制度に比べて、〝義務〟であり〝職業〟ではないという点で根本的な改革であった。

ただ、チェーザレの徴兵制度は、ようやく始められたばかりだった。彼の軍の主力は、いまだに、ヴィテロッツォその他の金で傭われた隊長がそれぞれにひきいる傭兵隊に頼らざるをえなかった。ルイ十二世から貸与されている兵もまた、同じように彼から傭兵料をもらって働いていることでは同じだ。ただ、チェーザレは、この現状を少しずつ変え、将来は自分の軍すべてを、徴兵制度でかためようと考えていた。それは急には出来ることではない。なぜならば、従来のイタリアでは、戦争はそれを職業とする者の間で行われてきたのである。一般市民に対しては、訓練を初歩からほどこす必要があった。ただこの唯一《ゆいいつ》の例外は、ヴェネツィア共和国海軍である。海にすべてを賭《か》けてきたヴェネツィアは、陸軍には傭兵制度を採用していたのとは反対に、海軍では自国の市民しか使おうとはしなかった。ヴェネツィア共和国の元首《ドージェ》のほとんどは、長年の海の上の軍務を経験した海軍提督出身者で占められている。ヴェネツィア人の軍事力に対する考え方が、他のイタリア諸国とは全く違っていたのだ。しかし、当時の国家や支配者にとって、このチェーザレの構想は、いかにも非常識な構想に思えた。ただ一人、それもこれより十年後に、これを実行した男がいただけである。チェーザレの義弟でもあるフェラーラのアルフォンソ・デステが、カンブレー同盟側に加わってヴェネツィア陸軍を打ちくだいた戦いの時に、徴兵制を一時採用したのがそれである。

当時のイタリアを変えたであろうこの改革に気づいたのは、チェーザレ、二十六歳、アルフォンソ、二十五歳、そしてマキアヴェッリ、三十三歳、この三人の若者であった。


ウンブリアの丘陵をぬって進軍するチェーザレの軍が、今度はどこを攻撃目標にしているのかを、正確に知っている者はいなかった。多くの兵も、そして各国の情報網も、おそらくカメリーノであろうと考えていた。しかし、チェーザレの心中には、別の目標があった。そのための下準備は、すでに完了していたのである。

ウルビーノ公国。一五〇二年。

「イタリアの光」とは、後にカスティリオーネが、その著書『宮廷人《コルテイジャーノ》』の中で讃《たた》える、フェデリーコ・ダ・モンテフェルトロについての言葉である。今日、フィレンツェのウフィッツィ美術館に、ピエロ・デッラ・フランチェスカの画筆による肖像画を残すこの「偉大な文武の人」が死んでから、二十年が過ぎていた。庶出の出という不利を負いながら、彼は学芸に対して深い理解をもち、さらに武将としても当時の名将フランチェスコ・スフォルツァに次いで、傑出した才能を示した。

彼の統治の間、その小さな公国ウルビーノは、学者や芸術家の華やかな業績でイタリア中にその名を知られ、とくに、フェデリーコの創設した図書館は、その蔵書の種類と貴重さによって、メディチをしのぐとさえ言われていた。他のイタリアの宮廷とこのウルビーノ宮廷の違いは、ウルビーノでは誰もが身の危険を感じずにくらすことができた点にある。文学者、音楽家を含めて五百人ものここの宮廷人は、争いもなく生きていけた。イタリア中の貴族や君主たちは、この宮廷の雰囲気を重んじて、その子弟を託す者が多かった。当主フェデリーコは、これらの留学生たちに、完璧《かんぺき》な教養と武芸を教えた。

公国の家臣や民衆も、この当主を信頼し、彼の下での平和を満喫していた。彼らは、この主人が、職業である傭兵隊長として公国を外にする時にさえ、主人を不安にさせないようにと自分たちで自制した。公国にいる時には、毎日、ひとり城を出て町中を歩く公爵《こうしゃく》に、民衆が親しくあいさつする風景がここでは普通だった。イタリアの君主や支配者の中で、彼のように無防備で町を歩ける者はほとんどいなかった時代である。

しかしこの男も、その死の際には、自分の親友であるこれも高名な傭兵隊長ロベルト・マラテスタに、残していく幼い息子と公国の行く末をゆだねた。だが不幸にも、

ウルビーノ公グイドバルド

頼まれた方のマラテスタも、同じ頃ボローニャで死の床にあった。そして偶然に彼も自分の国リミニを、フェデリーコにゆだねていたのである。

フェデリーコの息子グイドバルドは、父の死の時十歳だった。繊細な肉体と神経をもつこの少年は、宮廷の中で大切に育てられた。ウルビーノの宮殿の広い階段を、中世の面影を濃く残すグッビオの町の石畳の道を、物思いに沈みながら歩く彼の姿がよく見られた。三十歳を過ぎて、ようやくマントヴァ侯の妹エリザベッタ・ゴンザーガと結婚したが、子には恵まれなかった。父親の職業を継いで傭兵隊長にはなったが、それよりも自分の宮殿にいて、芸術品や書物に親しむ方を好んだ。洗練された生活を愛する、思いやりの深い、温厚な人柄だった。当時の激しい時勢の中で、この彼が国を維持できたのは、何よりも父親の残した業績のおかげだった。誰も悪く言うことのできない円満な性格で、一人の敵もいないこの息子を、公国の民衆は傷つけまいとして守る気持だったのである。

彼とボルジアの関係は、はじめからそれほど良いものではなかった。一四九六年の冬に行われたガンディア公の副将としての従軍は敗戦に終り、彼は捕虜のまま見放されたことがあった。また、その後に起きたガンディア公暗殺事件では、一時は彼も、容疑者の一人に目されもした。チェーザレが軍事行動を始めてからも、ウルビーノ公はしばしば、チェーザレ配下の傭兵隊長として従軍した。ただ、目立つほどの戦果はあげなかった。

六月の中頃、ウルビーノ公グイドバルドは、法王からの一通の手紙を受けとった。それには、カメリーノ攻略に向うヴァレンティーノ公爵チェーザレ・ボルジアの軍のために、武器兵糧《ひょうろう》の提供と、軍のウルビーノ領内通過の便宜を要請すると書かれてあった。さらに続けて、チェーザレの顧問デ・ロリス司教をペルージアに送るから、彼に返事を送るようにとあった。グイドバルドが、それに従ったのはもちろんである。自分からは、危険が過ぎ去ったと思った。側近のドッティ以下二人の家臣を、すぐにペルージアに送った。ドッティは、そこで司教から温かく迎えられ、チェーザレに対するウルビーノ国の恭順を示した。そこを出発したドッティの一行は、スポレートにいたチェーザレの許《もと》へも行き、彼からも、ウルビーノの安全を保障する言葉を得た。

二十日の夜、ウルビーノ郊外の村で心安らかに夕食をとっていたグイドバルドの許に、泥まみれになった伝令が到着した。チェーザレとその軍が、一路、こちらに向って進軍してくるというのである。しかし、スポレートからウルビーノまでは、山道で八十キロはある。まさかと思ったグイドバルドは、伝令の報告を笑って取りあげなかった。だが続いて、第二の伝令が到着した。その報告は、はじめてグイドバルドの気を動転させた。伝令は伝えた。チェーザレはすでにカーリに着き、おそらく、明朝にはウルビーノの町に入ってくるだろうと。続いて第三の伝令が着いた。ウルビーノはすでにチェーザレの軍に包囲されてしまったことを知らせに。怖《おそ》ろしい進軍の速度だった。アペニン山脈を、しかも夜中に。

チェーザレは、ノーチェラに着いた時、全軍の進路を変えさせたのだ。そこから東へ向ってカメリーノを攻略する代りに、軍を北へ向けた。全軍の先頭にたって、アペニンの黒い山なみをぬって行軍したチェーザレは、夜に入る頃、三十五キロを踏破してカーリに入っていた。すでにそこは、先発隊の二千の兵によって占領された直後だった。全軍に少しの休息を与えている間も、チェーザレと彼の隊長たちは休まなかった。チェーザレは、ウルビーノ攻略の細部にわたる指令を彼らに与えた。再び、行軍がはじまった。夜半近く、軍の先発隊は、フェルミニャーノに入った。ウルビーノの町へは、わずか十キロの距離である。続々と到着する軍勢によって、ウルビーノは完全な包囲状態に置かれた。奇襲は、常に最高の戦法である。

夕食の卓を追われるように、グイドバルドは馬を走らせ、ウルビーノの町に入った。町は、すでに敵の襲来を知り、恐怖におびえた民衆は騒然としていた。城に入ったグイドバルドは、あわてふためく家臣たちにかこまれた。彼らは口々に、防戦の準備などないことを主人に訴えた。刻一刻と過ぎるまに、人々の恐怖は高まっていった。ある者は、防戦を主張した。しかしグイドバルドは、多くの血が流れるのは避けねばならないと言った。幸いにも、彼の妻エリザベッタは、義姉のマントヴァ侯夫人イザベッラ・デステのところに客となっていたので不在だった。彼は、養子にしている甥《おい》のフランチェスコ・デッラ・ローヴェレを連れて逃げ出すことに決めた。自分さえ逃げれば、ウルビーノ公国全体は無事だと説くグイドバルドの言葉を、家臣たちは、ただ涙で聞くだけだった。何もかも捨て、美しい宮殿とその中にある美術品も捨て、彼は息子を連れ、数人の伴《とも》を従えただけで城を出た。サン・レオの城塞に、ひとまず逃げのびるつもりだった。

しかし、そこもすでにチェーザレの手に落ちていた。百姓に変装した彼らは、マントヴァを目指して逃げていった。痛風を病んでいたグイドバルドには、ひどくつらい逃避行だった。七日目、彼らはようやくマントヴァの地をふんでいた。


グイドバルドが逃げ出してから数時間後、あけ方の白い光があたりに流れる頃、チェーザレは、ウルビーノの町に入城した。行軍の泥にまみれた馬で、弓を片手にもって。抵抗はなかった。悲痛な面持を隠せない家臣たちや市民代表が迎える中を、彼はまっすぐに公爵の居城《パラッツォ・ドウカーレ》に入った。短い休息の後すぐに、彼は自分の仕事にとりかかった。重臣と市民代表から、降伏と服従の決議書が彼に捧《ささ》げられた。チェーザレは、市民に対する次の布告を与えた。全市民には完全な安全を保障する。軍隊の横暴への心配は無用である。各人はそれぞれの仕事と生活を続けること。そしてチェーザレは、市民代表はそのますえ置いたが、グイドバルドの側近で占められていた政府要人は、全員新しく入れ替えた。さらに、軍隊はウルビーノに入れず、フェルミニャーノに配置した。

このチェーザレの寛大なやり方を、意外に思ったウルビーノの人々は、すぐにもそのゆるみかけた心をひきしめざるをえなくなった。ドッティ以下三人の家臣の処刑が行われたのである。この三人は、ボルジアの謀略を知りすぎていたのだ。

チェーザレによるこの電撃的なウルビーノ攻略は、近隣の諸国を震駭《しんがい》させるに十分だった。フィレンツェ、ボローニャ、マントヴァ、そしてルクレツィアを迎えて安心していられるはずのフェラーラも、にわかにチェーザレとの間に友好関係を維持しようと努めだした。しかし、友好関係を得ようにも、それと交換する何ものも持たない小国は、ただおびえるだけである。それらの国で、今まで勝手にふるまっていた支配者たちは、完全に浮足だってしまった。

チェーザレがウルビーノへ入城した三日後、サン・マリーノ共和国は、チェーザレの名代として来たレミーロ・デ・ロルカとの間に降服協定を結んだ。そしてカメリーノも、続いてチェーザレの手に落ちたのである。チェーザレは、カメリーノ攻略のために、部下の隊長の一人グラヴィーナ公フランチェスコ・オルシーニを送っていた。カメリーノの僭主《せんしゅ》ヴァラーノは、この彼と講和を結ぼうとしたが、チェーザレの意を知っている彼は、それに耳をかたむけようともしなかった。七月二十日、ウルビーノ陥落から一カ月後、カメリーノもその後に続いた。ウルビーノと違って、民衆の支持を全く得ていなかったカメリーノの僭主の一族に対する処置は徹底していた。当主とその三人の息子は、当時の年代記作者の言葉を借りれば、「ヴァレンティーノ式」に殺されたのである。すなわち、すばやくそして確実に、征服した地の君侯の血統を根絶するやり方によって。少なくともそのうちの三人は、ドン・ミケロットの手にかかって死んだ。

今回の攻略の成功は、フィレンツェ共和国包囲が、いよいよ完成しつつあることを意味した。この情勢に、フィレンツェ共和国は対策に真剣に取りくまざるをえなくなった。

チェーザレは、フィレンツェ共和国政府に対して、使節を送った。先の協定履行の要求とともに、逃亡したウルビーノ公に対する援助の禁止を通達するものである。この強硬なチェーザレの態度に驚いたフィレンツェ政府は、彼と交渉させるために、急遽《きゅうきょ》二人の特使を派遣することに決めた。主席特使は、フランチェスコ・ソデリーニ司教、次席は、フィレンツェ共和国政府書記官ニコロ・マキアヴェッリである。この交渉のいきさつは、彼ら二人とフィレンツェ政府の間にとりかわされた二十五通の通信が、その全容を知らせてくれる。

六月二十四日の夜遅く、二人のフィレンツェ特使は、チェーザレからの最初の会談の通知を受けて、ウルビーノの城の一室で待っていた。その城を、チェーザレは数人の側近や親衛隊とともに宿舎に使用していた。彼ら二人は、いつもの官服すらも着けていなかった。到着したばかりでその暇もなかったのだ。しばらく待たされた後、ようやくチェーザレが姿を現わした。黒の足許までとどく長衣を身に着けていた。彼ら二人が、型通りの外交辞令をのべようとするのをさえぎったチェーザレの口調は、はじめから厳しく明確だった。彼は、前年の五月に調印した協定を守ろうとしないフィレンツェの態度を非難し、このような処遇を自分は今までに受けたことはないといった。続けて、

「もしフィレンツェが自分を友人として望むならばよし、もしそれをしないならば、この瞬間から、フィレンツェ国境に接する自分の領土の安全と充実に真剣に対処せねばならず、そのために起ることについての配慮も、当然減少するものと思われたい」

これに対して二人の特使は、共和国政府は常に公爵との間に友好関係を得ようと努めているといって、彼の非難をかわそうと試みた。部屋に一つだけ置かれている燭台《しよくだい》

マキアヴェッリ

の火が、ななめ後ろからさす中で、チェーザレの眼が、一瞬キラリと光った。

「私は、あなた方からの信頼を欲している。もしこれに応《こた》えてくれるならば、あなた方の問題すべては私の協力を得るであろう。だがもし応えない場合は、私の方は、危険におちいらないためにも、あなた方の国から自分を守るためにも、攻略作戦を続けていくことを強いられるわけだ。あなた方の国が、私を良く思っていないことは知りすぎるほど知っている。それどころか、私を殺人者とののしっていることも」

特使二人が声も出ないうちに、チェーザレは皮肉気に言った。

「あなた方が、慎重で経験も深いことはよく承知している。しかし、私は一言で言おう。あなた方の政府は嫌いだ。信用ができない。変える必要がある」

二人は驚いてチェーザレの顔をみつめた。こんなことはフランス王さえも言ったことがなかったのである。さらにチェーザレは続けた。声はずっと厳しく強くなっていた。

「政府は変えるべきだ。いずれにしても、あなた方の政府が約束したことは守ってもらいたい。さもなければあなた方は、私がこのやり方に我慢がならないということを、早急に知らされることになるだろう。要するに、友人の私を欲しいか、それとも敵の私を欲しいかなのだ」

二人のフィレンツェ人は、かわるがわる自分達の政府は優秀なのだと彼に抗議し、フィレンツェ人のまじめさについて力説した。チェーザレは笑い出して言った。

「君たちは、何者だと思っているのか。私が君たちから、自分の判断の材料をもらうとでも思っているのか」

フィレンツェ人も負けてはいなかった。ようやく彼らは、本題に入ろうとした。フィレンツェの信頼と友情を得るには、アレッツォにいるヴィテロッツォ殿を、呼びもどしてくれればいいのだと説明しながら。しかし、チェーザレの態度はゆるぎもしなかった。ますます彼の声は低く厳しくなった。だが頬には、微笑が浮んでいた。

「あなた方は、私がこの恩恵を与えるのを待つことはない。なぜならば、フィレンツェがそれにふさわしくないというだけでなく、ふさわしくないようにしたのが、あなた方フィレンツェ人なのだ」

ともかく彼は、トスカーナの件に関しては自分は無関係であると言った。

「たしかにヴィテロッツォは、私の部下である。しかし私は、アレッツォに起ったことには何も関与していないことを誓う」

話しつづけるチェーザレの眼は、二人を突き刺すように鋭く、それでいて頬には、微笑の影がなお深くきざまれた。

「しかし、フィレンツェ人が失ったものに対して、私がそれほど残念には思わなかったのは事実だ。それどころか満足したくらいだ」

二人の熟練した外交官も、このチェーザレの態度には圧倒されていた。若いマキアヴェッリさえ、すでにフランス王との交渉の経験がある。しかしチェーザレは、彼らには王以上の難物に思われた。その夜の二時間も続いた第一回の会談は、チェーザレの次の言葉で終った。

「私は、暴政を行うために生れたのではない。暴政者をたたきつぶすために生れたのだ」

第二回の会談は、その翌日にもたれるはずであった。しかし、夜の八時になっても、チェーザレからは何の連絡もなかった。待機中の二人の特使は、それでもチェーザレ配下の隊長であるジュリオとパオロのオルシーニ家の二人に近づくことができた。フィレンツェとは深い関係をもつこの二人のオルシーニに、チェーザレにどうかよくはからってほしいと頼んだりした。ようやく会談の通知がとどいた。

第二回は、第一回に比べて、少しも進展しなかった。特使二人は、自分たちで決められることではないから、本国政府によく説明し、指示をもらわねばならない、そのために四日の猶《ゆう》予《よ》をほしいと言った。フィレンツェまで馬を飛ばし、政府に報告し、指令をもって再びウルビーノへ帰ってくるまでの、最低の必要日数が四日間であったのだ。チェーザレは承諾した。その指令、それは、平和か戦争かを決めるものだった。

フィレンツェに馬を飛ばす役は、次席であるマキアヴェッリが引き受けねばならなかった。夏の山道を、ウルビーノからフィレンツェへ向けて馬を駆けさせながら、彼の頭の中を去来していた思いは、彼自らフィレンツェ政府への通信に書いた、次のようなものだったかもしれない。

「この君主は、全く素晴らしく偉大な器の男である。武器を取っては勇気があり、かつ壮大な気宇をもつ。栄光と征服のためには休息を知らず、苦痛も危険も怖《おそ》れない。

すべてのことに対しても、それがいかなる状況にあるのかを直ちに理解し、対策をたてる。最良のイタリア人を臣下にもち、彼らから慕われている。しかも、彼が着実に遂行しつつある怖るべき勝利は、完璧《かんぺき》なる幸運によって守られている」

チェーザレの許《もと》に一人残ったソデリーニは、この男の意図を探ろうと必死だった。しかし無駄だった。チェーザレは、自分の真意を、絶対に見せようとはしなかった。軍はいつも準備を完了していた。しかし、それがどこへ動き出すのかを予測することは、誰にも出来なかった。ただ一人、チェーザレだけが知っていた。

数日後、フィレンツェからの返事が着いた。断崖《だんがい》に立たされたフィレンツェは、ここで時をかせごうとしていた。チェーザレを押える力を持つ唯一《ゆいいつ》の人、フランス王ルイ十二世がイタリアに近づきつつあったからである。チェーザレの要求事項の中で、三万六千ドゥカートの年給と恭順の誓約の項は、フィレンツェ共和国にはとうてい実行できることではなかった。さらにフィレンツェは、アレッツォから、彼らにとってはまことにやっかいなヴィテロッツォを追い払うことに固執していた。

七月七日、フランス王は、ナポリへ向う軍勢と共にアルプスを越え、アスティに入った。直ちに、フィレンツェと交渉中のチェーザレに、自らもフィレンツェから多額の年給を得ている王からの横槍《よこやり》が入った。恭順の誓約に、不満の意思表示である。勢いを得たフィレンツェは、年給の額も減少させてきた。チェーザレは、いまだに王と互角に戦う状態にはなかった。とくに今のように、フランスの大軍がイタリアに来ている時はなおさらである。その間にも、フランス軍の先発隊が続々と南下していった。

ついに七月二十日、新協定が成立した。フィレンツェ側は、一万八千ドゥカートの年給を払う義務を負っただけである。チェーザレの方は、アレッツォにいるヴィテロッツォとその軍を呼び戻すことに決った。チェーザレの前途にたちふさがる壁は、いまだに厚かった。

第八章

ソデリーニを残し、政府の指令をあおぐため、一路フィレンツェへ向けて馬で去ったマキアヴェッリとほとんど入れちがいのようにして、ウルビーノの城門を入ってきたもう一人のフィレンツェ人がいた。麻の自然の色そのままの長衣をまとったこの老人は、石畳の坂道を登って町に入り、まっすぐに宮殿へと向った。白いものが多くなりはじめた長い髪とひげによって、その半分がおおわれている老人の顔は、深いしわできざまれていたが、ひさしのように長くのびた眉毛《まゆげ》の下の両眼は、深い光をたたえ、全身をつつむ長衣の下にもうかがわれる、その年齢には珍しい強健な筋肉の動きとともに、老人の歩く姿は、まだ十分にしっかりしていた。ただ、長衣の長い袖口《そでぐち》から見える手の甲に浮き出た静脈の線が、わずかにその年齢をあらわしていた。

公爵の居城《パラッツォ・ドゥカーレ》の門に着いた老人は、守衛に向って、ヴァレンティーノ公爵《こうしゃく》チェーザレ・ボルジア殿に会いたいと言った。推薦状も紹介状もなく、まして自薦状も示さず、老人は、ただその姓名を名乗っただけだった。

取次ぎの者が中へ入っていった間、老人は門のそばに立って待っていた。その前を、武装した小隊が通り過ぎた。また、隊長らしい立派な甲冑《かっちゅう》を着けた屈強な男たちも、声高に話しながら門を出ていった。誰も、門のかたわらに立つこの老人をふり返りもしなかった。ただ一人、馬に乗って門を入ってきた若い男が、馬を降り手綱を馬丁に渡しながら、瞬間、老人をじっと見つめ、同じように彼を眼で追っていた老人の視線と合った。

取次ぎの者が帰ってきて、主人が会うと言っていると伝えた。美しい宮殿の中を案内されて行く老人は、途中で大勢の若者たちとすれちがった。その誰もかもが、若々しい活気にあふれていた。

長い廊下や階段を歩かされた老人は、ようやく奥まった一室に通された。誰もいないように見える室内に老人の到着したことを告げて、従者は扉を閉めて去っていった。その部屋はそれほど広くはなかった。そして豪華な宮殿の中を歩いてきた老人には、ひどく質素にさえ思えた。何の飾りもない白い壁を、黒く色の変った太い柱がささえ、石の暖炉が切られてあるだけのこの部屋の家具といえば、厚い栗《くり》の木で作られた大きく長い僧院風の机と二脚の木の椅子《いす》だけだった。その中で老人の眼は、机の上に吸い寄せられていた。その机の上には、一枚の大きなイタリア半島中部の地図があったのである。誰かが仕事をしていたらしく、地図の上には、一本の羽ペンが置かれたままだった。

地図から眼をあげた時、老人は、この部屋がテラスに通じているのを知った。そこに通じる戸口の向うに緑色のつたの葉が見え、そのさらに向うに、ウンブリアの山なみが見えたからである。そしてその時はじめて、老人は、戸口の手前に一つだけ開けられた窓の向うから、自分の方をじっと見ている一人の青年に気づいた。テラスへ通ずる戸口に向って、老人は歩みを進めた。はたしてそこには、白いしっくいで出来た細長いテラスがあった。二人の青年がそこにいた。

何の飾りもない薄い灰色の上着と同色のタイツを着け、テラスの手すりによりかかっている一人が、それまで老人を見つめていた青年だった。密生したつたの葉の屋根を通して入ってくる初夏の陽光が、この青年の浅黒い顔と灰色の服の上に、緑の影を落していた。もう一人の、それまで何かを話していたらしく灰色の服の青年の方を向いていて、いま老人の方にふりかえった青年を、門のところで出会った若者だと、老人は思い出した。二人の青年はいずれも美しく、年齢も同じ頃と見えた。ただ、薄い灰色の服の青年の方が、毅然《きぜん》とした威厳をその全身からただよわせていた。

テラスへの入口に立った老人は、静かに、灰色の服の青年に向って身をかがめて礼をした。青年は、テラスに一つだけ置かれてあった木の椅子にかけるように、老人に身ぶりで示した。そして、そばのもう一人の青年を紹介した。

「ミケーレ・ダ・コレーリア、私の家臣だ」

老人はすぐに、それがドン・ミケロットの名で有名な男だとわかった。あの悪名高いチェーザレの〝右手〟、彼の存在だけで誰かの死を意味すると言われるほどのこの青年の名を告げられても、老人の顔には何の変化も見られなかった。それどころか彼は、いっそう好奇心をそそられたかのように、この美しく若い殺人者を見つめ、彼にもおだやかな礼を送った。この日から老人は、チェーザレの近くに住むことになった。

それから二カ月近くがすぎた八月十八日、チェーザレの領土内にいる各地方長官、城代、隊長、傭兵《ようへい》隊長、将校から兵士に至るまでが、当時パヴィアにいた公爵チェーザレから、一つの布告を受けとった。

「私の最も親しい友人、建築技術総監督レオナルド・ダ・ヴィンチのために、あらゆる地域の自由通行と、彼に対する好意的な接待を命ずる。私から、公国内の全城塞《じょうさい》の視察の任務を課せられた彼には、その任務を遂行するに必要な、あらゆる助力が十分に与えられねばならない。さらに、公国内のあらゆる城塞、要塞、施設、土木工事すべては、それを施行する前に、またそれを続行しながらも、技術者たちは、レオナルド・ダ・ヴィンチ総監督と協議し、彼の指示に従うことを命ずる。もしこの私の命に反するような行動に出

レオナルド・ダ・ヴィンチ

た者は、いかに私が好意をもっている者であろうとも、私からの非常な立腹をこうむる事を覚悟するように」

歴史上、これほどに才能の質の違う天才が行き会い、互いの才能を生かして協力する例は、なかなか見出《みいだ》せるものではない。レオナルドは思考の巨人であり、チェーザレは行動の天才である。レオナルドが、現実の彼岸を悠々と歩む型の人間であるのに反して、チェーザレは、現実の河に馬を昂然《こうぜん》と乗り入れる型の人間である。ただこの二人には、その精神の根底において共通したものがあった。自負心である。彼らは、自己の感覚に合わないものは、そして自己が必要としないものは絶対に受け入れない。この自己を絶対視する精神は、完全な自由に通ずる。宗教からも、倫理道徳からも、彼らは自由である。ただ、窮極的にはニヒリズムに通ずるこの精神を、その極限で維持し、しかも、積極的にそれを生きていくためには、強烈な意志の力をもたねばならない。二人にはそれがあった。

レオナルド・ダ・ヴィンチは、決して『モナ・リザ』の画家だけではない。残っている彼の数多くの手記をみても、あらゆる方面に向けられた彼の関心の中でも最大のものは、国土計画にあったのである。この彼の理想を実現できる者は、当時においては、大勢力を持つ〝君主〟しかいない。現実的視野をもっていたレオナルドは、鋭くも、共和国制度の欠陥を見抜いていた。

「自由のあるところには秩序はない」（手記より）。自分の国フィレンツェ共和国を、彼は早くも見捨てている。イル・マニーフィコと呼ばれたロレンツォ・デ・メディチは、彼の理想の実現に力を貸してくれるに十分な資力もなく、ましてそれを理解する能力さえもなかった。フィレンツェを去ったレオナルドは、当時最強を誇っていたミラノのイル・モーロの許《もと》へ行く。しかし、十数年にわたったミラノ滞在も、イル・モーロの没落で中絶を強いられる。「公爵は、国家と財産と自由とを失った。公爵の仕事はすべて未完成となった」

公爵イル・モーロの没落をいたんで書いたこの句に、彼は自分自身の理想の未完成を嘆いている。ミラノを去ったレオナルドは、ヴェネツィアへ行く。当時トルコ帝国の脅威の前に、守勢にまわらざるをえなかったヴェネツィア共和国の、そしてフィレンツェとは全く違う強固な共和政体をもつこの国の、大きな富と壮大な気宇に望みをかけて行ったレオナルドは、河を使ってトルコ軍の侵入をくい止めるという彼の案を、ふところにしたままフィレンツェへ戻るより仕方がなかった。

そのレオナルドが、チェーザレに理想的な君主を見出したのである。パトロンではない。自分の理想を共同で実現する友人である。ロレンツォにもイル・モーロにも、そしてヴェネツィアにも見出せなかった、各人の才能と願望を十分に発揮しながら共同の目的を遂行できる友人を、レオナルドはチェーザレに見出したのであった。

チェーザレは、新しく興《おこ》った君主である。自分の国を、はじめから造りにかからねばならない。まず始めには城塞や要塞の完備を、そして征服の途上においてすらも、町の整備や運河の敷設《ふせつ》、道路の建設など、国土計画は白紙状態から始めねばならない。レオナルドの才能は、その彼にとって貴重なものであった。

レオナルドとチェーザレ。この二人は、互いの才能に、互いの欲するものを見たのである。完全な利害の一致であった。ここには、芸術家を保護するなどという、パトロン対芸術家の関係は存在しない。両者の間には、相手を通じて自分自身の理想を実現するという、冷厳な目的のみが存在するだけである。保護や援助などに比べて、また与えるという甘い思いあがりなどに比べて、どれほど誠実で美しいことか。

このような関係では、互いに自己の目的を明確にする者の間にのみ存在する、相手に対する真摯《しんし》な尊重の気持が生れてくる。二十六歳のチェーザレも、そして五十歳を迎えていたレオナルドも、互いに相手に対して真摯であった。

ウルビーノにはじめてチェーザレを訪ねてから、レオナルドはしばらくその城に留まっていた。城塞の設計や武具の研究などが彼の仕事であった。それと同時に、レオナルドの関心は、ウルビーノ公爵家の有名な図書館にあったアルキメデスの二つの古写本にあった。彼は、それを興味ある箇所だけ自分のノートに写した。

チェーザレも、またアレッツォから帰っていたヴィテロッツォも、アルキメデスの他の古写本を探すことを彼に約束した。チェーザレは、パドヴァの司教を通じて、ヴィテロッツォは、ボルゴ・ディ・サンセポルクロにあるというそれを探してくる役目だった。

八月一日、レオナルドはペーザロに行った。そこの図書館を見るためである。ペーザロからレオナルドは、アドリア海沿岸を北上し、リミニに着いたのは一週間後であった。手記には次の記述が見られる。「リミニの泉で見たように、さまざまな滝の音は一つの諧調《かいちょう》を作る」。そこからエミーリア街道を北上して、彼はチェゼーナに入った。チェーザレの公国の首都であるその町に、レオナルドはしばらくの間滞在した。チェーザレはこの町を、首都らしく整備する考えをもっていた。町と二十キロ離れたアドリア海との間に運河を造り、町には大きな港を造って、ヴェネツィアとの間を海上交通で結ぶというものである。レオナルドは、この計画に非常な関心を持った。チェゼーナ滞在は、そのための状況視察であった。九月六日には、チェゼナーティコに来た。チェゼーナから引かれる運河は、ここにアドリア海への出口を置く。前述のチェーザレの命令書は、この彼の視察旅行のためのものであった。レオナルドはここで、運河造営だけでなく、町全体の防備の手段をも検討している。

レオナルドがこの視察の旅に出ている頃、ロンバルディアに滞在して帰ってきたチェーザレは、次の本拠をイーモラに定めた。ボローニャのベンティヴォーリオを攻略するためである。イーモラは、ボローニャと近いうえに、一四九九年に彼が陥落させた堅固な城塞があった。攻撃の拠点としては最適である。十月、チェーザレは、そこにレオナルドを呼び寄せた。レオナルドは、イーモラ周辺の精密な地図を作成するとともに、城塞の整備や、不測の時のための包囲戦にそなえて、その対策などを練った。レオナルドは、チェーザレの住むその城塞の中に一室を与えられて寝起きし、ほとんど毎日のようにチェーザレとともにその仕事を続けた。その頃のチェーザレは、後にのべるように非常な危機の中に生きていたが、レオナルドは、チェーザレが危機に襲われながらそれを克服していく過程を、彼の近くにいてただ静かに見ていた。またこの時期、チェーザレのそばにいたもう一人のフィレンツェ人であるマキアヴェッリとも、レオナルドは特別な関係を持たなかったらしい。

レオナルドが作ったイーモラの地図

一五〇三年と年がかわっても、チェーザレの激しい行動とは反対に、レオナルドはイーモラの城塞で、チェーザレがととのえてくれた資料をもとに、静かに一人、チェーザレのために、そして何よりも自分のために、仕事を続ける日々が過ぎていった。

しかし、イーモラでの静かなレオナ

ルドの生活も、一朝にして崩れ去る時がやってきた。八月十八日、チェーザレが彼のための布告を発した日から偶然にも一年後の同じ日、ローマで法王アレッサンドロ六世が死んだ。それに続くボルジアの没落は急速だった。父法王の死の時、チェーザレもまた重病の床に伏していたことが、この悲劇を決定したのである。

その中でロマーニャ公国は、チェーザレに忠誠を変えなかった。それでも、イーモラの城塞は、にわかにあわただしい空気に包まれていた。けわしい顔をした兵たちが出入するここには、もうレオナルドのいる場所はなかった。ローマでチェーザレが捕われたとの報《しら》せがとどいた時、レオナルドは、ここを出る決心をした。一年前に来た時と同じように、彼は一人で去って行った。

その後転々と、フィレンツェ、ローマ、ミラノに滞在したレオナルドは、ついにチェーザレに代る君主を見出すことができなかった。チェーザレの許を去って十六年目、彼は遠くフランスの地で、その生涯を終える。

チェーザレが、その短い一生のうちでかかわりを持った二人の偉大なルネサンス人が、マキアヴェッリとこのレオナルドである。マキアヴェッリは、チェーザレによって、その理念に火を点《つ》けられるようにして書いた、『君主論』を残した。しかし、レオナルドは何も語らない。イル・モーロが没落した時のような、同情の一文さえも残さない。ただ、チェーザレと共に仕事をした名残りの数枚の地図と、いくつかの土木工事のためのデッサンを残しただけである。

それから約五百年後の一九六七年、マドリッドの国立図書館の書庫の奥から、レオナルドのデッサンと手記のノートが新たに発見された。『マドリッド手稿』と呼ばれるものである。その時、ノートと一緒に、彼と彼の弟子の服なども発見された。そしてその中に、マントが一つ含まれていた。チェーザレ・ボルジアのマントだと言われる。

第九章

イタリアの諸国は、ウルビーノの奇襲攻撃成功に続いて、マルケ地方を蹂躙《じゅうりん》したチェーザレの馬のひづめが、いつ自分たちの上に襲いかかってくるかと、恐怖におびえていた。ボルジアの行軍の前に方策もなく、それをとどめる唯一《ゆいいつ》の力とルイ十二世のイタリア入りを救世主のように迎えたのは、何もフィレンツェ共和国だけではない。チェーザレの矢面に立たされたフィレンツェやボローニャはもちろん、彼によって領国を追い出された小国の僭主《せんしゅ》たちも、自分の力でチェーザレに対抗する能力もないままに、フランス王にすがろうと続々ミラノに集まってきた。ルイ十二世は、ミラノに入城したとたんに、王の好意を得るための贈物をたずさえたこの請願者の群れにとりかこまれてしまった。

ペーザロから追い出されたジョヴァンニ・スフォルツァ伯も来ていた。ウルビーノを失ったグイドバルド・ダ・モンテフェルトロ公も、その流浪《るろう》の身を寄せているマントヴァを発《た》ち、ミラノにその青白い顔を見せていた。カメリーノのヴァラーノ一族の中で、唯一《ただ》人チェーザレの剣をのがれたジャンマリーアも来た。ボローニャからは、当主ジョヴァンニ・ベンティヴォーリオの二人の息子が、高価な贈物をもって来ていた。誰もがボローニャを、チェーザレの次の攻略目標と予想していたのである。フィレンツェからも、長年の親仏《しんふつ》外交をより強固にするために、その年の年貢金《ねんぐきん》をもった特使が王を待っていた。中立を維持しているかにみえるヴェネツィア共和国だけは、同時に外交官とスパイをミラノに派遣するという表裏の作戦を取った。この老練な政治の国は、フランス王のボルジアに対する出方を、注意深く観察するやり方をとったのである。

　ミラノに集まった僭主たちは、チェーザレに対抗するためには全員が協力しなければという気持では一致していた。そしてフランス王が、彼らのこの考えに加わってくれるのを期待していた。加わるというよりも、フランス王の力なしには何も出来ないのが現状であった。この彼らの間で考え出された対チェーザレ同盟軍は、ボルジアの脅威を感じているマントヴァのフランチェスコ・ゴンザーガ侯爵《こうしゃく》が指揮することに決った。ヴェネツィアは、この動きを静観していた。自国の陸軍総司令官として、彼らの国の傭兵《ようへい》隊長でもあるマントヴァ侯爵のこのやり方を黙認したのは、ヴェネツィアの計算であった。自分で手を下さずにボルジアを滅ぼすことができれば、彼らの狙《ねら》っていたロマーニャ、マルケ地方を、再びボルジアの手から取りもどせる。ヴェネツィアは、この本心を隠しながら、フランスとボルジアの双方から、注視の眼をそらさなかった。

　ウルビーノではチェーザレが、マキアヴェッリの去った後一人交渉を続けるフィレンツェ特使ソデリーニとの、最後の会談をしていた。同時に、その頃からチェーザレの下で働くことになったレオナルド・ダ・ヴィンチと共に、敵方の要塞《ようさい》攻略の策を練るのにも忙しかった。ルイ十二世の許《もと》に秘《ひそ》かに派遣した使いの者が、ウルビーノへ帰ってきてから、チェーザレとソデリーニの交渉は、急に解決へ向った。アレッツォからヴィテロッツォを呼び戻すとともに、彼が占拠していた要塞をフィレンツェへ返すよう命じた。フィレンツェへの復讐《ふくしゅう》に燃えるヴィテロッツォを納得させるのはたやすいことではなかったが、チェーザレは、ヴィテロッツォに対して、その彼の領土のチタ・ディ・カステッロを奪う気配をのぞかせて、彼を服従させた。ミラノでの僭主たちの動きを知らないわけではなかったが、ルイの許へ急いで駆けつけて足許を見られる愚策を、彼はとらなかった。

ルイがイタリアへ入って二十日後、ソデリーニとの交渉を終えたチェーザレは、ようやくルイの許へ向うことにした。七月二十五日、宗教騎士団員の制服を身にまとった彼は、ミラノへ向け馬に鞭《むち》をあてた。四人の士官だけが、その彼に従った。三日後、彼らは、フェラーラの城に着いた。そこで病床に就いている妹のルクレツィアを見舞うためだった。数時間後、すでに彼は馬に乗っていた。一行は、少しふえていた。フエラーラから、ルクレツィアの夫のアルフォンソ・デステが加わったからである。彼らは、一路エミーリア街道を北上していった。

ミラノでは、ルイが、請願者たちの話を親切に聞き、彼らがたずさえてきた贈物を喜んで受け取って、彼らの期待を一層つのらせていた。そこに、チェーザレ来たるの報である。ルイがどんな風にチェーザレに対するかを、誰もが興味をもって待った。

八月五日、家臣たちを従えた王は、チェーザレを出迎えるために、城を出た。それを知った人々は、皆、彼らもチェーザレを出迎えるといって、王の後に従った。ミラノの城門を出て少し行ったところで、王は馬を駆けさせてくるチェーザレと出会った。二人の出会いは、それに興味をもってついてきた人々を唖然《あぜん》とさせた。ルイとチェーザレは、いかにも長い間の別離の後に再会した父と息子のように、喜びを露《あら》わに大げさにだきあい、頰に接吻《せっぷん》しあったのである。チェーザレは、視線をルイに向けたまま、始終その顔に微笑を絶やさなかったし、ルイの方はといえば、チェーザレの首に両腕をまわし、彼に接吻をくり返し、ほとんどそんな近くに彼がいるなどとは信じられないという風に、離れて彼を見てはまただき合うのだった。口を開けたままその情景を見ている人々の前で、チェーザレとルイは、そんなことをくり返してなかなか離れようとはしなかった。ようやく馬に乗った彼ら二人は、並んで城門を入った。

ミラノの城に着いてからも、チェーザレへのルイの待遇は、フランス王に期待していた人々を失望させるに十分だった。ルイは、チェーザレのために、城の中に部屋を用意させた。また、着がえを持って来なかったチェーザレに、自分の衣装の中から好きなものを選ばせたりもした。その日一日中、ルイはチェーザレのそばに附ききりだった。他の人々は、その席に列することが許されても、親愛をこめて話す二人をみつめているだけだった。それだけではなかった。夜になってもなお、ルイの歓待は続いた。チェーザレとの夕食には、最高の美味を王自ら注文した。さらに、寝室にさがったチェーザレとの話を続けるために、王は寝巻姿のまま、彼の部屋へ行って話しこんだ。ニコロ・ダ・コレッジオはイザベッラ・デステに、「なにしろ、実の息子や弟にする以上の歓待ぶり」と書き送り、イザベッラの夫のマントヴァ侯爵も妻に「だき合い接吻しあい、良き兄弟の間のようにふるまう」と手紙で嘆いている。

チェーザレの横暴に抗議して、フランス王を反チェーザレに向けようと期待して待っていたロマーニャやマルケの僭主たちが、これをみては絶望に打ちひしがれたのも無理はない。彼らは、一人二人とミラノを去っていった。反チェーザレ同盟の構想など、もう誰も言い出す者はいなかった。最後にミラノを出たのは、マントヴァ侯爵である。反チェーザレ同盟の首謀者であった彼は、この状態の中で、チェーザレとの間を改善しない限り、安心して自国に帰ることもできなかったのだ。しかし、マントヴァ侯爵は僭主たちのような小者ではない。彼ら二人の間には、同意は可能だった。チェーザレから出した条件は、マントヴァ侯には義弟にあたるウルビーノ公に対していかなる援助も与えないことと、フランスにいるチェーザレの娘ルイーズと、マントヴァ侯の長男フェデリーコとの婚約である。第二の件は、以前からあった話の確約だった。婚約者は、二人ともまだ二、三歳の子供だった。マントヴァ侯は受諾した。これを終ってから、彼はミラノを発ったのである。

せわしない周囲の憶測や失望をよそに、チェーザレとルイの間には新しい秘密協定が成立していた。チェーザレの方は、今ナポリで劣勢に立つフランス軍の次期攻勢の時には、彼自らが指揮をする一万の兵とともに援助に向う義務を持つ。ただし、三年の期限附きである。ルイの方は、チェーザレに三百の槍騎兵《そうきへい》を貸すことと、ボローニャに対するいかなるチェーザレの行動も認め、さらに、他の地方（暗にフィレンツェは除く）に対する行動の自由をも認める、というものである。

ウルビーノを発ってミラノに来る時、チェーザレは、宗教騎士団の制服を身に着けていた。それは、何も彼の伊達好《だてごの》みからではない。深い計算が秘められていたのである。

チェーザレは、ルイの友情など信じてはいなかった。しかし、ルイはフランスの王である。イタリアの小僭主たちは問題にしなかったチェーザレも、ルイには、自分の野望を押えるための言いがかりを与えてはならなかった。その一生をキリスト教会発展のために捧《ささ》げる、宗教騎士団の団員。ルイは、一千の弁解よりも、チェーザレのこの無言の意思表示を察知し、それを無駄にする愚を犯さなかった。ルイも、計算していた。

ルイがミラノを出発する時、チェーザレも王を送って行くことになった。アスティで、二人は別れた。ルイは、アルプスを越えてフランスへ。チェーザレは、自分の公国へと。あいかわらず親しげに別れを惜しんだこの二人の名優は、それぞれ帰途につきながら、全く別のことを考えていた。ルイは、チェーザレの動きに注意しなければと思い、彼の妻をフランス内に留めておく気持をいよいよ強めていた。チェーザレの方は、ルイからの独立を目指し、他人の武力という幸運に頼らない決心をかためたのである。パヴィアの地から発したレオナルド・ダ・ヴィンチについての布告は、いよいよ彼が、自力による本格的な領土整備に乗り出したことを示していた。

ルイを送り出して帰ってきたチェーザレは、本拠をイーモラに置いた。それは二つの理由によった。第一は、次の攻略目的ボローニャに近いこと。第二は、ここの城塞が非常に堅固なことである。それは彼自身、三年前のフォルリ、イーモラ攻撃の時に立証されていた。当時、フェラーラのエルコレ・デステにあてた手紙の中に、彼は「完璧《かんぺき》な防衛力」と書いている。とくにこの第二の理由は、まだ自分の本格的な城をもたないチェーザレにとって、第一の場合の防備の面でも重要なことだった。しかし、人々が衝撃を受けたのは次の点にあった。チェーザレが、ロマーニャ公国の政府と裁判所までも、イーモラに移したことである。これはイーモラを首都とするというチェーザレの意思表示であった。しかしイーモラは、彼の領土ロマーニャの最辺境にある。だれも首都を国境近くにおく者はいない。すなわちこれは、チェーザレが現在の国境を仮のものとしか見ていないという、彼の宣言と人々は受けとったのである。

ボローニャは、フェラーラ以外の教会領の国の中で、最後に残された領国だった。また、教会領の事実上の首都でもあった。僭主のベンティヴォーリオ家は、刻々と迫るチェーザレの脅威の前に、対策を決められずに迷っていた。なぜならば、それまでのボローニャは、フランス王の保証によって守られていた。チェーザレも、その攻略を一度は断念せざるをえなかったのである。それなのに今度は、チェーザレはボローニャ攻略の意志を明らかにし、その準備を、近くのイーモラで着々と進めている。あわてたベンティヴォーリオがルイに問いあわせても、フランス王は、あいかわらずボローニャに対するフランスの保護を確約し、ボローニャとの友好関係を保証する証書を与える。ベンティヴォーリオは、判断に迷ってしまった。チェーザレが、ルイの承認なしにボローニャを攻略できないことは、ベンティヴォーリオも知っていたが、エミーリア街道は、にわかに騒がしくなっていた。軍馬や武器を運ぶ群れが、ひっきりなしにイーモラの城門を出入りしていた。

しかし、ベンティヴォーリオの迷いは、それほど長くは続かなかった。ローマの法王からの教書がとどいたのである。それには、ベンティヴォーリオ家は法王代理《ヴィカーリオ》の官職を剝奪《はくだつ》され、当主は、悪政と法王の敵をそそのかした罪によって告発されたので、ローマ法王庁に出頭するようにとあった。出頭の期限は十五日以内とある。この教書を受けとって、色を失ったベンティヴォーリオにさらに追い打ちをかけるように、はじめに使節を、次いで文書で、フランス王は、彼らにボローニャを法王庁に返還するようにと伝えてきた。

この法王とフランス王からのはさみ撃ちに会い、進退きわまったベンティヴォーリオは、幸いにも、その良くも悪くもない治政のために、民衆から憎まれてはいなかった。ボローニャは、ここに一致して、ほとんど望みのない防戦に立つことになった。もし、この直後に起った一事件のために、チェーザレの勢力がそちらに奪われなければ、ボローニャは、彼の軍馬のひづめに蹴散《けち》らされていただろう。当主の老ジョヴァンニ・ベンティヴォーリオに胸をなでおろさせたこの事件は、その年のイタリアの冬をふるえあがらせた、チェーザレ配下の傭兵隊長たちの反乱であった。

まず、反乱軍の構成をのべる前に、この反乱の要因を知る必要がある。それは、個々人のものは別として、おおよそ次の三点に分類できる。

「恐怖」――彼ら傭兵隊長は、それぞれ小国とはいえ一国の僭主《せんしゅ》であった。ところがチェーザレは、次々と小国を攻略していた。自分たちも、いつかはチェーザレによって滅ぼされる時が来ると、彼らが予想したとて無理はない。とくに、彼らにとっては同輩であったウルビーノ公グイドバルドの惨《みじ》めな例が、彼らに深刻な打撃を与えた。彼らは、フランス王ルイが、チェーザレに対してあらゆる小国攻略の自由を認めたことまでは知らなかったが、少なくともウルビーノ攻略を、ルイが簡単に認めたことは知っていた。彼らは、チェーザレの下にいる自分たちでさえ決して安全ではないことを、悟らざるをえなくなったのである。

「憎悪《ぞうお》」——彼らは、少なくともその武力によって認められてきた家系に生れ、その伝統を継承してきた。イタリア中の傭兵隊は、かつてはスフォルツァとブラッチョ、今はヴィテッリ系とオルシーニ系に二分されるというほどである。その伝統に誇りをもっていたこの男たちは、チェーザレという僧侶《そうりょ》の家系から出た男が、イタリアの地図の上から、それまでの有名な武人の家系を根こそぎにしていくのを見て、自分たちの誇りをひどく傷つけられたのだった。

「軽蔑《けいべつ》」——そしていまや、旭日《きょくじつ》の勢いのチェーザレの力の背景には、教会があった。カトリック教国であり、とくにその本山ローマ法王庁を国内に持つイタリアの歴史の上で、聖職者や、彼らが巧妙に拡張しようとする教会勢力に対する反感が、その国民感情を根強く支配してきた例を見出《みいだ》すのはむずかしいことではない。中世以降、教会政治に対する嫌悪《けんお》、聖職者に対する嘲笑《ちょうしょう》は、ごく普通の人のもつ感情であり、これらの感情が、イタリア人の精神の大きな要素を占めてきた。ただ、彼らイタリア人は、宗教改革はやらなかった。彼らの現実主義的精神が、ローマ教会とその聖職者に、自分たちと共通する人間的なるものの鏡を見出していたからである。その上チェーザレは、法王の息子であった。彼ら傭兵隊長たちにとっては、庶出ということはたいした問題ではなかった。だいたい自分たちも同類なのである。ただ、教会勢力を背にする法王の息子は、彼らの感情をひどく不快にする存在だった。

チェーザレに対するこの恐怖、憎悪、軽蔑を押えることができなくなった傭兵隊長たちにとって、彼ら自身を救う道はひとつしかない。倒される前に倒すことである。反乱者の一人ジャンパオロ・バリオーニが言ったように、「竜に一人一人を食われていく」状況では、ただ一つしか方法はない。自分が食われる前に、その竜を食うことである。

次に、反乱側に与《くみ》した傭兵隊長を列記する。

ヴィテロッツォ・ヴィテッリ――チタ・ディ・カステッロの僭主である彼は、その地の司教である弟のジュリオと共に、四十年続いた僭主の地位を守ってきた。傭兵隊長としての才能にも恵まれ、とくに反アラゴン、反ボルジアの側として、フランス王の下で働いていた。シャルル八世のイタリア侵入後は、兄のパオロと共にフィレンツェ共和国軍の傭兵隊長になった。しかし兄が、ピサ戦役で裏切者の汚名を着せられて処刑された後は、チェーザレの軍事行動の最初から彼の配下に入っていた。

ヴィテロッツォの軍は、チェーザレ配下の軍の中で、最も優秀な隊と言われていた。ただ、この武将としてはまれなる才能をもったヴィテロッツォの欠陥は、憤怒《ふんぬ》、憎悪、残忍に対して制御がきかないことだった。アレッツォとヴァル・ディ・キアラでの反フィレンツェ運動を煽動《せんどう》したのはチェーザレだったが、そのために利用したヴィテロッツォの復讐欲《ふくしゆうよく》を、チェーザレすらもしばしばもてあますほどだった。チェーザレの足許《あしもと》に身を投げ出し、涙を流しながら、兄を殺したフィレンツェへの復讐の許しを乞《こ》うた彼のその後のやり方はすさまじかった。そして、チェーザレとフィレンツェとの間にとりかわされた協定によって、アレッツォを引きあげざるをえなかったヴィテロッツォは、自分の復讐心を十分に満足させてくれなかったことで、この主人を恨んでいた。チェーザレとて、相手を情容赦もなく打ち倒すことは知っている。しかし、憎悪のためのの憎悪のようなヴィテロッツォのやり方の前では、チェーザレのやり方の方が、ほとんど優雅な慈悲にさえ見えた。ただ、平常のヴィテロッツォは、単純な生一本の性格で、チェーザレから愛されてもいた。

オルシーニ家――メディチ家とも縁戚《えんせき》関係にある有力なこのローマ豪族の中で、二人がこの反乱に加担する。パロンバーラの領主パオロ・オルシーニと、グラヴィーナ公爵《こうしゃく》フランチェスコ・オルシーニである。オルシーニ家は、コロンナ、サヴェッリがチェーザレによって徹底的に打ち倒された後も、前記の二人がチェーザレの傭兵隊長をしていた彼ら一族だけは、難をまぬがれていた。しかし、五年前のガンディア公とオルシーニ一党の戦いの記憶は、まだ生々しかった。あの時はオルシーニの勝利に終ったのだが、ボルジアがそれを忘れ去ったとは彼らには思えなかった。次は自分達の番だという思いが、チェーザレの配下にありながら、彼らの頭を離れなかったのだ。ラティーノ枢機卿《すうきけい》の庶子であるパオロと、オルシーニ枢機卿の甥《おい》のフランチェスコの二人には、自分達と同じ境遇に生れたチェーザレの躍進に対する、根強い反感が消えなかった。

ジャンパオロ・バリオーニ――ペルージアの僭主である彼は、生れた時から血の匂《にお》いをかいで育ってきた。バリオーニ家は、ペルージアで、一度も完全な主権をにぎることはできなかったが、いくつかの有力貴族の中で、どうにか第一の地位を保ってはいた。しかしそれは、国の中で年中争いが絶えなかったということである。刃傷沙汰《にんじょうざた》や裏切りは、日常茶飯事だった。路上でも、些細《ささい》なことで、すぐに斬《き》り合いが始まった。法王庁が調停に乗り出しても、彼らの家同士の憎しみを消すことはできなかった。美しい緑の丘陵にかこまれたこの古いエトルリアの街は、その中に入れば地獄だった。一五〇〇年七月、ジャンパオロ自身も、カメリーノの僭主ヴァラーノ一族と手を結んだ反対派に、一家のほとんどを殺されている。傭兵隊長として才能のあったこの若い大胆不敵な男は、自国ペルージアに対するボルジアの野心を熟知していた。彼のチェーザレに対する反抗は、遅かれ早かれ起らねばならなかったことなのである。

オリヴェロット・ダ・フェルモ――この傭兵隊長の性格と環境を知るためには、マキアヴェッリが、『君主論』の第八章「非道によって君主の地位にのぼった人たちについて」の中に書いた、彼についての箇所を示すだけで十分であろう。それによれば、彼は幼少の頃からフェルモの僭主で母方の伯父にあたるジョヴァンニ・フォリアーニに引きとられて養育されていたが、成人して後、優秀な傭兵隊長になるため、パオロとヴィテロッツォ兄弟の許へ訓練にやられた。そこでひとかどの武将としての実績を得た彼は、より大きな成功を得ようと願い、フェルモを我がものにしようと決心した。ヴィテロッツォの援助があったのは言うまでもない。こう決心した彼は、フェルモの伯父に手紙を書き、長年離れていた故郷に錦《にしき》を飾り、伯父上にもぜひ会いたいと思う、それについては、自分がこの日々を無駄に過したのではないということを人々に知ってもらうために、百騎を伴《とも》に堂々と訪れたい、それは自分のためだけでなく伯父上の名誉にもなることだから、伯父上からも人々に、自分を丁重に迎えるようにはからってくれと書き送った。喜んだ伯父は、甥を大歓迎した。その数日後、オリヴェロットは宴会を催し、伯父はもちろん、フェルモの有力者全員を招いた。その宴も終りになる頃、彼は話題をボルジアに向けた。皆がその話に熱中し出した頃、彼は席を立ち、こういうことは別室で秘密に話すべきだと言い、皆を一室にさそった。伯父や客たちが席について話を再開し始めたとたん、隠れていた彼の手下たちがおどり出て皆に襲いかかった。もちろん、彼の伯父が最初に殺された。全員を殺した後、オリヴェロットは馬にとび乗り、恐怖におびえる民衆が、その彼に服従するより他に何もできないでいる間に、手下をひきいて町中を占領してしまった。彼はこうして、フェルモを手に入れたのである。フェルモというアドリア海近くの、まだ当分はチェーザレの刃をのがれられる辺境の領主であったオリヴェロットがこの反乱に加わったのは、親しいヴィテロッツォに同調したことがその主な理由だった。

この五人が、「マジョーネの乱」として有名になる反乱の首謀者たちである。彼らとチェーザレとの間にくり広げられる三カ月にわたるこのドラマは、ルネサンス風「器量《ヴィルトウ》」とは何たるかを示す、見事なスペクタクルと呼ぶにふさわしい。そしてこの事件の信頼できる証人として、われわれはマキアヴェッリを持つ。

その年の六月に初めてチェーザレと会ったニコロ・マキアヴェッリは、十月、再度フィレンツェ大使として、チェーザレの許に派遣された。今度は彼一人の主席大使である。そして、事件のくり広げられたその三カ月、チェーザレの許に滞在した彼は、つぶさにチェーザレのやり方を見ることができた。それは彼に、強烈な印象を与えた。

この事件を記した数々の年代記や記録に加えて、マキアヴェッリがフィレンツェ共和国へ送った五十四通の報告書は、この事件を知る上での何よりも貴重な史料といえよう。さらにこの事件の後しばらくして、マキアヴェッリは、あらためて一つの小文を書いた。『ヴィテロッツォ・ヴィテッリ、オリヴェロット・ダ・フェルモ、オルシーニのパオロ殿並びにグラヴィーナ公爵を殺害した、ヴァレンティーノ公爵の方法についての叙述』という題名のものである。チェーザレのやり方に、よほどの衝撃を受けたものとみえる。そして、自分の考えを書き記してみたかったのであろう。ただ、この二つの史料の間には、微妙な記述の差がみられる。たとえば、部下の傭兵隊長の反逆を知ったチェーザレは、『報告書《レガツイオーネ》』では全く色にも出さないのに、『叙述《デスクリツイオーネ》』では「不安に満ち」と書かれてある。おそらくこの差は、『報告書』が自分の想像をしりぞけ、事件の間の日々刻々に起った事実だけを記した、冷静な外交官ないしはジャーナリストの立場で書かれたものであるのに反して、『叙述』は、しばらくの時を置いた後に書かれた、歴史家的作家の眼を通して書かれたものである理由によろう。すなわち、事が進行状態にある時と、事がすべて終った後との差である。そこに微妙な色合いの違いが出てくるのは当然である。

さらにマキアヴェッリは、報告書だけ送っていればよかったのではない。チェーザレとの間に、フィレンツェを代表して外交をしなければならなかったのである。それには自分の想像を入れることなどは許されない。冷静に状況を知ること。それが彼の第一の任務であったのだ。これらの理由からしても、この二つがともに、この事件の証言として重要なことに変りはない。『報告書《レガツイオーネ》』では、チェーザレは裏切られた者となり、『叙述《デスクリツイオーネ》』では、彼は裏切る者となる。しかし、この時のチェーザレは、その両者を兼ねそなえていた。後世、〝マキアヴェリズム〟として知られる彼の哲学を、この時のチェーザレから学び取った彼である。マキアヴェッリには、再度この事件にふれねばならない必然性があったのだ。

第十章

一五〇二年十月六日、傷つき疲れ果てた一人の男が、イーモラの城塞《じょうさい》にたどりついた。男は、ほとんど倒れるように馬を降り、「公爵殿《こうしゃく》に」といったきり絶句した。すぐに男は、家来たちの手でチェーザレの前に連れてこられた。男は、わずかな息の下から話し出した。法王の手紙をもってローマを発《た》ち、イーモラへ向う途中、ジャンパオロ・バリオーニの手の者に襲われたこと。彼に同行していた三人は、全員がその場で殺され、その一人の持っていた法王の手紙が奪われたこと。しかし万一の場合を考えた法王によって、手紙の写しが作られ、それを自分が持っていたので、自分はただ逃げるのに専念し、傷を受けながらも逃走に成功したこと。そして農民から馬を買ってようやくここまでたどりついたのだと。チェーザレは、男の差出すしわだらけの手紙を奪うようにして取り、読み出した。そこには次のように書かれてあった。
「九月二十八日、チェーザレ配下の傭兵《ようへい》隊長が、トーデに集まり、チェーザレの次の攻略には参加しないことを決め、さらに、チェーザレを滅亡させることで一致したという。この情報を得たので、チェーザレの方も彼らの動きに対処する手段を講じ、彼らの先手を打って、彼らを排除すべきである」
ところが、この数日前、マジョーネで二回目の会合が開かれていたのを、チェーザレは、まもなく知らねばならなかった。法王の手紙を横取りしたバリオーニの提唱で、彼らは急ぎ集合したのである。マジョーネ村にあるバッティスタ・オルシーニ枢機卿《すうきけい》所有の城で、彼らの会合はもたれた。出席者は、主人役のオルシーニ枢機卿に加えて、次の五人のチェーザレ配下の傭兵隊長たちである。
パオロ並びにグラヴィーナ公――オルシーニ家の二人の代表、
ヴィテロッツォ・ヴィテッリ――チタ・ディ・カステッロの僭主《せんしゅ》、
オリヴェロット・ダ・フェルモ――フェルモの僭主、
ジャンパオロ・バリオーニ――ペルージアの僭主、
さらに、チェーザレの脅威の前に方策もないシエナの僭主パンドルフォ・ペトゥルッチの代理としてアントニオ・ダ・ヴェナフロ、

ボローニャの僭主ジョヴァンニ・ベンティヴォーリオの代理としてその息子のエルメス・ベンティヴォーリオ、

これに加えて、すでにチェーザレによって国を奪われてヴェネツィアへ亡命していたウルビーノ公グイドバルドの甥《おい》のオッタヴィアーノ・フレゴーソ、

全家族をチェーザレに殺されたカメリーノの僭主ヴァラーノ家で唯《ただ》一人生き残ったジャンマリーア・ダ・ヴァラーノ、

これらが、史上有名な「マジョーネの会合《ラ・ディエタ・ディ・マジョーネ》」の参加者である。しかし、この反乱の主導権は、あくまでもチェーザレ配下の傭兵隊長たちであるオルシーニ、ヴィテロッツォ、オリヴェロット、バリオーニらがにぎっていた。ウルビーノ公グイドバルドを仲間に加えたのは、人々から同情されているグイドバルドも参加していることによって、彼らの反乱に、世間の同情と理解を得るためであった。マジョーネに集まった反乱者全員は、彼らの共通の敵チェーザレを打倒することで一致した。

十月七日、出席者全員の署名を得て、マジョーネの同盟は発足した。ここに、チェーザレに対する宣戦布告が正式になされたことになる。イーモラにいるチェーザレが、父法王からの手紙を奪われたのに気附いた、翌日のことであった。そして同日、反乱軍の動きと呼応したウルビーノ公の旧臣たちの手によって、ウルビーノ領内最強の城

塞サン・レオは彼らの手に落ち、チェーザレが配置していた守備軍は、そこを捨て、ペーザロに敗退しなければならなかった。その四日後、ヴィテロッツォの軍勢によってカステル・デュランテは落城。翌日、バリオーニの軍勢はカーリを占領。グッビオ、フェルトロと各地に広がった反乱の波は、またたくうちに全ウルビーノ旧公国から、完全にチェーザレの兵を追い出すのに成功したのである。

一方、イーモラではチェーザレが、対策に専念していた。まず彼は、ロマーニャ各地に分散している軍を、三人の側近のスペイン人隊長のもとに集結させた。ドン・ミケロット、ウーゴ・モンカーダ、レミーロ・デ・ロルカの三人である。彼らによって、ペーザロとリミニの間を、すなわち海路を確保しようとしたのである。三人の隊長は、二千五百の軍勢をまかされた。しかし、先手は反乱側にあった。後手にまわったチェーザレ軍は、態勢をととのえる間もないうちに襲撃を受け、十五日のカルマッツォの戦いで敗北を喫した。ドン・ミケロットは負傷。ウーゴ・モンカーダはオルシーニ側の捕虜に。わずかにファノに敗走できたのは、レミーロ・デ・ロルカ一人だけだった。ファノ、ペーザロ、リミニ、チェゼーナと、チェーザレの領土ロマーニャ公国の都市はいまだにチェーザレの支配下にあったが、ウルビーノ公国領やフォッソンブローネとカルマッツォを失った今、ロマーニャ公国の半分は、反乱側の手に落ちたも同然だった。一方、ボローニャの三千の軍勢も、北からイーモラに迫っていた。

ここに、チェーザレをエミーリア街道の真中に孤立させようとした反乱側の意図は、十日足らずの間に成功したことになる。チェーザレはミラノにいるフランス軍の援助を受けようにも、その途中にはボローニャが立ちはだかって進路を遮断していたし、ローマに逃げようにも、陸路海路ともに切断されていた。さらに、正規軍八千の他に、約三千の雑兵を集めて一万の軍勢を持つ反乱側に比べて、イーモラに孤立したチェーザレの下には、四百の親衛隊と二百の槍騎兵《そうきへい》しか残されていなかった。チェーザレが組織しはじめていたロマーニャの国民軍は、いまだ手をつけたばかりのこととて、このような危急存亡の際には、何の役にも立たなかった。時を置かずに反乱軍が、エミーリア街道を北と南からはさみ撃ちにしていたら、いかにイーモラの城塞が堅固であっても、チェーザレはひとたまりもなく追い散らされていただろう。だが、反乱側にも欠陥があった。

まず、彼らの間で、誰一人として全員を統率し、全軍を一致した軍事行動に駆ることのできる者がいなかったことである。ヴィテロッツォは優秀な武将だったが、大局を見た上で各人を有効に動かす能力は持っていなかった。オリヴェロットとなると、もはや問題外である。「マジョーネの会合」に参加した小僭主たちの間に、根強く残る互いへの不信感が、この不統一に輪をかけた。第二に、彼らのとった合議制は一見合理的なものに見えたが、事実は統率者の不在と互いの不信感から出たもので、何よりも敏速な行動を必要とする場合に、その欠陥を暴露することになった。それに比べて、窮地におちいったチェーザレの唯一《ゆいいつ》の有利は、一人であったことである。第三の欠点は、互いの利害が完全に一致していなかったことにある。チェーザレ打倒を叫ぶ急進派（ヴィテロッツォ、オリヴェロット、バリオーニ）は、あくまでもこの際一気に軍事行動で事を決しようと主張したが、穏健派は、それに同調するような態度を示しながらも、各々《おのおの》裏では、有利な現状下での和平の工作を進めていた。シエナの僭主ペトゥルッチは、二人の代表をマジョーネに送ったが、彼らは主君の意図によって、同盟の一員としてよりも、オブザーバーの立場を出ようとはしなかった。老練なボローニャ僭主のジョヴァンニ・ベンティヴォーリオも、息子のエルメスをマジョーネに派遣したが、親しい関係にあるフェラーラ公エルコレ・デステを通じて、ローマの法王との連絡を絶やさなかった。さらにオルシーニ一族も同様だった。彼らは、これも教会軍の傭兵隊長である枢機卿の弟のジュリオを仲介役として、ボルジアとの講和の手段を探っていた。マジョーネの同盟成立直後、短時間の間に大きな戦果をあげた反乱側が、それを利用して、決定的な行動に出なかった原因は、ここにあった。

一方、スペイン人隊長を使っての最初の軍事的対策を失敗に終らせてしまったチェーザレは、第二の対策に着手していた。それは、三点にしぼられた。まずはじめに、このような事態では常に最善の策といえる、時をかせぐことがそれである。敵が決定的な軍事行動に移る時期を、できるだけ遅らせなければならなかった。彼は、自分の部下であった反乱者たちの性格を熟知していたし、彼らの団結がどの程度のものであるかも知っていた。まず一角をくずす。それがチェーザレのとったやり方だった。彼は、自分の宮廷にただ一人残っているオルシーニ家の一員、ロベルト・オルシーニに目をつけた。チェーザレは、言葉巧みに、この「騎士オルシーニ」の通称で呼ばれる、優雅なだけがとりえの若者を籠絡《ろうらく》してしまった。彼は、バリオーニに奪われた法王の手紙はにせもので、代々の法王派《グエルフ》の伝統を持ち、自分の部下としても優秀な戦績をたててくれたオルシーニの一族を、自分がないがしろにするはずもないではないか、もし再び自分の下に帰ってきてくれれば、自分と教会の旗の下にその地位を保証し、領地を大きくもしてやり、傭兵料の値上げさえも考えていたのに、今度のことは何とも残念だと言った。若いロベルトは、主君のこの言葉に感動してしまった。さっそく、反乱したオルシーニの人々を説得する役を、自分から買って出た。十三日、ロベルトはイーモラを発った。

しかし、同時にチェーザレは、軍備増強に力を入れていた。ミラノに使者を送って、五百のガスコーニュ兵、一千八百の槍騎兵を、費用はこちら持ちで派遣してくれるよう要請させた。さらに、スイスからは、一千五百の傭兵を、ミラノからも三千のフランス兵を送らせるよう手配もした。彼の金庫は、ローマ法王庁の金庫に直結している。彼は、その金を費《つか》い惜しみはしなかった。兵の募集のために各地に使者を送りながら、一方、イーモラの城塞をはじめとして、公国内の各都市の防衛を固めることも怠らなかった。彼にとっての協力者は、当時イーモラの彼のそばにいた、建築土木の総監督レオナルド・ダ・ヴィンチである。

硬軟両方の策をたてながら、チェーザレは、反乱軍にばかり気をとられているわけにはいかなかった。近隣諸国の動向も無視できなかった。彼はここで、部下に裏切られた君主として、たくみに自分の立場と行動を正当化した。これによって、まずフランス王ルイの援助のとりつけに成功した後、さらにこのフランス王を利用して、イタリア各国の反ボルジアの動きを完全に封じようとしたのである。その中の一つフェラーラ公国とは、妹のルクレツィアを通じて縁戚《えんせき》関係にあったし、フランス王ルイの意に逆らって、フェラーラが敵側につくことはありえなかった。マントヴァ侯国も、フェラーラのエステ家のイザベッラを侯爵夫人としているところから、これまでのように、フェラーラ公国と共同歩調をとることは明らかだった。これで、ロマーニャ公国とは国境を接しているフェラーラ、マントヴァ両国の動向には、チェーザレは安心していられるわけである。

問題は、ヴェネツィアとフィレンツェの両共和国の動きであった。リミニ、ファエンツァを、それまでのヴェネツィアの野心を知りながら自分の公国に加えてしまっていたチェーザレは、ヴェネツィアが、この時とばかり反ボルジアの軍事行動に出ることを最も怖《おそ》れていた。ただ、チェーザレは、無気味なこの大国、フランス王の影響外にある唯一のイタリアの国ヴェネツィア共和国から、援助を欲しているのではなかった。チェーザレには、彼らが動かないでくれるだけで十分だった。しかし、チェーザレによって国を追われたウルビーノ公グイドバルドが、再度のチェーザレの強要によって義兄ゴンザーガ侯の治めるマントヴァにもいられなくなっていたのを、ヴェネツィアが引取り、保護しているという事実もあった。さらに、サン・レオの城塞を攻撃した公の旧臣たちは、「マルコ、マルコ」（ヴェネツィアの意味）と叫んでいたことも、チェーザレは知っていた。彼は、この重要なヴェネツィア対策に、法王を使う。反乱勃発《ぼっぱつ》直後、ローマ法王からヴェネツィア政府にあてて、チェーザレを援助してくれるよう要請が出された。しかし、慎重なヴェネツィア共和国は、それに対して受諾も拒否もしなかった。ただ、十月十二日、イーモラのチェーザレの許《もと》へ使節を送り、サン・レオ落城の件には、ヴェネツィアは一切関与していないこと、またウルビーノ公を保護し援助する気は少しもないと釈明させた。チェーザレは、丁重に使節を迎え、共和国の自分に対する厚意を感謝した。しかし彼は、その時すでに、ヴェネツィアが一度は解雇したマントヴァ侯ゴンザーガを、再び、自国の陸軍総司令官として傭《やと》ったことも、さらに、フィレンツェ共和国を動かして、フランス王をボルジアから離反させようと秘《ひそ》かに工作していることも知っていたのである。

その間にも、反乱軍は、着々とチェーザレの身辺に迫っていた。ウルビーノ公国を手に収めた彼らに続くかのように、サン・マリーノ共和国も、チェーザレからの独立を宣言した。今では、ペーザロ、リミニも、反乱軍の前に、落城のせとぎわに立たされていた。「真の良き兄弟たちのように」という彼らの合言葉が、ロマーニャ全土をおおいつくすかのようだった。戦勝に続く戦勝に勢いづいた反乱側は、ウルビーノ公国はグイドバルドに返し、ファエンツァ、リミニはヴェネツィアに、残りは自分たちで分配すると、反乱成功後の対策までヴェネツィア政府に通告したほどだった。

しかし、イーモラに孤立の状態にあるチェーザレは、忍耐強く時を待っていた。ヴェネツィアが、自分に対して動かないと知った彼に残された最後の対策は、フィレンツェ共和国に対するものである。反乱勃発時から、フィレンツェは、心おだやかならぬ日々を過していた。北にチェーザレ・ボルジア、そして東、南、西と三方を反乱軍にかこまれたのである。チェーザレにおびやかされ続けてきたフィレンツェ共和国にとっては、彼の部下の傭兵隊長たちによるこの反乱が、歓迎されてよいはずであった。しかし、事情はそれほど簡単ではなかった。反乱側には、フィレンツェが最も怖れるメディチ家復帰を策す、メディチと縁戚関係にあるオルシーニ家が加わっており、さらにフィレンツェに復讐《ふくしゅう》を忘れない、ヴィテロッツォ・ヴィテッリはその首謀者である。その上、ペルージアのバリオーニ、シエナのペトゥルッチと、フィレンツェとは仇敵《きゅうてき》関係にある僭主たちも加わっていた。フィレンツェにとって、この反乱の動向は、何としても気にかかることであった。しかし、いずれが優勢であったとしても、フィレンツェのとるべき態度は一つしかなかった。中立である。とくにフィレンツェが、その唯一の保護者と頼むフランス王が、今のところボルジアに味方していることから、彼らとしても反チェーザレの行動はとれなかった。

一方、チェーザレの方では、フィレンツェとフランスの従来の関係から、フィレンツェを味方側と計算していた。ただ援軍を得られるとは期待していなかった。フィレンツェが動かずにいてくれればそれで十分であり、あわよくば、それ迄《まで》の交渉で妥結していなかった傭兵契約を盾に、共和国内に自分の地歩をかため、それによって共和国を内部から自分のものにしていくという彼の意図を、この際彼らの恐怖に乗じて実現にもって行こうと考えていた。

このチェーザレを相手とする、困難な任務を行う特使の人選はむずかしかった。この場合の特使は、なるべくフィレンツェの意図を隠し、言質《げんち》を与えず、一方、より正確にチェーザレの意図を探る役目を遂行しなければならない。それには、熟練した外交官を必要とした。しかし、あまり重要な官職にある人物を特使に任命すれば、それはフィレンツェが、チェーザレを、そして今度の事態を非常に重視しているということを各国に示すことになる。それは同時に、フィレンツェ共和国の立場を弱くすることになった。任命されたのは、三十三歳の共和国政府書記官ニコロ・マキアヴェッリである。前回のウルビーノでの交渉で、チェーザレとは面識のあることも、その任命の一つの理由となった。

十月七日、「マジョーネの反乱」が正式に宣言される一日前、政府の命令で、馬を駆けに駆けさせてイーモラに着いたマキアヴェッリは、あまりに急いだため、従者や荷物を後方に置去りにしてきたほどだった。夕方の六時に到着した彼は、そのままチェーザレに会談を求め、すぐに許された。マキアヴェッリは、旅装のまま、チェーザレの前に出た。チェーザレは、マキアヴェッリの差出す共和国政府の書簡を受取り、マキアヴェッリに椅子《いす》で休むようにと言い、自分はその書簡を読み出した。しばらくして、チェーザレはマキアヴェッリに、何のためにここに来たのかときいた。マキアヴェッリは、フィレンツェ共和国のロマーニャ公爵《こうしゃく》に対する友好感情を示すためであると答えた。それにチェーザレは、愉快そうな笑い声で答え、自分はメディチ家の復帰を援助したこともないし、われわれとフランス王との友好関係からも、われわれの間に良い関係が成り立つのは当然のことだ。しかし、自分は共和国に助けを頼もうとは思わない。自分とフィレンツェ共和国双方にとって有益なことと思うから、互いに協力していくことを勧めるだけなのだ。ウルビーノ公を助けることによって、ロマーニャ地方にヴェネツィアが勢力を伸ばしてこようものなら、困るのはそちらの方ではないのか、と言った。さらに続けて、反乱軍はいずれはつぶされると言い、「能無しどもの集まり!」これがチェーザレの、その夜はきすてるように言った唯一の言葉だった。以後三カ月の間続いたマキアヴェッリのチェーザレとの交渉の日々は、彼に、チェーザレの勝利を疑わせないものであった。マキアヴェッリと会った日から続くその後の二週間というものは、チェーザレの立場はますます悪くなっていたのに、フィレンツェ特使マキアヴェッリの前で、チェーザレはついにその胸の内の想いを彼に悟らせなかった。

だが、そのチェーザレが、一度だけマキアヴェッリの前で、その心中をのぞかせたことがある。それは、反乱勃発から二週間も経《た》たないという十月二十日のことであった。各地から続々ともたらされる敗報を受けながら、チェーザレは、すでに打った軍備増強の成果を、じっと待っていた。しかし、少数の軍勢の到着はあっても、いまだにミラノからのフランス援軍とスイス傭兵《ようへい》が、イーモラに到着するという報告さえもとどかなかった。その夜の八時、マキアヴェッリの要請を入れて彼と会ったチェーザレは、皮肉な笑いとともに言った。

「彼ら（反乱軍）の兵士を、白衣の武装兵とはよく名附けたものだ。無意味と同義語ではないか」

これに続いて、反乱を起した自分の旧部下を、はじめて非難する言葉が彼の口からほとばしり出た。

「私は、虚勢を張りたくはない。しかし、現実の彼らがどのような奴《やっ》らかは知っていなければならない。私は、彼らをよく知れば知るほど、彼らを尊重する気にはなれなかった。ヴィテロッツォは、この私の下で評判を得るほどのことをやったにしても、彼が遠大な理想をもって何かをやる型の男とは、一度も思ったことはなかった。それがフランス病をわずらっているせいとも思えないが。ただ彼は、防備のない国々を攻めるのと、逃げることとしか知らない者の手から盗むのと、そして今度のような裏切りをするのには適していたわけだ」

マキアヴェッリは、思わず口をはさんだ。

「公爵、彼らをお信じになってはなりません」

しかしすぐに、フィレンツェ特使としての自分の立場を思い出した彼は、自分は特使としてではなく、マキアヴェッリ個人として言っているのだがとつけ加え、

「彼らは、味方でいた時でさえ、あなた様に悪い結果をもたらすようなことばかりしてきたのですから」

と言った。

その夜、マキアヴェッリの得意気な言葉によれば、彼は、自分より六歳若いチェーザレと、親身に話し合ったということである。二時間近くも続いたその夜の会談の終りに、席を立ったチェーザレは、部屋を出ていこうとしながら扉の前で、立って見送るマキアヴェッリをふり返り、その顔に微笑をたたえながら言った。

「あらゆることに気を配りながら、私は自分の時が来るのを待っている」

しかしマキアヴェッリは、このようにほとんど一日か二日おきにチェーザレと会いながら、チェーザレが、重要な点には全くふれようとしないのに気附きはじめていた。フィレンツェを窮極的にはどうするつもりか、フランス王とは今後どんな関係を続けていくつもりなのか。このマキアヴェッリの最も知りたいことを、チェーザレは、それを彼が探るのに必要な材料を、少しも示そうとはしなかった。マキアヴェッリは、この青年君主を理解するのには、自分のこれまでの経験が何の役にもたたないことを知る。彼は、フィレンツェの友人にあてて、プルタルコスの『列伝』を送ってくれるよう手紙で頼んだ。友人ブオナコルシは、その依頼に対して、次の返事を送ってきた。「プルタルコスの『列伝』を探したが、フィレンツェでは売っていない。我慢しろよ。ヴェネツィアにでも注文しなければならないだろう。しかしまあ、こう何でも頼んでくる君のような奴をくたばり損いというんだ」

しかし、チェーザレの言う自分の時は、なかなかやってこようとはしなかった。ヴェネツィアに亡命していたウルビーノ公グイドバルドが、民衆の歓呼の中を公国に復帰したのに続いて、ヴァラーノ家のジャンマリーアが、オリヴェロットの援助をうけて、その旧領カメリーノに乗りこんだのもこの時期である。イーモラのチェーザレの許には、一千八百の槍騎兵《そうきへい》がミラノから到着したが、援軍の主力ともいうべきフランスとスイスの傭兵は、フェラーラ領内に入ったという知らせがとどいただけで、まだ姿も見せなかった。だがチェーザレは、時を待っていた。そして時を待つ間にも、彼はその行動を止めようとはしなかった。日中は、新しく到着する兵を見まわったり、彼らを組織するのに過ぎていった。また、傭兵を集めるための使者や、各国の君主の許に送る使節、さらに各地の情勢を探らせるための情報官などに、的確な命令を与えて送り出し、帰ってきた者からは報告を受けるなど、チェーザレの日々は休む間もないほどだった。

彼は、これらのことにかかる費用を少しも惜しまなかった。自分自身、フィレンツェ政府から与えられる経費に始終不足を感じていたマキアヴェッリが、政府にあてた報告書の中に、次のように皮肉っぽく書くように。

「どこかの国ならば二年かかっても使わないであろう金を、公爵は、この十数日の間に使っています」


あらゆる決断が、チェーザレ一人の頭の中でなされた。彼は、誰の助言も必要としなかった。誰一人、この彼の次の行動を予測できた者はいなかった。

夜。チェーザレの私室の灯は、深夜までともったままだった。チェーザレの書記官アガピートへの接近に成功していたマキアヴェッリが、この友人とよく話しあっているその部屋からは、はるか高所にあるチェーザレの私室の窓がよく見えた。黒い長い影が、ゆっくりと窓に動くのが見えた。アガピートはマキアヴェッリに言った。

「見たまえ、私の公爵はああして歩いておられる。あの窓に映る影がゆっくりと動いている間は、われわれは休んでいられるのだ。でもそれも長い間ではない。影が歩みを止めた時、われわれ家臣の方が、今度は歩くどころか走るというわけだ」

ついに、チェーザレの待っていた自分の時がやってきた。十月二十五日、まず、オルシーニが崩れたのである。パオロ・オルシーニが、講和を求めてイーモラのチェーザレの許を訪れるという通知だった。資格は、マジョーネの同盟に参加した全員の代表としてである。このパオロとほとんど時を同じくして、他の者もチェーザレと個々に講和をはじめようとしていた。ペトゥルッチの代理アントニオ・ダ・ヴェナフロも、ベンティヴォーリオ家の使者も、チェーザレとの講和を進めるために、彼の許を訪れる。彼らに共通していたことは、反乱軍のかち得たこれ迄の軍事上の有利にたって、講和をより高く売ろうとしたことであった。

彼らの訪問を、チェーザレは心から喜びを示して迎えるよう全家臣に命じた。しかしその同じ日、チェーザレはマキアヴェッリにこう言っていた。

「今日はパオロ、明日は枢機卿が来るとのことだ。彼らは、この私の名誉をさんざんに落しておいて、今になって、互いに友人だと言う。許してくれと言う。これが、私をからかう彼らのやり方らしい」

チェーザレは、自分に反乱を起したかつての部下たちの講和の申し出を、失われた友情を再び得た喜びで迎えて、彼らの怖《おそ》れをやわらげる一方、これまでの方針を少しも変えようとはしなかった。続々と各地から到着する軍勢によって、彼の軍備は、日一日と増強されていた。

チェーザレのような男に、一度与えた屈辱を忘れさせようとするのはひどくむずかしい。父の法王アレッサンドロ六世は、許すという徳を知っていたし、時にはそれが有効であることも知っていた。しかし、このヴァレンティーノ公爵は、他のすべてのことでは有効性にもとづいて行動することは知っていたが、屈辱を受けた時は別だった。法王は、何でも言いたい放題に噂《うわさ》させて平気でいられた。しかし、息子のチェーザレは、言葉だけではなく、それを産む頭脳までも消してしまわねばいられない男だった。

第十一章

秋深い十月二十五日の夕暮、イーモラの城門を、総勢二十名ばかりの一行が入っていった。マジョーネの同盟から全権大使として派遣されてきた、パオロ・オルシーニとその一行である。それを先導するのは、彼らを講和させるよう説得するために、十日あまりも前にチェーザレの許《もと》を発《た》っていったロベルト・オルシーニだった。城門を入ったところで、ロベルトは彼ら一行をそこに待たせ、自分は城塞《じようさい》へ一行の到着を告げにいった。もどってきたロベルトは、パオロに言った。

「公爵《こうしやく》殿はすぐにも会いたいと言っておられる」

そういわれては、旅装を解き身仕度を終えてからチェーザレとの会見に向おうと思っていたパオロも、このまま城塞に急ぐしかなかった。

服装の乱れを気にしながら城塞のかけ橋を渡って中に入ったパオロは、そこに、部屋で待っていると思いこんでいたチェーザレが立っているのを見た。パオロは、この旧主君の前に思わずひざまずいてしまった。前もって言おうと思って用意していた対等の交渉の言葉は、どこかに消えていた。パオロの口からは、どもりども許しを乞《こ》う言葉だけが流れ出た。チェーザレは、それを彼に終りまで言わせなかった。ひざまずいているパオロのところに近づいたチェーザレは、顔を喜びに輝かせながら、パオロをだきかかえるようにして立たせた。チェーザレは、自分の顔を正面から直視できずに、まだモグモグと口の中で釈明を続けるパオロの言葉にいちいちうなずきながら、その肩をだくようにして城塞の自室のある塔へ連れて入った。この情景をロベルト一人が、唖然《あぜん》として見送っていた。しかし彼も、もどってきたチェーザレの家臣から、主君の命だから続いて来るようにと伝えられた。その夜、パオロにはチェーザレから数々の贈物が与えられた。高価なオリエント産の布地の巻物の他に、美しい二頭の馬もそえられていた。さらにパオロと彼の一行には、チェーザレの命で、イーモラ一番の宿屋に部屋が用意されていた。

しかし、チェーザレは、このパオロ・オルシーニが、マジョーネ同盟の全権大使という資格で来たということにはなっていても、実際には、オルシーニ一族とシエナのペトゥルッチの意を代表しているにすぎないことを知っていた。反乱軍の主力であるヴィテロッツォ、オリヴェロット、バリオーニらが、一応はチェーザレとの間に講和を進めることには同意したが、その実は、チェーザレの出方を待って彼らの態度を決定しようとしているのであることも知っていた。

三日後の二十八日、講和の条文は出来上った。保証人は、法王とフランス王の二人である。個々の協定は次のようなものだった。

一、法王に反抗の態度をとったオルシーニ家の二人の枢機卿《すうきけい》は、いずれも法王からその罪を許され、彼らの名誉とともに、所有地、財産は永久に保証される。

二、ウルビーノ公グイドバルドも罰せられず、チェーザレに反旗をひるがえした彼の旧臣たちも何の罰も受けず、法王の許しと祝福を与えられる。ウルビーノ公自身も、どこにでも好むところに住む自由を保証される。

三、ヴィテロッツォ、オリヴェロット、バリオーニに、オルシーニ家のパオロとグラヴィーナ公のチェーザレ旧配下の傭兵《ようへい》隊長たちは、法王と教会軍総司令官に反逆したその罪を許され、彼らは、以前と同じくその法王代理《ヴィカーリオ》の地位並びにその領土を保証される。もし彼らが望むならば、再びチェーザレの下で傭兵隊長として働くこともできるし、以前の傭兵料の保証はもちろんのこと、その値上げも考慮の可能性はあること。しかし、あくまでもそれは彼らの自由であり、法王やチェーザレの下で働く義務は全く無いこと。

四、彼らがこれまでにチェーザレから奪ったロマーニャの諸地方と、ウルビーノ、カメリーノは、チェーザレに返還する。

五、各人はチェーザレへの誠意のあかしとして、彼が望んだ時には、それぞれの嫡《ちゃく》子《し》を一人、チェーザレの許へ送ること。

大要は以上である。ただボローニャのベンティヴォーリオとは、別個に協定を結ぶとつけ加えられた。そして実際に、ボローニャとは傭兵契約という問題があったからである。フィレンツェと同じことになるのだった。そして最後に、この条約調印後に、それを履行しなかった者は、他の全員の敵と見なすとあった。この条文は、パオロが持ち帰って全員と相談し、その同意の署名がすべてととのった時、実施に移されるということになった。チェーザレは、すでに署名を終えていたからである。

二日後、パオロ・オルシーニは、条文を持ってイーモラを発ち、まずウルビーノへ向った。チェーザレは、あいかわらず機嫌よくパオロを送り出したが、その彼の書記官アガピートは、マキアヴェッリにこう言っていた。

「この条約を彼らが受け入れるかどうかはもはや問題ではない。もし受け入れた時は、私の主君に出口を与えることになる。しかし、もしも拒絶したとしても、もはや私の主君は自分で出口を作るだろう」

その翌日、イーモラには、フランス人とスイス人からなる援軍が到着した。チェーザレは、それらをファエンツァに配置した。さらにこの頃になると、イタリア各地の小領主たちが、チェーザレに軍勢を傭《やと》ってもらおうと、続々イーモラを訪れて来た。マキアヴェッリによれば、六万ドゥカートを費《つか》いつくしたというチェーザレの軍備増強も、無駄に金をばらまいたのではなかった。チェーザレは、契約に反した装備で到着した軍隊には、それをととのえるまでは一銭も金を払おうとはしなかった。口では平和を言いながら、その頃のチェーザレの動きは、戦争を語っていた。

彼は、イーモラの町にあふれる軍勢を見まわり、ファエンツァまで出かけてフランス傭兵の装備を点検した。大砲も、全イタリアをあわせたのに匹敵するほどの質と量をそなえていた。それでいて、「守るということは、全軍を自分の武力でかため、臣下を愛し、近隣諸国を友とすることだ」と、マキアヴェッリに語ったりした。しかしこれは、現在はやむをえずとらねばならない傭兵制度から脱しようとするチェーザレの理想であることを、このフィレンツェの若い官僚だけが理解していた。

にわかに寒さを感じるようになった十一月八日の夜、いつものように、マキアヴェッリはチェーザレと会っていた。会談は、忙しいチェーザレに合わせて、夜半も過ぎた頃になってはじまった。その日一日中、スイス傭兵と共に過したチェーザレは、少し疲れているようだった。マキアヴェッリが部屋に入っていった時、チェーザレは、のばした両脚をテーブルの上にのせたままの姿だった。入ってきた見慣れたマキアヴェッリの顔をみても、チェーザレは姿勢を直さず、ただ彼に椅子《いす》をすすめただけだった。

その夜も、マキアヴェッリがしばしば報告書の中に書いたように、「偉大なるしらつぱくれ《グランディッシモ・シムラトーレ》」ぶりを発揮したチェーザレは、政治や外交のことにはふれず、先頃、再びヴェネツィア共和国陸軍の傭兵隊長として傭われたマントヴァの当主フランチェスコ・ゴンザーガ侯爵に話題をもっていった。良い男だし、自分の良き友人だといいながら。そしてふいに、マキアヴェッリに向って言った。

「もしフィレンツェ共和国が自分を傭兵隊長に傭うとすると、いったい何をくれるつもりかな」

この問に楽しくなったマキアヴェッリは、陽気に答えた。

「まあいずれにしても、わが共和国は傭われるよりも傭う方を望むでしょう」

チェーザレはいった。

「やれやれ、要するにフィレンツェには私の場所は無いというわけだ」

二人は遠慮なく笑い合った。

一方、ファノ近くのカルトチェートでは、マジョーネの同盟に加わった全員が集まり、パオロ・オルシーニの持ち帰った講和の条文をめぐって、大論争がはじまっていた。法王とフランス王が証人になっているとはいえ、チェーザレが作成した条文である。その完全な遂行を疑う者がいた。これはわなではないかと、彼らは言った。ヴィテロッツォ、オリヴェロット、バリオーニが、反対の急先鋒《きゆうせんぽう》だった。また、もしわなではないとしても、彼らにとってあまりにも厳しい内容だった。条文では、あらゆることが反乱を起す前にもどすというだけで、この一カ月の間に、とくに前記の三人が軍事的に獲得した領土については、そのすべてをチェーザレに返還すると決められていたからである。ヴィテロッツォ、オリヴェロット、バリオーニの三人は、怒りに身をふるわせながら、この講和に反対した。彼らにとっては無理もないことでもあった。ヴィテロッツォは、ウルビーノ公グイドバルドを助けて、ウルビーノ公国内からチェーザレの勢力を追い出すのに成功していた。またオリヴェロットは、ジャンマリーアをカメリーノの僭主《せんしゆ》に復帰させることによって、そこをいずれは自分のものにしてやろうと考え、さらにリミニをも狙《ねら》っていた。バリオーニも、ペーザロを手にする直前まで来ていたのである。戦力を持たないウルビーノ公とジャンマリーアの二人には、何の発言力もなかった。そして、弱いこの二人が、まず最初の犠牲者となった。復帰したばかりというのに、また放逐されることになったからである。

十一月九日、彼らがチェーザレに対して、はなばなしく反旗をひるがえした日から一カ月後、場所も同じマジョーネのオルシーニの城で、何回目かの会合が開かれていた。チェーザレが一人であるのに反して、彼らが多数の集合であるという欠陥が、ここでも暴露された。まず、ボローニャのベンティヴォーリオが、個別にチェーザレとの間に傭兵契約を進行中ということで、戦列から離れた。次に、オルシーニの一族が調印した。すぐ続いて、シエナのペトゥルッチの代理も調印を終った。絶望したヴィテロッツォは、公爵グイドバルドを訪れるため、気狂いのようにウルビーノに向って馬をとばした。しかし、ウルビーノ公を味方にして反対を続けようというヴィテロッツォの考えを、公は、自分の力では抵抗は無駄だと悲し気にことわるだけだった。その間にも、チェーザレの軍備がいよいよ増強され、強力になりつつあるという噂《うわさ》は、彼らの間にも伝わっていた。ついに、バリオーニも調印した。そしてオリヴェロットも。講和条約を示されてから約一カ月の間、それに反対しつづけてきたヴィテロッツォも、一人では何も出来なかった。

十一月二十七日、パオロ・オルシーニは、全員の署名を持って、イーモラに着いた。彼を迎えたチェーザレは、ひどく満足気だった。調印した人々の誠意を謝し、最後までそれに反対していたヴィテロッツォに対しても、「自分とは兄弟のような仲なのだ」と言って、彼を非難するどころか、かえって他の人々より賞《ほ》め讃《たた》えたほどだった。チェーザレは表には出さなかったが、今こそ自分の時であるのを、あれほど待っていたその時であるのを感じていた。ヴィテロッツォの送ってきた手紙には次のように書かれてあった。「自分は公爵に対して、常に変らぬ忠誠の心をいだいていたのです。今度のことでも、決して公爵を侮辱しようという考えは全くなかったのです」。ペトゥルッチとバリオーニにいたっては、謝罪の手紙を送ってくるだけでは不十分と思ったのか、それぞれ二人の使節をイーモラに派遣し、チェーザレを「トスカーナの王」に推薦すると言わせたりした。それにチェーザレは、「わたしはそのようなことは考えていない」とだけ答えた。それでもチェーザレは、彼らの誰にも深い感謝をもって対した。マジョーネで反乱の同盟が発足して以来、二カ月近くもの間、全イタリアの耳目を集めていたこの血なまぐさい反目を、今、平和のしるしが追い払おうとしているのを人々は感じた。しかし、主役の「偉大なるしらっぱくれ」に対して、その臣下はより正直だった。アガピートは、親しい仲になっていたマキアヴェッリに言った。「この裏切者たちは、われわれを傷つけておいて、今になって言葉でその傷が治ると思いこんでいる」

十二月二日には、ボローニャのベンティヴォーリオとの講和も成立した。ベンティヴォーリオが、チェーザレとの間に、年給一万二千ドゥカートで向う八年間の傭兵契約を結ぶこと、彼ら一族のボローニャでの法王代理の地位を認めるとともに、ベンティヴォーリオの息子とボルジアの親族との結婚をすすめるというものであった。チェーザレは、ここでしばらく、ボローニャを敵としないことに決めたのである。

今度の反乱は、彼に良い経験をさせた。彼が、少くともここまで持ちこたえてこれたのは、一にも二にも、父の法王が在位していたからであるということを、誰よりもチェーザレ自身が悟ったのである。父法王が在位していたからこそ、フランス王もヴェネツィア共和国も、窮地に立ったチェーザレに対してさえ、下手な手だしは出来なかった。ということは、チェーザレには、父がいなくなった時を予想しておく必要があるということになる。「守るということは、全軍を自分の武力でかため、臣下を愛し、近隣諸国を友とすることだ」。この理想を、彼は理想だけで終らせるわけにはいかない立場にあった。現実の問題として、なるべく早期に、父の死を迎える前に、実現させなければならなかった。まず彼は、近隣諸国と友好関係を保つことを現実に移そうとした。

　その国々とは、フェラーラ、マントヴァ、ボローニャ、フィレンツェ、ヴェネツィアである。フェラーラとマントヴァの両国とは、縁戚《えんせき》関係を持つことで結ばれていた。ボローニャとフィレンツェは、自分を傭兵隊長として契約させることによって、その内部にくい入ろうとしていた。少くともボローニャの場合は成功したことになる。そして残る一つ、彼にとってはその動向が最も気になるヴェネツィア共和国とは、この大国の熟達した現実的な政治から、互いの利害の一致点を見出《みいだ》せば、妥協は常に可能であった。ボローニャに対する方針の変更は、以上の理由からきていたのである。ただ、フィレンツェとは少々事情がちがっていた。彼は高額な傭兵料を要求していたし、教会領のボローニャと違い、輝かしい伝統を持つフィレンツェ共和国としては、この危険人物に、自国の軍事力をまかせることなど出来るわけがなかった。たびたびチェーザレは、このフィレンツェの言を左右にしている態度を皮肉って、「まだこの期《ご》に及んでも迷っているのか」とマキアヴェッリに言い、彼を困らせたりした。

　しかし、チェーザレは、それほどフィレンツェとの傭兵契約に固執していたのでもなかった。彼とフランス王との関係、そしてフランス王とフィレンツェとの関係からみて、フィレンツェの動向は今のところ彼を心配させるものではなかったし、彼の領士は、フィレンツェを包囲しつつあった。その頃、イーモラのチェーザレの許《もと》へ、ピサの長老たちが訪れ、あらためて市の保護をチェーザレにゆだねていた。また、スペイン王からは、援助の申し出が送られてきていた。これらの使節を引見している間も、チェーザレは、講和調印後のヴィテロッツォらの出方から眼を離さなかった。彼は、自分からは動こうとはしなかった。反乱を起し、今また講和を申し入れてきたのは彼らの方である。後かたづけは、事をはじめた彼らの方がやるべきだという態度を持していた。自分の時が来るのを待っていたチェーザレは、その時が来た今も、それが成熟するのを待つことを知っていた。

しばらく前から、ウルビーノ公の代理として、その甥《おい》のオッタヴィアーノ・フレゴーソがイーモラへ来ていた。なんとかして打開の道を見つけるためである。チェーザレはそれに、次の妥協策を提案した。もしウルビーノ公が望むならば、公の離婚を法王が承認し、公を年給付きの枢機卿《すうきけい》に任命するようとりはからってもよいというのである。しかし、チェーザレ配下の代官としてでもウルビーノにとどまりたい、というウルビーノ公の願いは拒絶された。

ウルビーノでは、ヴィテロッツォらの助けで公国に復帰できたと喜んだのもつかのま、今では、チェーザレとの講和をあせる彼らによって、あらためて国の放棄を迫られている公爵《こうしゃく》グイドバルドが、絶望の日々を過していた。ボルジアからの枢機卿の職をえさにした離婚は、妻のエリザベッタの哀願で思いとどまった。これに反対したのはエリザベッタばかりでなく、その兄のマントヴァ侯も同じだった。マントヴァ侯フランチェスコ・ゴンザーガは、枢機卿任命というボルジアの出した条件が、彼の妹とウルビーノ公を離婚させることによって、ウルビーノとマントヴァとの離反をはかる、チェーザレの策謀であることを見抜いていたのである。さらに、ヴェネツィア共和国に助けを乞《こ》うた公の願いも、共和国からは冷たい返事が返ってきただけだった。公が出した条件、ウルビーノ公国をヴェネツィアに譲渡するから、その代りとして、ヴェネツィアが、どこか他の土地と年給を保証するというのも、ヴェネツィアからは、現状では全く興味がないという返事がとどいただけだった。ウルビーノ公に残された道は二つしかなかった。かつての味方マジョーネの同盟からも見離された今、残る道は、再び亡命するか、あるいは家臣と共に最後までチェーザレに抵抗するかのどちらかである。彼は迷っていた。家臣全員を集め、どうすればよいかと、彼らに問いかけた。しかし、公の人柄を愛し、彼を守ってやらねばならないとは感じていても、家臣たちは、チェーザレの力を知らないわけではなかった。彼らは答えようもなく、ただ、苦境にたたされたこの底抜けに善良な主君の顔を、気の毒そうに見上げるばかりだった。

しかし、決断の時は迫っていた。昨日の味方、そして今では敵のパオロ・オルシーニが、軍勢を従えてウルビーノに到着し、グイドバルドに、なるべく早くウルビーノから出ていくようにと強要した。グイドバルドは、再び家臣を一堂に集めた。彼らに別れを告げるためである。彼は、自分の力の全く及ばない男を敵としなければならない不幸を嘆き、さらに続けて言った。

「ヴァレンティーノ公爵の下で、良い臣下としてつくすよう。神がこのわれわれの運命を変えようと思われるまではそうしてほしい。それが神のおぼしめしにかなうことなのだから」

言い終った彼は、家臣や民衆の涙に送られて、再度の亡命のため城を出ていった。十二月八日のことである。マントヴァもヴェネツィアも、チェーザレに遠慮してその亡命を受け入れようとはしないウルビーノ公に、同情したのはヴィテロッツォだった。彼は、無理に反乱に引き入れたグイドバルドを、今になって見捨てた一人が自分なのだという、後ろめたさを感じてもいた。彼は、グイドバルドを、自分の領地のチタ・ディ・カステッロに引取った。

カメリーノの返還の方は、これよりも簡単に済んだ。ジャンマリーア・ダ・ヴァラーノは、ウルビーノ公とはちがって、家臣や民衆からしたわれてはいなかったので、誰も彼の立場に同情する者はいなかったからである。そしてジャンマリーア自身、オリヴェロットにかつがれてその旧領に復帰できたわけだから、オリヴェロットから見捨てられた今、彼には何の力も残っていなかった。彼は、チェーザレの出した条件、年給三千ドゥカートですべてから手を引くという条件をすぐ呑《の》んだ。そして、オルシーニの立ちのき要求がとどく前に、カメリーノを去っていった。

ウルビーノから、公爵グイドバルドが立ち去ったという報告を受けたその日の夜、マキアヴェッリの会いたいという申し出も断わったチェーザレは、一人自室に閉じこもった。寝についたのではないことは、灯のともった窓に動く彼の影からわかっていた。イーモラでは、四日前から降りはじめた雪がまだ降り止《や》まなかった。その降りしきる雪の向うに、黒く長い影が左右に動くのが、ぼんやりと見えた。マキアヴェッリは、ここ数日、チェーザレと会う機会が減っているのを心配していた。五日の日に会談を許されたが、その前は十日間も会えなかったのである。何かがはじまりそうな気配を感じとった彼は、今夜も、友人のアガピートと話をするという名目で、その部屋からはるか高所にあるチェーザレの私室を見守っていた。その夜のマキアヴェッリは、すでに四日前から、風邪のための高熱に悩まされていた。それなのにチェーザレの影は、あいかわらず雪の向うに見え、その動きを止めようとはしなかった。苦しそうなマキアヴェッリの様子を見て、アガピートは言った。

「帰って休んだ方がいい。あの調子では、私の主君は明朝まであのままでいそうだ」

マキアヴェッリは、何かあったらすぐに連絡するからというアガピートのすすめを入れて、宿舎に帰った。

翌日、十二月十日、チェーザレは、いよいよイーモラから腰を上げた。全軍に与えられた彼の出発の命令は、早朝の四時に発せられていた。そして朝、イーモラの城門を、軍勢が次々と出ていった。まず、前衛隊の騎兵、そして次に歩兵、その後に親衛隊の騎兵にかこまれて、チェーザレ自身が馬を進めていた。イーモラの守りには、フエラーラから来た六百の兵が残された。城門を出ていく軍勢の最後に、女官たちを従えた輿《こし》が一つ進んでいた。輿には、一人の美しい貴婦人がのっていた。彼女の名はドロテアといい、チェーザレから国を追われた、リミニの旧領主マラテスタの庶出の娘だった。二年前、チェーザレは、すでにヴェネツィアの傭兵隊長カラーチョロの許嫁《いいなずけ》であったドロテアを一目見て気に入り、彼女が婚礼に向う途中のウルビーノとヴェネツィアの間で、部下に命じて略奪させてしまったのである。その時から彼女は、チェーザレのものになっていた。

ファエンツァでフランス軍と合流したチェーザレの軍は、そのままフォルリへ向った。その夜は、フォルリで宿営することになっていた。夜、全軍の隊長たちは、明日はチェゼーナに向うというチェーザレの指令を受けた。しかし、チェゼーナに着いた後はどこへ向うのかは、誰も知らなかった。

すでに十一日の午後には、全軍はチェゼーナに入っていた。そして、風邪と、フィレンツェ政府から金がとどかないためにチェーザレと共に出発できなかったマキアヴェッリがチェゼーナに着いたのは、それから二日後の夜だった。

しかし、到着後一週間以上も過ぎるというのに、チェーザレから出発の命令は発せられなかった。大砲が到着するのを待っているのだと思っていた人々は、それが到着してもまだ、総司令官のチェーザレからは何も命令がおりないのを不思議がった。人々は皆、きっと公爵殿はキリスト生誕祭をここで過されるつもりだろう、と言い合っていた。陽気な気分がチェゼーナの町にあふれる兵士たちの間に広まった。その中でただ一人、落ちつきなく走りまわっていたのはマキアヴェッリである。彼は、二十日の夜にチェーザレが、フランス傭兵軍《ようへいぐん》の隊長全員を召集したのを知っていた。ただ、それが何のためなのかわからなくて、チェーザレの秘書や他の人に聞いてまわってい た。アガピートが、フランス軍にそれまでの傭兵料を支払うようチェーザレから命ぜられたということを、彼自身から聞くことはできたが、それ以外のことは誰も知らなかった。フランス人の隊長の一人からようやく、彼らがミラノに帰ることを聞き出すのに成功したが、まだマキアヴェッリには、チェーザレがなぜ軍勢の三分の一以上にあたるフランス軍を返してしまうのか、その理由がわからなかった。二十二日の朝、三千三百のフランス、スイス傭兵はチェゼーナを発《た》ち、もと来たエミーリア街道を通ってミラノへと帰っていった。

さらに、また一つマキアヴェッリを悩ませることが起った。その日ペーザロから帰ってきたレミーロ・デ・ロルカが、チェーザレの命によって城の地下牢《ちかろう》に入れられたことである。デ・ロルカは、それ迄《まで》、誰もがチェーザレの側近中の側近と思いこんでいた男だった。チェーザレによって、ロマーニャ公国の行政長官に任命されていたのである。マキアヴェッリは、この真相を探ろうと、チェーザレに会見を申しこんだ。

しかし、何回申しこんでも、忙しいとの理由で許されなかった。チェーザレが、自分で創設した民事裁判所の長官と会談したという情報をつかんだマキアヴェッリは、二十五日に、再度会見を申しこんだ。しかしその日もチェーザレは、キリスト生誕祭を祝うため、といって彼に会おうとしなかった。

クリスマスの次の朝、平日にもどって仕事をはじめるため広場に出たチェゼーナの人々は、そこに真っ二つに切断された自分たちの行政長官レミーロ・デ・ロルカの死体を発見した。戦慄《せんりつ》が町中に走った。

マキアヴェッリは、後にこの事件に次のように解釈を与えている。

「公爵がロマーニャ地方を征服した時、彼は、この地方が、領民を正しく治めるというよりは彼らのものを奪ったり、領民を結束に導くどころか分裂の因を作るような無能な支配者に治められてきたのを知った。そのために、この地方には騒動などのあらゆる暴力が幅をきかせていた。彼は、この地方の平和をとりもどし、君主の支配力を高めるには、よい政治を行う必要があると考えた。そこで冷酷な男レミーロ・デ・ロルカに大きな権限を与えてロマーニャに派遣した。この男は、短期間のうちにこの地方に秩序をとりもどし、統一をも成しとげた。非常な名声と共に。しかし公爵は、領民に憎悪《ぞうお》されるようになるのを怖《おそ》れ、これ以上彼に過度の権限をもたせるのは不利になると判断した。そこで、領国内に一つの民事裁判所を設置し、有能な長官を任命した。そしてそれぞれの都市が、自分たちのための弁護人をそこに置けるようにした。

そして、これまでの厳格さが、多少とも領民に憎悪を感じさせているのを知っていた彼は、そうした人々の気持をぬぐい去り、民心を完全につかもうとした。これまでの残酷なまでの厳しさは自分の考えから起きたことではなく、行政長官の苛酷《かこく》な性格から出たものであると見せかけようとしたのである。そして公爵は、この機会を利用して、ある朝チェゼーナの広場に、二つに切断したデ・ロルカの死体を、一枚の板と血まみれの刀と共にさらしておいた。この凄惨《せいさん》な見世物に民衆は、満足すると同時に戦慄をおぼえたのであった」

チェーザレ式政治の技術《アルテ》の粋。これがマキアヴェッリのこの事件に対する評価である。しかし、この理由だけなら何もこの時にやらねばならないということはない。チェーザレの公式発表には、「堕落した者による苛酷な行政に対する最も公正な裁きの例」とあるだけだが、同じ頃ローマで、法王アレッサンドロ六世がヴェネツィア大使ジュスティニアンに語ったものによると、「レミーロ・デ・ロルカは、マジョーネの反乱軍と内通していた」ということになる。

ここまで来ると、フランス軍を帰してしまったことも、レミーロ・デ・ロルカの処刑も、互いに何か一つのことにつながっているのではないかという推測が成り立ってくる。すなわち、チェーザレにとっての最大の目標、自分の王国創立という野望に。

チェーザレは、何を行っても、それを単純な一つの理由からはしない男であったことを忘れてはならない。すでにイーモラにいた時から、彼は、この自分に向けられた小僧主《せんしゅ》たちの反乱を、逆に利用しようと考えていたのである。部下に裏切られた君主。彼はこの自分の立場を利用しようとしたのだ。講和の使者としてパオロ・オルシーニが彼を訪れてきた時、すでにチェーザレは、今度のことはすべてレミーロ・デ・ロルカのせいだといって、反乱者たちを非難しようとはしなかった。そう言って許しながら、彼の心中では講和の条文の一つといえども、履行する気はなかったのである。彼は、自分からは絶対に彼らを招こうとはしなかった。彼らが自分を招く時まで待った。そしてその時はやってきた。セニーガリアの地を攻略したので、それをチェーザレに捧《ささ》げたいという彼らの手紙がとどいたのである。チェゼーナでこれを受けとったチェーザレは、いよいよ勝負の時がきたのを悟った。その彼にとって、フランス軍を帰したことは、彼が女連れで来ていることと同じく、ヴィテロッツォらを安心させる平和の空気を広めるためであった。また同時に、この勝負にフランス王が援軍として送ってくれた軍勢の一兵士たりとも加わらせないで、完全に自分の意に従う者たちだけでかためる、という意図もあった。レミーロ・デ・ロルカの処刑もまた、セニーガリアの地で待つ彼らを安心させるための犠牲でもあったのだ。もしもデ・ロルカが実際に彼らと内通していたとすれば、あのように自分からのこのこと、チェーザレの許《もと》へ帰ってくるはずもない。

キリスト生誕祭の次の朝、広場にさらされたレミーロ・デ・ロルカの死体に、ロマーニャの民衆の恐怖と満足に光った眼が集中している頃、チェーザレは、自軍の先頭に立ってこの町を後にしていた。彼に従う軍勢の中のフランス兵といえば、チェーザレの義弟ダルブレ枢機卿配下の百五十人の槍騎《そうき》兵《へい》だけだった。

一方、チェーザレから、セニーガリアで待てという命令を受けとったヴィテロッツォたちは、各々《おのおの》の軍勢を従えて、続々とその地に向っていた。

ヴィテロッツォ、オリヴェロットにパオロとグラヴィーナ公のオルシーニ家の二人である。チェーザレ配下の傭兵隊長で、彼に反旗をひるがえした五人のうち、ただ一人、ジャンパオロ・バリオーニは、病気を理由にペルージアから出てこなかった。

二十八日、チェーザレはペーザロに着いた。そこには、セニーガリアにいる傭兵隊長たちからの使節が彼を待っていた。使節は、セニーガリアの地のすべての占領は終ったが、ただ一つの要塞《ようさい》の城代が、要塞はチェーザレ自身に捧げたいと言っているので、こちらでは公のお出《いで》を待っていると伝えた。チェーザレは、はたして彼らの招待に裏がないと思っていたのか。彼らを信じていたのだろうか。イザベッラ・デステでさえも、夫のマントヴァ侯爵《こうしゃく》にこう書いた。

「聞くところによると、四人の傭兵隊長たちは、セニーガリアを公爵に献上するふりをして、その全軍と共に彼を打ち倒す気でいるらしい」

しかしチェーザレは、彼らの招待を受けた。十二月三十日、彼は、ファノの城から、セニーガリアに待つ傭兵隊長たちにあてて、一通の手紙を送った。それは、翌日の自分の到着を告げるとともに、セニーガリアの町から城外四キロの地点まで彼らの全軍の撤退を命じ、正面の城門以外のすべての城門を閉じるよう指示したものだった。

この手紙を受け取った傭兵隊長たちの動揺は激しかった。ヴィテロッツォは、絶望に狂ったようになり、逃げ出そうとして、パオロ・オルシーニの説得でようやく思いとどまった。オリヴェロットは、軍勢を城外に撤退させることには強硬に反対した。楽観していたのはオルシーニだけである。この様子を察知したかのように、追ってチェーザレから、彼らと会うのを楽しみにしていること、全員の安全は保障すると書かれた手紙が、パオロにとどけられた。パオロのとりなしで、ようやく彼らは平静をとりもどした。ヴィテロッツォとパオロ、グラヴィーナ公のオルシーニの各軍勢は、チェーザレの指示通り、町から出て城壁の外四キロの地点まで退いた。町の中には、オリヴェロットが、自軍の一千の歩兵と百五十の騎兵と共にとどまることになった。

その夜、ファノでは、チェーザレが八人の側近を呼んでいた。そして、ドン・ミケロット以下のその八人の男に、彼は一つの秘密の命令を与えた。それをして部下を帰した後、チェーザレは従僕を呼び、ドロテアを寝室で待たせるようにと命じた。

一五〇二年、十二月三十一日の早朝、チェーザレは、六千五百の全軍に出発を命じた。その日は土曜日だった。軍勢は、ファノの南の城門を出、メタウロ河にかかる橋を渡ってセニーガリアに向った。まず五百の騎兵隊が進み、次に一千の歩兵隊が続いた。チェーザレは甲冑《かっちゅう》を着け、この彼につづく親衛隊にかこまれるようにして馬を進めていた。冬の朝の光が、いつになく彼の顔を、白い大理石の彫像のように見せていた。

しばらく進むと、ミーザの河の彼方《かなた》に、セニーガリアの町の城壁が見えてきた。軍勢は、そこで目立たないようにいくつかの箇所に分散して、待機の姿勢をとった。前衛の五百の騎兵隊と一千の歩兵隊、そしてチェーザレとその親衛隊だけが前進を続け、河の流れに沿うように左に向きを変えた。河の中頃にかけ橋があった。その前まで来て、騎兵隊は橋を守るように左右に分れた。その間を通って、歩兵隊は橋を渡り、橋に向いあった城門を入っていった。チェーザレは、鞍《くら》の上に背をまっすぐにのばし、微動だもせずに、兵士たちのこの動きを見守っていた。

すぐに、パオロとグラヴィーナ公のオルシーニ家の二人が近づいてきた。彼らは、百人ほどの騎兵隊を従えていた。そして、ヴィテロッツォも駆けつけてきた。彼についての描写は、現場証人でもあったマキアヴェッリに譲りたい。

「ヴィテロッツォは、何も武器を身につけていない無防備だった。緑色のふちどりのついたマントをはおった彼は、まるで近づいた自らの死を予測したかのように哀愁におおわれていた。その彼の姿は、男の徳《ヴィルトウ》を持ちながらも、幸運に見放された一人の人間の美しさを示してさえいた。人が言うには、彼は、セニーガリアで公爵と会うために家族を置いて出てくる時、まるでそれが最後の出発だとでもいうように、甥《おい》たちに言いきかせてきたということである。お前たちは家の不運ではなく、お前たちの家の徳《ヴィルトウ》を想《おも》い起すようにと」

走り寄ってくるヴィテロッツォを見て、さきほどまでは白い彫像のようだったチェーザレの顔に、微笑が浮んだ。そして、彼の方に馬の向きを変えた時、チェーザレの顔は、すでにいつもの若々しい彼のものにもどっていた。ヴィテロッツォが、チェーザレを迎えるために馬を降りようとしているのを見て、チェーザレは自分も馬を降りた。二人は、親し気に抱き合った。それを見て、オルシーニの二人も馬を降り、彼らに従ってきた騎兵隊を後に残して、この二人に近づいてきた。彼ら四人は、互いに何度も抱擁し合った。しかしその時、なにげない風を装《よそお》いながら、三人の傭兵隊長のかたわらに、チェーザレの家臣がそれぞれ二人ずつ附きそうように近づいていたのを、彼ら三人の誰一人として気附いた者はいなかった。この配置が終ったのを見たチェーザレは、ドン・ミケロットに視線を走らせた。主人の視線を受けたドン・ミケロットは、橋を渡り、城門を入って行った。オリヴェロットを探すためである。すぐにミケロットは、自軍の兵士の中にいるオリヴェロットを見つけた。彼に近づいたミケロットは、公爵にあいさつに来るようにと言った。少しの間答えに迷っていたオリヴェロットも、オルシーニやヴィテロッツォも一緒だと重ねて言うミケロットのすすめに従った。ミケロットに連れられて彼が城門を出てきた時、チェーザレは、他の三人の傭兵隊長と共に橋をわたりはじめていた。橋に近づいたオリヴェロットに、チェーザレは、いかにもなつかし気に近づいていった。

チェーザレとともに城門の前までできた四人の傭兵隊長は、彼に向っていとま乞《ご》いをしようとした。彼らは、城外に待たせてある自分たちの軍隊にもどって、明日の朝再び公爵に会いに来るからと言った。しかしチェーザレは、そのなつかしい喜びにあふれた態度を変えず、自分の宿所までセニーガリアの町を案内してくれるように、また一緒に何かを飲もうではないかと彼らをさそった。傭兵隊長たちは、一瞬、互いに顔を見合せた。そして、この一瞬のためらいが勝負を決した。

チェーザレのさそいを容《い》れて城門を入った四人の傭兵隊長の背後で、かけ橋が静かに上がっていた。チェーザレと四人は、すでに前もって宿所と決め手配しておいたベルナルディーノ・ダ・パルマの家に着いた。五人の男は、その家の中に入っていった。

中央の広間を通り抜けると、そこには細長い部屋があった。チェーザレは、そこを部屋のはしの小さな階段のところまで足早に歩いていった。その階段を二、三段のぼった時、彼は背後をふり返った。四人が皆、この部屋に入ったかどうかをたしかめるためだった。そのままの視線をドン・ミケロットの方に流した彼は、じっと自分を見つめているこの家臣の視線に出会った。二人の間に、見えない言葉が走った。ミケロットが何か、合図をした一瞬である。八人の男たちは、いっせいに四人の傭兵隊長に襲いかかった。一人に、両側から二人がかぶさるように。パオロ・オルシーニは引き倒されながら、チェーザレに向って叫び声をあげた。しかし、それもすぐに消えた。チェーザレは、武器をとり上げられ引きすえられた四人を無言で見やり、彼らに背を向けたまま、残りの階段をのぼって扉の向うに消えた。

数刻の後、裏口から家を出たチェーザレは、馬にとびのっていた。彼は、自軍の兵を従え、主人の身に何が起ったかも知らずに休んでいる、オリヴェロットの軍に襲いかかっていった。セニーガリアの町に閉じこめられ、外に出ることもできなくなったオリヴェロットの兵たちは、右に左に打ち倒されていくばかりだった。その戦況を見たチェーザレは、一隊を残し、他の軍勢をひきいて城門を出た。城外にいるヴィテロッツォらの軍を撃破するためである。それを追い散らした後、彼は再び町にもどった。町の中は、敵兵の死骸《しがい》で埋まっていた。その間を通りながら、彼の口から、鋭い命令が次々と発せられた。

冬の日は短い。だがその後に続く長い夜にも、チェーザレには、やらねばならないことが残っていた。裏切者に対する裁決である。彼は、ドン・ミケロットを呼んだ。
夜の十時、うす暗い灯の下に、ヴィテロッツォとオリヴェロットが引きすえられた。チェーザレは、この二人に向って、裏切りの罪を認めるかときいた。彼らにとって、それを認める以外のことは何もできなかった。死刑が宣告された。ヴィテロッツォは、チェーザレに向って言った。自分の魂の救いのために、自分のこれまで犯してきた数々の罪を許していただきたいと法王に伝えてほしいと。チェーザレは、黙って彼を見つめていた。かつて自分と、神とそれにつながるすべてのものに対する嫌悪《けんお》を話しあったことがある、この男の最後の姿を見ていた。今、その嫌悪の情が、あらためて彼の身体《からだ》中を走った。チェーザレは、死刑の執行を命じた。

オリヴェロットの方は、もう泣き出していた。祈りの言葉をつぶやくヴィテロッツォによりかかりながら、彼は子供のように泣き続けた。はりに丸く綱が下げられた。二人は並んで台の上に立たされ、綱がその首にかけられた。祈りと泣声は、すぐに止《や》んだ。

パオロとグラヴィーナ公の二人のオルシーニ家の者は、処刑を延期された。ローマで法王が、バッティスタ・オルシーニ枢機卿以下のオルシーニの一党を全員捕える時まで、彼らは牢《ろう》に入れられることになったのである。

夜の二時、マキアヴェッリは、チェーザレに会った。チェーザレは、はればれとした顔をして彼に言った。

「自分の、そして君たちにとっても敵である彼らを滅ぼすことができて喜ばしい」

そして彼は続けて言った。

「イタリアの不和の源を滅ぼしたのだ」

マキアヴェッリは、思わずきいていた。

「イタリア？」

チェーザレは、その鋭く光る眼で、マキアヴェッリをじっと見つめて言った。

「そうだ、イタリアだ」

イタリア。この言葉は、何世紀もの間、詩人の辞書以外には存在しなかった。マキアヴェッリの知り合ったどの人物も、その地位の上下を問わず、誰一人、この言葉を口にした者はいなかった。当時のイタリアには、フィレンツェ人、ヴェネツィア人、ミラノ人、ナポリ人はいても、イタリア人はいなかったのである。

しかし、イタリアの統一は、チェーザレにとっては使命感からくる悲願ではない。あくまでも彼にとっては、野望である。チェーザレは、使命感などという、弱者にとっての武器、というより拠《よ》りどころを必要としない男であった。マキアヴェッリの理想は、チェーザレのこの野望と一致したのである。人々のやたらと口にする使命感を、人間の本性に向けられた鋭い現実的直視から信じなかったマキアヴェッリは、使命感よりもいっそう信頼できるものとして、人間の野望を信じたのである。

第十二章

一五〇三年一月二日、チェーザレは、その全軍をひきいてセニーガリアを後にした。ヴィテロッツォとオリヴェロットの死体がぶらさがっている広場を過ぎ、捕虜二人を従えたチェーザレとその軍は、恐怖と畏敬《いけい》の入りまじった眼でみつめるセニーガリアの民衆の中を通っていった。オルシーニ家のパオロとグラヴィーナ公の二人の捕虜は、軍馬のひく砲台の上に縛りつけられていた。

いったん、その行動をはじめるやいなや、チェーザレは休養というものを知らない。次の目標が彼を駆り立てた。マジョーネの反乱に加担した全員を、ここで一気に粉砕してしまうことである。彼らのうちで、危うく難をのがれた者たち、オルシーニ家、ペルージアのジャンパオロ・バリオーニ、ジュリオ・ヴィテッリ、シエナのパンドルフォ・ペトゥルッチらは、このチェーザレの剣先を、真向から突きつけられることになった。

ローマでも、法王アレッサンドロ六世が、オルシーニの残党の処理に忙しかった。一月二日、オルシーニ家の長老で反乱の首謀者でもあった老バッティスタ・オルシーニ枢機卿《すうきけい》が、カステル・サンタンジェロの牢《ろう》に入れられたのがはじまりだった。

恐怖に動転したのは、何もこの反乱に加わった当事者たちだけではない。このセニーガリアの事件は、全イタリアを震駭《しんがい》させた。ヴェネツィア共和国は、その国境線であるラヴェンナに大軍を集結させ、ボルジアと友好関係にあったフェラーラ、マントヴァ、ボローニャも、軍隊に緊急命令を与えて待機させた。フランス王ルイ十二世もまた、チェーザレに対して反乱鎮圧の祝いの手紙を送ったが、その心中はおだやかならぬものがあった。ルイは、ボルジアに深入りしすぎた自分を、真剣に反省しはじめていたのである。なかなか魅力的だが、自らの軍事力を持たない枢機卿上りのこの法王の息子を、少しばかり自由に泳がせ過ぎたと思っていた。ナポリで、スペインに押され続けているフランスの現状とともに、チェーザレの躍進は、今では彼をいらだたせる原因になりつつあった。イタリア半島をわがものにしようとするルイの野心の前に、今までは自分の手先と思っていたチェーザレが立ちはだかる。セニーガリアの事件は、ルイに、イタリアにおける真の敵の出現を悟らせた。

チェーザレの方も、ルイのこの変化を知らないわけではなかった。しかし、いまだに自分とは比べようもないほど強大な軍事力を持つルイを、敵にまわすことはできなかった。ルイに、軍を動かす理由を与えない。それが、風のような彼の行動を規制していた。

二日の夜、チェーザレとその軍は、コリナルドの町に入っていた。そして次の朝、そこを発《た》ち、サッソフェラートに向った。四日、サッソフェラートに入城したチェーザレに、ヴィテロッツォらの軍の残党を追っていた味方の軍勢が合流した。彼らは、反乱軍をひどく痛めつけることはできたが、それを全滅はできず、敗走した兵がペルージアに逃げこんだという情報を持ってきた。

五日、チタ・ディ・カステッロから、ヴィテロッツォの弟の司教ジュリオが、ヴィテッリ家の全員を連れてペルージアに逃亡したという報告がとどいた。ウルビーノ公グイドバルドも一緒に逃げたということだった。そしてその夜が明ける頃の四時、今度はペルージアのジャンパオロ・バリオーニが、シエナのペトゥルッチをたよってこれも逃亡したという知らせが、チェーザレにとどけられた。ヴィテッリの者たちやウルビーノ公も、逃げた先から休む間もなく、再び逃げ出さなくてはならなかったのである。

　六日の朝、サッソフェラートのチェーザレの許《もと》に、相前後して、チタ・ディ・カステッロとペルージアの市民代表が訪れた。彼らは互いに、僭主《せんしゅ》たちの逃亡したあとの国を、チェーザレに捧《ささ》げに来たのである。自分たちをチェーザレの保護にゆだねることによって、彼の復讐《ふくしゅう》の刃《やいば》をのがれようと、彼ら代表は必死だった。

　チェーザレは、彼らに対して次のように言明した。教会軍総司令官である自分に対する反逆は、すなわち教会の長である法王に対する反逆と同じことになる。だから、法王の名によって彼ら反逆者を罰するのだと。チェーザレは、自分に捧げられたチタ・ディ・カステッロとペルージアを、教会に返還するという名目の下に、隊長の一人を派遣した。そして以後、チェーザレとの間に軍事同盟を結ぶことになったペルージアは、チェーザレに五百の歩兵と、領国内の要塞《ようさい》の提供を義務づけられただけであった。

　チェーザレは、法王に反逆した個人は罰するが、その領国には一指もふれないと宣言し実行したのである。この彼の打ち出した大義名分は、フランス王ルイをはじめとして、他のイタリア諸国からも起るであろう非難を、あらかじめ封じておくための手段であった。

その間にも、五百の重装騎兵、八百の騎兵、六千の歩兵を加えて、ほとんど一万五千にもふくれあがったチェーザレ軍は、いよいよ、反逆者の最後の一人パンドルフォ・ペトゥルッチの籠《こも》るシエナに向うことになった。七日の夕方には、すでに軍勢はアッシジの町に入っていた。

一方シエナでは、ペトゥルッチが対策に専念していた。マジョーネ同盟に加わった中で、誰よりも老練な政治家である彼は、ヴィテッリやバリオーニのように、何もせずに逃げ出す愚は犯さなかった。チェーザレ派と目される家臣二十人を牢に投げこみ、そのうちの三人の首をつるしてまで、チェーザレに対抗する姿勢をくずさなかったが、それと同時に、ローマやアッシジへ使節を送り、法王への忠誠、チェーザレに対する恭順を誓言して、外交的にも手だてをつくそうとしていた。

しかし、八日の夜アッシジで、シエナの政府からの特使を引見したチェーザレは言った。

「伝統あるシエナ共和国を倒そうという気は全くない。ただ、自分の敵パンドルフォ・ペトゥルッチ個人に対して憎悪《ぞうお》を持つだけであるから、シエナが彼を追い出すならよし、それとも彼とともに防戦に立つなら、こちらもやむをえずシエナ領国内に力をもってしても入るよりしかたがない」
シエナの町は、このチェーザレの宣告を受けてあわてふためいていた。共和国の政府の中でも、意見は真二つに分れた。チェーザレにあくまでも対抗するか、それとも僭主パンドルフォ・ペトゥルッチを追い出すか。カンポ広場には、ペトゥルッチ支持の市民たちが集まり気勢をあげた。「狼《ルーポ》、自由《リヴェルタ》、パンドルフォ！」狼は、それが紋章であるところからシエナの代名詞である。聖マルコがヴェネツィアを、百合《ゆり》がフランスをあらわすように。しかし、こう叫んだ彼らも、すぐに次の声をのどもとに押しこめねばならなかった。チェーザレとその軍が、シエナ領内のカステル・デッラ・ピアーヴェに入ったという報が伝えられたからである。そして十八日、シエナの人々は、それまで捕虜にされていたパオロとグラヴィーナ公の二人のオルシーニが、ドン・ミケロットの指揮に従って、あの世に旅立ったことも知らされた。この四日後、カステル・サンタンジェロでは、オルシーニ枢機卿が、これは自然死で、彼ら二人の後を追った。

その間も、チェーザレは、シエナの町に向けての進軍を止《や》めなかった。シエナの人々は、もう軍勢を眼前にする思いだった。政府委員会は、ペトゥルッチに逃亡をすすめた。と同時に、チェーザレに使節を送り、ペトゥルッチ追放を決定したと伝えさせた。

一月二十四日、協定は成立した。

「パンドルフォ・ペトゥルッチがシエナを離れると同時に、ロマーニャ公爵はその軍をシエナ領国外に後退させる。シエナ共和国は、以前と同じ政府によって統治される。ただその城門は、亡命者（ペトゥルッチを意味する）には開かれない。ペトゥルッチの財産は保護され、彼の家族に受け継がれる」

チェーザレは慎重だった。ここではペトゥルッチ個人の追放だけを獲得しようとした。教会領でないシエナには、チェーザレの大義名分は通用しない。そしてチェーザレの動きを警戒するフランス王ルイが、彼がシエナに手を下すのを許すはずがないことも見抜いていた。しかし、もしルイがチェーザレの動きを押しとどめるために、ペトゥルッチを助けるとしても、チェーザレはここで、ペトゥルッチだけを例外にすることはできなかった。マジョーネの反乱に加わった者は、全員を見せしめに処す必要があったのである。

シエナ共和国の代表とチェーザレとの間に協定が成立しても、まだペトゥルッチはあきらめなかった。逃亡してきているバリオーニも、抗戦を主張していた。チェーザレは、さらに軍をシエナ領内深くピエンツァまで進めた。ここからシエナの町までは、四十キロをへだてるだけである。その日、シエナ政府委員会は、チェーザレからの最後通告を受けとった。

「神に誓って、もし夕刻までにペトゥルッチの追放が実現されなければ、われわれはシエナの全市民をペトゥルッチと同じと見なし、直ちにそれに対するにふさわしい行動を開始するであろう」

ここに来ては、シエナの人々も迷わなかった。チェーザレからの通行許可証をもらったペトゥルッチは、ジャンパオロ・バリオーニとともに、ルッカをさして逃げて行った。しかしルッカにまでのびたチェーザレの手をのがれて、彼らはヴィアレッジョから海路フランスへ逃げた。フランス王に助けを求めるためだった。

しかし、一月十日、まだチェーザレの許にいたマキアヴェッリに向って皮肉気に言ったチェーザレの言葉は、やはりその見通しを間違ってはいなかった。

「われわれの〝店〟の主人であるフランス王は、シエナにふれるのを望まないだろう」

同年の三月二十九日、フランス王ルイの干渉によって、パンドルフォ・ペトゥルッチはシエナの僭主として返り咲くのである。

一月二十八日、マジョーネの反乱に関するすべての後始末を終えたチェーザレは、それまでの敏速な動きと対照的に、イタリア中部全体ににらみをきかせでもするかのように、ゆっくりとした速度でローマへ軍を向けた。二百三十キロの道を、約一カ月をかけて進軍したことになる。ローマへ入ったのは、二月も末であった。

ローマでのチェーザレは、自分の宮殿に閉じこもったきり、ほとんど人に会おうともしなかった。時折、狩りに出かけるだけの日々が過ぎていった。しかしその頃、彼は、重要な決断の時を迎えていたのである。

彼は、サン・マリーノ、ウルビーノ、フェルモを含めたロマーニャ公国を持っていた。そして的確に要所を押えた彼の治政によって、この新しい領国は、彼の下に着々とその国造りを進めていた。民心は、今では完全にチェーザレのものだった。国土建設も、彼が全権をゆだねたレオナルド・ダ・ヴィンチの壮大な計画に沿って進められていた。さらに、マジョーネの反乱を逆に利用した彼は、ウンブリアとトスカーナ地方をも、教会軍の旗の下に制圧していた。イタリア半島の中部は、ほとんどチェーザレの勢力の及ばない地域はないほどだった。北のロマーニャから南のローマを含むラツィオ地方にかけて、イタリア半島全体のおよそ三分の一の地域を、彼は自分のものにしつつあったのである。ただ一つ残ったのは、彼の勢力に完全に包囲された形となったフィレンツェ共和国だった。チェーザレの次の目標、それはこのフィレンツェに向けられる。

しかし、ここでフランス王ルイ十二世と衝突することは避けられない。これまでの例から、ルイの強硬な反対が予想された。チェーザレが、ロマーニャ公国だけで満足し、教会軍総司令官という一種の傭兵《ようへい》隊長の職を続けるだけならば、ルイといえども見のがしたことだろう。しかし、チェーザレの眼は、もっと遠くを見ていた。フィレンツェの次に、彼はその目標をナポリ王国に置いた。もし南イタリア全体を意味するナポリ王国まで手に入れることができた時は、フェラーラ、マントヴァも、ましてボローニャなどは問題にならない。残るは、ヴェネツィア共和国だけになる。ヴェネツィアを先にやるか、またはひとまずヴェネツィアと協力して、ミラノからフランス人を追い出すか。その頃のチェーザレは、どうやら後者の考えを定着させていたらしい。ヴェネツィア共和国大使と、彼は他の誰とよりも多く会っている。

ただ、何よりの急務は、対フランス関係だった。チェーザレは、事あるごとに干渉し出したルイから離れるための準備に、その頃になって本格的に着手していたのである。しかし、今の彼の力では、独立してフランス王と対決することは許されない。フランスを捨てる代りに、どこか他の国と手を結ばねばならなかった。そして彼は、フランスに代る国として、スペインをとろうとしていたのである。

この考えは、法王を狂喜させた。若い頃にイタリアに来て以来、年を重ねるにつれて故国への郷愁をより強く感じるようになっていた老法王は、息子のこの決断に全面的に賛成した。ただ、チェーザレは、父法王と同じ感情からスペインに近づこうとしたのではなかった。彼は、その合理的判断によって、新興国スペインと手を結ぼうとしたのである。チェーザレは、家族と話す時は、ヴァレンシア方言を使った。スペインの風習に従った闘牛もした。しかし、彼が好んで着けたフランス風のふちなし帽が、彼をフランス人にしなかったと同様に、父親と違って彼は、全くスペインに感傷的な関心を持ってはいなかった。

軍事力においても、チェーザレの理想は着々と実現されていた。彼の軍隊は、イタリア内の他国の軍事力など問題にならないほどに、その優秀さで光っていた。ヴェネツィア陸軍も、今ではその質の点で、彼の軍に劣るほどだった。ロマーニャ公国内で徴兵された兵士は、一定期間の軍務を義務づけられ、少しずつその質も向上しつつあった。彼らは、徴兵軍を自分の軍の主力とするというチェーザレの考えにより、装備の点でも優遇されていた。農民の出である彼らに、兵士の誇りを持たせるため、チェーザレはそろいの美しい軍服を着けさせた。軍服の胸には“Caesar”とぬいとりがしてあった。チェーザレのラテン語名であった。武具全般には、レオナルド・ダ・ヴィンチの眼が光っていた。

一四九八年七月十七日に、彼は、枢機卿の緋《ひ》の衣を脱ぎ捨てた。その彼が、剣をとって動きはじめた一四九九年の秋から数えて四年足らずの間に、チェーザレはここまで成しとげていた。日一日と冷たくなっていくフランス王との関係も、それにスペインが代るのも近かった。一国も持たず、一兵も無しに出発した彼の野望、王国創立という野望は、この二十七歳の若者の眼前に、いまや明確な形をとって広がっていた。自軍の旗印に書かせた彼のモットー“Aut Caesar aut nihil”（皇帝か無か！）にこめられた彼の気概とともに。

第三部　流　星

（一五〇三～一五〇七）

第一章

一五〇三年、夏。

法王アレッサンドロ六世は、七十二歳を迎えていた。彼が法王に即位してから、すでに十一年の歳月が過ぎようとしている。この頃、めっきり年老いた法王には、以前の老練な政治家の面影は失われていた。彼は、息子チェーザレの成功した姿を一日も早く見たい欲望を、もう誰にもかくそうとはしなかった。チェーザレを王にすると、ヴェネツィア大使に宣言したりした。フランス王を軽視する態度も、露骨になった。それと反対に、スペイン王への親愛度を公然と示してはばからなかった。

父のこのやり方は、チェーザレにとって、望ましいことではなかった。フランス王と手を切ると決意した彼も、それを巧妙にはこばねばならなかった。新しい味方を獲得しない前に、古い味方を敵にまわすことはできない。彼は、父法王のように自由に話せる立場にはなかった。そのために彼は、フランス王の傭兵《ようへい》隊長であるジョヴァンニ・ジョルダーノ・オルシーニと、ヴェネツィア共和国の傭兵隊長ニコロ・オルシーニとの間に、講和さえ成立させた。彼には、この機にオルシーニ一党を粉砕する気は十分にあったのだが、フランス王とヴェネツィア共和国という二大国が、ボルジアに敵対する口実を与えないためであった。その彼にとって、ロマーニャ、マルケ地方にわたる彼の領土を合わせてアドリア王国を建立《こんりゅう》するという父法王の考えも、あまりありがたいものではなかった。まず、彼にはそのような小王国で満足する気はなかったし、もしそのようなことにでもなれば、フランス王だけではなく、この新王国と国境を接するヴェネツィアを刺激するのは明らかだった。法王から言質《げんち》を引き出したヴェネツィア大使ジュスティニアンから広まったこの噂《うわさ》を、チェーザレはきっぱりと否定した。そして裏では、スペインとの間に、同盟の準備を進めていた。

七月、チェーザレは、再び行動を開始した。ドン・ミケロットを同伴し、例によってごく少数の伴《とも》を従えただけの彼は、チヴィタヴェッキアから海路ピオンビーノへ渡った。そこでその地の総督でもあるドン・ミケロットと別れ、さらに船でピサへ向った。アルノ河の氾濫《はんらん》で被害を受けたこの地方を視察するためである。彼に同行していたレオナルド・ダ・ヴィンチが、水害の後の整備工事を担当することになっていた。

この後彼は、ロマーニャへ向った。ロマーニャ、マルケにまたがる全領国の視察を、急いで済まさねばならなかった。八月十一日の法王即位十一周年記念祝典には、教会軍総司令官である彼が列席しないわけにはいかなかったのだ。そのチェーザレがローマにもどってきたのは、七月も終る頃だった。

悲劇は、突然にやってきた。

その夏のローマは、ひどい天候の中にあえいでいた。風は全くなかった。太陽は突き刺すように照りつけた。水は腐りはじめた。そして、マラリアが襲ってきた。すべての枢機卿《すうききけい》の家は病院と化した、と当時の記録は伝えている。しかし、屋根の下で死ねる者はまだよかった。それもできない人々は、道路の石だたみの上や、水も出ない噴水のかたわらで死んでいった。引取り手もなく、そのまま打捨てられた死体がそこここに散乱し、腐りはじめた死体の悪臭が街中をおおった。テヴェレ河の島、イゾラ・ティヴェルティーナにある病院でも、橋をわたって来る途中で倒れた病人が、そこにそのまま放置されていた。医者たちも、手がまわりきらなかった。恐怖にかられた人々の間から、「ペスト、ペスト」という言葉が走った。だが、ペストではなかった。症状は、ひどく悪性のマラリアを示していた。

まず、フィレンツェ大使アレッサンドロ・ブラッチが死んだ。すぐ続いて、法王の甥《おい》ジョヴァンニ・ボルジア枢機卿も死んだ。甥の死の知らせは、法王に、もはや衰えた自らの肉体への疲労を感じさせた。その翌日、外からの暑熱を防ぐため、窓がすべて閉められている法王宮のうっとうしい一室で、法王は、ヴェネツィア大使ジュスティニアンにこう話していた。

「このローマにあふれる病人、そして毎日死んでいく彼らを見ると、私自身の身体《からだ》からも精気が抜けていくような気がする」

死人の山を見て、自分自身が病気になりそうに感じたのは、なにも老いた法王だけではない。ローマから外へ出られる者は、すべてローマを捨てた。枢機卿たちも、郊外の別荘に逃げ出した。各国の大使や情報官たちですら、ローマを離れる許可を、それぞれの君主や政府に要請した。法王もチェーザレも、ローマを離れる必要を感じていた。とくにチェーザレは、なるべく早く再びロマーニャへ発《た》つつもりでいた。しかし、法王即位十一周年記念日の八月十一日は迫っていた。二人とも、ローマを離れるわけにはいかなかった。そういう彼らのために、以前は法王の秘書官をし、今では枢機卿になっているアドリアーノ・ダ・コルネートが、八月四日、ローマ郊外の彼の別荘で、ぜいたくな昼食会を催した。

それから八日たった八月十二日、まず法王が高熱と吐き気のために倒れ、次の日、チェーザレも同じ症状で病床についた。


ここからボルジアの没落がはじまったと人々は言う。枢機卿を殺すつもりでボルジアが用意しておいた毒入りのブドウ酒を、まちがって法王が生のままで飲み、チェーザレは水を割って飲んだのだと。「この二人の病気の原因は、八日前、アドリアーノ枢機卿の家で催された宴《うたげ》にあると思われる。なぜならば、同席者のすべては病気になっているし、最初に倒れたのは、アドリアーノ枢機卿自身であるから」というヴェネツィア大使の報告によったのであった。同時代の歴史家グイッチャルディーニ、ジョーヴィオ、サヌードらも、そして後代のブルクハルトもこの毒殺説を信じた。

しかし、当時ローマにいた記録者、年代記作者たちは、一言も毒殺の字を残していない。「多くの人々が、このペストでない病気のために死んだ。法王もチェーザレ公も病床についた。症状は、時々間を置いては襲ってくる高熱と吐き気で、これは他の病人と全く同じである」と、カタネイ、コスタービリ、ブルカルドは書き残し、当時の用語でマラリアを示す〝三日ごとの熱〟だとしている。フィレンツェ、マントヴァ、フェラーラ各国の大使の報告の中にも、症状はマラリアのそれだとある。後代の歴史家たちも、パストール、ルツィオ、ヴッドゥワードをはじめとして、皆毒殺説に反対の立場をとった。

世にボルジアの毒薬といわれる有名な「カンタレッラ」は、史実では、いまだに実証されていない。まったく有名無実であったと断言もできないが、実在していたという証拠も史料も発見されていない。ボルジアが毒薬を使って人を殺したという記録も、一五〇三年のこの彼らの没落後から書かれはじめてきたのである。そして十九世紀、フランス・ロマン派の文学者たちによって、それは伝説化されてしまった。

しかし、当時毒薬に最もくわしかった、ヴェネツィア共和国政府の十人委員会の毒薬専門の記録を調べてみても、ひどく幼稚な調合と使い方であり、その成功例も皆無に等しい。これから考えても、世に有名なボルジア家の毒薬とは、法王とチェーザレ二人の頭脳のことではなかったか。まして、七十二歳の老人を殺すのに約二週間かかっていること、そして同じ昼食会に同席していた枢機卿たちは、その中の最も高齢な人たちでさえ死んでいないこと、その上、すべての記録に残る彼ら二人の症状は、全く悪性のマラリアを示していること、これらを検討すると、ボルジア家伝の毒薬によるという毒殺説は、彼ら一族の悲劇をより劇的に面白くする効果はあっても、その真実性の根拠は薄弱といわねばならない。

八月十二日に倒れた法王も、その次の日に床についたチェーザレにも、一進一退の病状が続いた。八月十四日、法王は医師の手で血を取られた。血を取るのは、当時最善の治療法と思われていたのである。しかし、法王の高熱は下がらなかった。彼は、病床にぐったりとなったまま動かなかった。チェーザレの方も、医師にとりかこまれながら、死ぬほどの衰弱の中にいた。灼《や》けつくような高熱が、くり返して彼を襲った。吐き気がひどかった。高熱にともなう頭痛に襲われるたびに、チェーザレは病床の上をのたうちまわって苦しんだ。ピオンビーノから駆けつけたドン・ミケロットが、そのチェーザレを押えつける間に、医師たちはようやく血を取ることができたほどだった。野獣のようにあばれる時と、死んだような失神状態が、交互に彼をさいなんだ。誰もが、法王より彼の方が重症だと思いこんだ。

間を置いて襲ってくる高熱と頭痛の間にも、チェーザレには、しばらくでも平常な神経にもどる時があった。その時の彼は、父法王の病勢だけが心配だった。自分が治らねばならない、遅すぎないうちに。オルシーニ、コロンナの復讐《ふくしゅう》も危険だったし、ヴェネツィア、フィレンツェ、それにフランスも信用できなかった。

枢機卿たちは、それぞれの家に引きこもって情勢を見守っていた。各国の大使や情報官たちは、刻一刻と変る二人の病勢にペンを休みなく走らせ、それを持って去る飛脚の馬が、八月の白いほこりを蹴立《けた》ててイタリア中に、そしてヨーロッパ中に散っていった。

しかし、重症と思われたチェーザレよりも、老いた法王の身体の方がもう終りにきていた。発病から六日目の八月十八日の朝、彼は、その病室でミサを行うことを希望した。ミサの後、法王は懺悔《ざんげ》をし、聖体拝領を受けた。そして晩鐘の頃、終油の秘蹟《ひせき》が、もう瀕死《ひんし》の彼に行われた。深い沈黙が病室をおおった。その夜、アレッサンドロ六世は死んだ。彼の老いた心臓は、もうこれ以上の高熱に耐えてゆくことができなかったのである。

法王の死は、直ちにそのすぐ上の部屋のチェーザレに知らされた。しかし、自分自身も生と死の境をさまよっている彼は、病床から起き上ることもできなかった。

「彼は私に言った——とマキアヴェッリは後に書いている——わたしは、父の死ぬ時に起りうるすべてを、以前から考えていた。方策もみつけていた。しかし父の死の時、自分自身もまた死の境にいるとは考えもしなかった」

しかし、今、彼の最後の望み、自分が治るまで父法王がもちこたえてくれたらというその望みも断ち切られた。


法王の死を迎えて、それまでの各法王の死の時の例からも、まず最初にやらねばならないことは、法王宮を暴徒の略奪から守ることだった。チェーザレのまわりをかためている、彼に忠実な若者たちがそれにあたった。指揮は、ドン・ミケロットがした。法王宮の扉という扉も、カステル・サンタンジェロの扉も、かたく閉ざされた。さらにドン・ミケロットは、法王代行の任にあった枢機卿につめ寄り、否《いな》と言えばのどを突き、窓からテヴェレ河に投げ込むとおどして、法王宮の財宝室の鍵《かぎ》を取り上げた。そして彼らは、財宝室から金貨や宝石、さらに他の部屋からも多くの貴重品をチェーザレの病室の近くに持ってこさせた。それらの価格は、少なく見つもっても、三十万ドゥカートを下らなかった。法王の病室も、ほとんど空っぽになった。寝台の上に、遺体が横たわっているだけだった。そして、これらすべてが済んだ後、チェーザレの命によって、はじめて法王の死が公表された。

一方、法王の遺体は、法王庁の式部官ブルカルドの指示によって、おうむの部屋《サラ・デル・パパガツロ》と呼ばれる一室に移された。そして遺体は洗われ、法王の正装を着せられ、二つの燭台《しよくだい》の間、紫色のブロケードでおおわれた卓の上に安置された。ろうそくの火がゆらぎもしないで灯《とも》る、閉めきった暑苦しい部屋の中に、一人の付きそいもなく。

次の朝、遺体はサン・ピエトロ大寺院に運ばれた。ミサには、枢機卿以下高位聖職者は一人も出席していなかった。葬式の祈りのための聖書すらも、どこに置いてあるのかわからないような状態だった。聖歌隊はかけ足で歌った。衛兵たちは、たいまつのうばいあいで声高にののしりあい、列席していた僧たちも、それを怖《おそ》れて聖具室に逃げこんでしまった。ブルカルドは、三人の未知の人々の助けをかりて、法王の遺体を、これらの騒ぎから安全な格子《こうし》の向う側に移さねばならなかった。

午後にはじまる民衆の最後の別れを受けるため、格子の向うに安置されたままの遺体は、その間にも暑さのための腐敗がはじまっていた。死体はどす黒く変り、ふくれだした。悪臭さえも漂ってきた。サン・ピエトロ大寺院の中に列をなしていた民衆も、恐怖に身ぶるいした。しかし、ぞっとするような見世物を好む大衆心理からか、行列は夕刻近くまで絶えなかった。それでもしばらくして、見るに耐えないほどに変り果てた法王の遺体は、誰かの手によっておおいをかけられた。

夜半近く、わずかのたいまつの光に照らされた淋《さび》しい葬列が、サンタ・マリア・デッレ・フェーブリ教会の墓地に向っていた。一人の司教とその助祭たちの他は、ごく少数の人々だけが付きそっていた。埋葬の時になって、用意された棺《ひつぎ》には、ふくれ上った法王の死体がどうにも入りきらず、二人の力の強い人夫が、最後には足を使って無理やりに押しこまねばならなかった。地下の墓所の石壁にゆれるたいまつの火が、押しこもうとされるたびにはね上る死体の醜い全貌《ぜんぼう》を、怖ろしげに照らし出していた。ようやく棺のふたは閉じられ、埋葬は終った。参列者たちは明りを消し、沈黙の中を急ぎ足で立ち去った。墓所の出口の鉄の扉が、その彼らの背後で、無気味なひびきをたてて閉じられた。

第二章

わずか十五日前には、その野望実現を眼前にしていたチェーザレは、今それが、音をたてて崩壊していくのを感じていた。父法王の突然の死。それと同時期に彼を襲った瀕死《ひんし》の重病。さらに、フランス王から離れ、スペインに近づこうとしていた彼の方策が、まさに進行の途上であったこと。これらの要因が、彼の不幸を決定した。フランス、スペインの両勢力のいずれをも、彼は確実な味方にしていなかった。さらに、法王の在世中、無気味な沈黙を守っていたイタリア最強の国ヴェネツィアがいる。この三列強は、法王という後ろだてを失ったチェーザレの今後の成行きを、じっと見守っていた。イタリア諸国は、法王の後を追って彼も死ぬことを願っていた。

この危機にあって、チェーザレは、すきを見せてはならなかった。主導権はいまだに自分にあることを、示さねばならなかった。父法王という大きな後ろだてを失ったとはいえ、法王の死直後の彼の状態は、それほど絶望的なものではなかったのである。

まず彼は、教会軍総司令官の地位にあった。これは、枢機卿《すうきけい》や他国の支配者といえども、無視はできなかった。

第二に、ロマーニャ公国があった。そこに配置してある彼に忠実な家臣とともに、公国全体は、チェーザレの支配下に統一されていた。

第三に、彼は武力をもっていた。ヴェネツィア大使ジュスティニアンによれば、九千の歩兵、二千の槍騎兵《そうきへい》に加えて、大砲のためだけの強力でかつ完備された二隊を持つ、とある。

さらに第四は、彼には、忠誠をつくし信ずるに足る側近がいたことである。ドン・ミケロット以下、この主君のためには死をもいとわないほどの家臣に、チェーザレは恵まれていた。

第五に、法王の死後、カステル・サンタンジェロに避難させた三十万ドゥカートにのぼる教会財産は、いまだに彼の手中にあった。さらに、公私ともどもあれほど湯水の如《ごと》く金を使っていたにしては、ジェノヴァ、ヴェネツィア、フィレンツェの銀行に、彼は、五十万ドゥカートの金を預けてあった。これは、何かをやるには、ひとまず使える金額であった。

これだけそろっていては、この機にチェーザレを破滅させようと狙《ねら》っている各国にしても、そうは容易に手を出せるものではない。彼らは、チェーザレが死ぬことを願いながら、じっと様子をうかがっていた。

まず、最初に行動を起したのは枢機卿団《サクロ・コレッジオ》である。八月十九日、アレッサンドロ六世が死んだ翌日の夜、ミネルヴァ寺院で会議が開かれ、十六人の枢機卿が集まった。彼らは、カステル・サンタンジェロを明け渡すよう、チェーザレに要請することを決議した。しかし、その同じ夜、城代はその勧告を拒絶した。チェーザレの家臣でもある城代の拒絶の理由は、カステル・サンタンジェロは、新法王にのみそれを手にする権利がある、というものだった。

翌日、同じ場所で再び枢機卿会議が開かれた。新法王選出のためのコンクラーベを開く前に、チェーザレにローマ退去を要請しようとしていたその会議に、突然、武装騎士の一隊をひきつれたドン・ミケロットが乗りこんできた。剣を突きつけて、その案を撤回するよう迫るドン・ミケロットに、チェーザレのピサ大学時代の恩師で今はソレントの枢機卿になっているレモリーノ・ダ・レリーダが、目に涙をためながら、このまま帰るようにと説得した。彼は、チェーザレとは同窓であったドン・ミケロットにとっても恩師であった。

しかし、枢機卿団は、早急に次の法王を選出しなければならない。彼らは、チェーザレに対してローマ退去の要請をするための仲介を、ヴェネツィア大使に依頼した。二十一日、それを受けた大使ジュスティニアンは、ヴァティカンへ行き、チェーザレと会った。病床に横たわったまま大使を迎えたチェーザレは、衰弱のため、ほとんど口もきけなかった。あいかわらずの高熱が、彼の両眼を充血させ、とぎれとぎれに、枢機卿団の勧告に拒絶を示す言葉を出すだけがやっとだった。その彼のひたいには、見るまに脂汗《あぶらあせ》がふき出た。ジュスティニアンは、これほど重態とは想像もしていなかった、と書いて、その報告を終えている。

日がたつにつれて、チェーザレの死を待って様子を見ていた人々も、待ちきれずに行動を起しはじめた。まずオルシーニが、復讐戦《ふくしゅうせん》の皮切りだった。ローマへ進軍してきた彼らは、はじめはチェーザレ軍の手強《てごわ》い反撃を受けた。ドン・ミケロットのひきいる軍の精鋭が、オルシーニの根拠地モンテ・ジョルダーノにある彼らの城を、大規模な砲撃で破壊したのである。しかし、敵はオルシーニだけではなかった。スペイン王の傭兵《ようへい》隊長であるプロスペロ・コロンナのひきいるコロンナ勢もまた、ローマを目指して北上してきたのである。さらに、ナポリで劣勢にあるフランス軍を助けるため、フランス王から派遣された援軍も、マントヴァ侯フランチェスコ・ゴンザーガ指揮下、刻々とローマに近づきつつあった。

数日のうちに、ローマは、なだれこんだこれらの諸軍勢のために、互いがにらみ合う形勢となった。フランス軍、オルシーニ軍、ナポリのスペイン軍と通じているコロンナ軍、そしてチェーザレの軍である。ローマ市中の各所で、衝突が絶えなかった。「コロンナ」「オルシーニ」「ボルジア」という叫び声が互いに競い合うように街中にこだました。その中でも、ナポリで優勢なスペインを背景にもつコロンナ軍が、とくに強い態度に出ていた。だが、主導権をにぎろうとするプロスペロ・コロンナが、オルシーニと結ぼうとする動きを、ドン・ミケロットは許さなかった。彼は、チェーザレの末弟で、一年前から軍勢についていたホフレを同行し、プロスペロの軍の前線と接する地点に陣を張った。

しかし、長く仇敵《きゆうてき》の間柄であったコロンナ勢とオルシーニ勢も、共同の敵ボルジアを前にして、統一戦線を実現させた。これは、チェーザレを不安にした。彼は、この両者の間を裂こうとし、フランス王の傭兵隊長をしているオルシーニの一党よりも、スペイン王配下のコロンナ勢をとった。かつてチェーザレが攻略して奪った、コロンナ所有のローマ郊外の城塞《じょうさい》を返還するというのが条件である。プロスペロは、それを受けた。ボルジア、コロンナ合同軍の前に劣勢となったオルシーニ勢は、二十四日、ローマから退却した。

ここに至って動き出したのが、ヴェネツィア共和国である。ローマでのチェーザレの立場が強くなっては、ロマーニャ地方を狙う彼らの行動が起せなくなる。ヴェネツィアは、枢機卿団の中の反ボルジア派に働きかけた。ロマーニャにあるチェーザレの軍勢が、ローマから百キロの距離のオルヴィエートに到着したという知らせが、ヴェネツィアと枢機卿団に、一致した行動をとらせることになった。今度の仲介者は、前回の時のヴェネツィア大使にさらに加えて、ドイツの神聖ローマ帝国、フランス、スペインの大使の四人となった。

二十五日の夜、法王宮の一室で、彼らはチェーザレと会った。チェーザレは、あいかわらず寝台から起き上れない状態だったが、今回は、教会軍総司令官の正装を身に着けていた。寝台の背にクッションをいくつも重ねて、彼はようやくそれで身をささえていた。その彼の周囲には、スペイン人の枢機卿たちが控えていた。寝台のかたわらに立つドン・ミケロットが、大使たちをにらみつけていた。この情景だけを見れば、征服者が被征服者の代表を引見しているかのようだが、会見の内容は、それとは反対のものだった。

まず大使たちは、自分たちはあくまでも枢機卿団の意向を伝えにきた者だが、それぞれの母国の君主たちも、枢機卿団と同じ意見に達している、と言った。そして続けて、枢機卿団の決議事項を告げた。法王選出のコンクラーベ開催時に、コンクラーベの自由を侵さないために、ローマにはいかなる武将もいてはならないという法律、というよりは伝統を理由とした、チェーザレに対するローマ退去勧告である。

長い静寂の時が流れた。誰もが、これに対するチェーザレの答えを待っていた。蒼《そう》白《はく》になったチェーザレは、起きあがろうとした。だがその一瞬後、彼は力なくクッションの山に倒れた。彼をささえようと走り寄った秘書官のアガピートの手を、それでもふり払ったチェーザレは、しぼりだすような声で、自分が病身であることを理由に、枢機卿団の勧告を拒否した。しかし、チェーザレにとっては、反ボルジア派の枢機卿たちだけを集めた枢機卿団の決議などは問題にしなくても、その背後にある各列強は無視できなかった。ここで、枢機卿団を武力で押えるよりも、彼らに譲歩することによって、彼らを懐柔しようと考えたのである。

八月三十日、チェーザレと枢機卿団との間に、協約が成立した。チェーザレの教会軍総司令官の地位を保証し、新法王にはスペイン人枢機卿のうちの一人またはソレントの枢機卿を選出するよう努めること。さらに、チェーザレの軍だけでなく、他のコロンナ、オルシーニの軍も、いっせいにローマから六キロ以上外に撤退させる、というものである。九月一日、モンテ・マリオに陣取っていたチェーザレの軍は、この協定に従ってローマを去った。その翌日、チェーザレ自身も、ネピの城へ向ってローマを発《た》った。城壁の外まで、フランス、ドイツ、スペインの大使たちが見送った。チェーザレは、真紅のカーテンがひかれ、八人の従者にかつがせた輿《こし》の中に横たわっていた。見違えるほどに痩《や》せた彼は、脚だけふくれ上り、まだひどい頭痛に苦しんでいた。輿の後には、今度初めて主人を背にしない彼の見事な馬が、公爵《こうしゃく》の紋章を付けた黒いビロードの馬衣をつけて従っていた。

ネピの城に着いたチェーザレは、旅の疲れを休める間もなく、不利な知らせを次々と受けねばならなかった。まずそれは、ウルビーノとペルージアが反乱を起し、旧主を迎え入れたという知らせで始まった。

グイドバルド公爵──→ウルビーノ。

ジャンパオロ・バリオーニ→ペルージア。

さらに、ヴェネツィアの後押しを受けたその他の僭主《せんしゅ》たちも、続々と旧領に返り咲いた。

ヤコポ・ダピアーノ→ピオンビーノ。

ジャンマリーア・ダ・ヴァラーノ→カメリーノ。

ジョヴァンニ・スフォルツァ→ペーザロ。

パンドルフォ・マラテスタ→リミニ。

ヴィテロッツォ・ヴィテッリの甥たち→チタ・ディ・カステッロ。

サン・マリーノ共和国も独立を宣言した。この報にも、身体《からだ》を動かすことさえ自由にならないチェーザレは、重病の床で、ただ歯ぎしりするだけだった。

しかし、ロマーニャ公国の諸都市、チェゼーナ、フォルリ、ファエンツァ、イーモラは、そのままチェーザレの下に残った。この地方は、ヴェネツィアのゲリラ隊を迎えて街を封鎖し、とくにフォルリとイーモラは、旧主のカテリーナ・スフォルツァの帰還を、全員一致の市会決議で拒絶した。

だが、重病のために持前の鋭い判断力を失ったとしか思えないチェーザレは、ここで、また無用な策をとった。フランス王ルイに、再び近づこうとしたのである。スペイン枢機卿の票を、コンクラーベでダンボアーズ枢機卿の法王選出にまわすというのが条件だった。チェーザレのこの要請を入れたルイは、イタリア諸国、とくにヴェネツィアとフィレンツェ両共和国に対して、次の警告を発した。チェーザレの領国に侵入してはならない。また、復帰を策す旧僭主たちに対する援助は禁ずると。しかしこの王の警告は、ナポリにおけるフランスの劣勢から、イタリア諸国に対しては以前ほどの力は持たなかった。少しでも効果のあったのは、フランスと結ぶことなしにはやっていけないフィレンツェ共和国に対してだけである。ヴェネツィアにいたっては、これを完全に無視した。

一方、チェーザレの去ったローマでは、コンクラーベ出席のため、続々と枢機卿たちがローマ入りしていた。

九月三日、十年間のローマ不在の後に、ジュリアーノ・デッラ・ローヴェレ枢機卿到着。

六日、これも五年の間シチリアに逃げていたコロンナ枢機卿も、ローマに帰ってきた。

九日、ラファエッロ・リアーリオ枢機卿入城。

十日、アラゴン枢機卿に続いて、三年間のフランスでの捕囚生活から、ダンボアーズを応援するということでようやく自由になれたアスカーニオ・スフォルツァ枢機卿が、ルイ十二世の期待を負ってコンクラーベにのぞむ、ルーアンの大司教ジョルジュ・ダンボアーズ枢機卿と共に到着した。

十六日、法王選出のための枢機卿会議、コンクラーベが開かれた。三十七人の枢機卿が集まった。しかし、形勢は混沌《こんとん》としていた。フランス派はダンボアーズ枢機卿を、ヴェネツィア派はローヴェレ枢機卿を推し、再び考えを変えたチェーザレは、スペイン派が推すカルヴァジャル枢機卿を応援していた。この三つどもえの争いは、またもヴェネツィアの策謀によって、イタリア、スペイン合同派とフランス派の対決となった。両派にらみ合いの間を、九月二十二日、シエナの枢機卿フランチェスコ・ピッコローミニが、ピオ三世として法王に選出された。まじめな聖職者であったこの新法王は、両派のどちらにも属してはいなかったからである。ネピにいるチェーザレも、新法王には伯父にあたるかつてのピオ二世が、自分の父のアレッサンドロ六世とことのほか親しかったことから、この新法王を歓迎した。しかし、新法王ピオ三世は、八十歳の高齢に加えて病身であるために、暫定《ざんてい》的な選出であることは明らかであった。

それでもピオ三世は、チェーザレに同情的だった。いよいよ軍事行動に出たヴェネツィアが、アルビアーノ指揮官に大軍をひきいさせてネピを襲うという情報を得たチェーザレが、身の危険を感じ、ローマへ帰る許可を乞《こ》うたのを許した。さらに十月一日には、ロマーニャに対して露骨な侵略行為を続けるヴェネツィアに、法王教書をもってそれをやめるよう抗議もした。その頃、法王はフェラーラ大使に向って次のように言っている。

「私が、公爵に同情するようになろうとは想像もしていなかった。しかし今は、あの若者は重病の身なのだ」

十月三日、チェーザレはローマに帰ってきた。二百五十の騎兵、五百の歩兵を従えただけである。追って後から全軍が到着するはずであったが、それには大きな期待はかけられなかった。一カ月半前の父法王の死の直後には、一万二千はあった彼の軍勢は、今、壊滅状態に瀕《ひん》していた。高額の傭兵料をえさにし、チェーザレの苦境を宣伝して不安感をあおったヴェネツィア政府によって、まずフランス、スイス、イタリア人の傭兵隊がチェーザレを捨て、ヴェネツィア軍に走った。あせったチェーザレは、オルシーニとの間に傭兵契約を結んだが、これもヴェネツィアが、彼より高額の傭兵料を約束したことによって、次の日にはすでに反故《ほご》に帰していた。そして十四日、チエーザレの軍の解体は決定的となった。スペイン王の名によって、全スペイン人に対して、チェーザレの下に軍務につくことを禁止した命令が出されたのである。理由は、チェーザレがフランス王と友好関係にあるためとあり、違反した者は死刑に処すとあった。これで、ウーゴ・モンカーダ以下チェーザレ配下の勇将たちの大部分が、ナポリに駐屯しているスペイン軍に加わるため、チェーザレを捨てた。

これらの一連の出来事によって、チェーザレは、その軍の精鋭を根こそぎ失う羽目におち入った。その頃でも、何人かずつの小隊で、チェーザレの後を追ってローマへ入ってきた兵はいたが、それはほとんどが、ロマーニャの農民の出の兵だった。彼らは、窮地に立たされた主人に不変の忠誠を誓ったが、チェーザレが、国民軍創設の願いをこめて編成したその軍は、まだ未熟だった。戦いに慣れた傭兵軍に助けられ、優秀な隊長にひきいられてこそ戦力ともなれたのである。

その間にも、オルシーニ、コロンナ、そしてアルビアーノ指揮のヴェネツィア軍が、ローマに迫りつつあった。

チェーザレは、この状況の中でローマに留まる危険を感じていた。ロマーニャには、彼の軍が健在だった。しかし、そこへ帰ろうにも、彼はローマの中に包囲された状態になっていた。陸路は、ヴェネツィア勢に遮断されていた。海路もまた、オスティア港に待機中のガレー船隊に、ヴェネツィアの買収の手がのびていた。

十月十五日、甲冑《かっちゅう》を着けるのがやっとというチェーザレは、絶望的な攻撃に出た。ローマの城壁の外に、残った全軍をひきいて出撃したが、待ちかまえていたオルシーニとヴェネツィア両軍の反撃にあい、たちまち敗走しなければならなかった。チェーザレは、法王宮に逃げこんだ。しかし、宮殿造りのここでは、安全とはいえなかった。敵は、ローマの街の中まで追ってきたからである。げっそり痩せ、眼だけギラギラさせたチェーザレは、守りの堅い城塞カステル・サンタンジェロへ通じる秘密路を、ドン・ミケロットにささえられながら逃げのびていった。

そしてこの日から三日後の十八日、カステル・サンタンジェロにいたチェーザレに、大きな衝撃を与える知らせがとどいた。ピオ三世死去の報である。チェーザレに同情的だったこの法王は、二十六日間の在位で終った。これからの新たな危機の到来を案じて、スペイン人の枢機卿たちは、口々にチェーザレに向って、僧に変装して逃亡するようにとすすめた。しかし、剣を杖《つえ》によろよろと立ち上ったチェーザレは、ただ一言、ほとんど血を吐くように、「ノー！」といったきりだった。

法王ピオ三世の死後、もはや誰も、チェーザレに対する言葉を遠慮しなくなった。十月二十四日、ヴェネツィアの元老院会議の席上、元首は言った。

「われわれの政府の意図は、皆も知っているようにロマーニャを得ることである。そのためにはこの機会に、神の敵でありわれわれの敵でもあるヴァレンティーノ公爵をたたきつぶさねばならない」

これは、言葉だけではなかった。ヴェネツィアは、ファエンツァとフォルリへ、それぞれの旧主のマンフレディとオルデラフィを復帰させようと画策していた。名目上の主を置いた上で、ヴェネツィアの力の浸透を狙《ねら》ったのである。しかし、フォルリは、このヴェネツィアの謀略の手には乗らなかった。

この情勢の中で、チェーザレは、次の法王選挙に、自らの運を賭《か》けようとしていた。彼は、ボルジアの名に忠実な、スペイン人枢機卿の十二票をにぎっていた。総数三十六票の三分の一に相当する。これを使って、もし自分に好意的な法王の選出に成功すれば、彼は、自分の野望実現に向って、再び出発できるのだった。チェーザレにとって、次の法王選挙は、彼をこの現状から救出するか、それとも破滅させるかのどちらかを意味したのである。

十月二十九日、法王宮の一室で、十二人のスペイン人枢機卿を従えたチェーザレは、ジュリアーノ・デッラ・ローヴェレ枢機卿と会っていた。チェーザレ側の出した条件は、教会の旗手《ゴンファロニエレ・デッラ・キエーザ》の称号と共に教会軍総司令官《カピターノ・ジェネラーレ・デッラ・キエーザ》の地位と、ロマーニャ公国領の保証だった。代りに、スペイン人枢機卿の十二票は、コンクラーベでローヴェレに投票するということである。ローヴェレはこれを受諾した。彼は、チェーザレの出した条件にさらに次の事項までもつけ加えた。フランスにいるチェーザレの三歳になる娘のルイーズと、自分の甥《おい》でウルビーノ公爵家の跡継ぎでもあるフランチェスコ・マリーアとの婚約をとり決め、これによってボルジア、ローヴェレ両家は、以後互いに助け合おうと。

まだ衰弱の濃く残る身体を、ぐったりと椅子《いす》の背にもたせかけながら、二十八歳のチェーザレは、眼前でさらさらと羽ペンを走らせている、六十歳とは思えないほど血色の良いジュリアーノ・デッラ・ローヴェレ枢機卿の横顔にじっと眼をあてていた。彼は、今までに何人も味方が裏切るのを見てきた。そして政治においては、真実は感情や倫理道徳の中にはなく有効性の中にあること、それも十分に知っていた。しかし彼は、今、真実味あふれる態度を自分に示すローヴェレが、ボルジア一族に苦杯をなめ続けさせられた、この十一年間の憎しみを忘れてはいないという事実を甘く見すぎていた。協定は、チェーザレとローヴェレ、そして証人として十二人のスペイン人枢機卿も署名して成立した。

十一月一日、ジュリアーノ・デッラ・ローヴェレは、ジュリオ二世として法王に即位した。新法王は、あまりの感激のためにほとんど失神状態で、サン・ピエトロ大寺院の階段を、一人でのぼっていくことができないほどだった。

チェーザレは、この自分にとっての最大の敵を、彼自身が力を貸して栄光の座に押し上げてやったことになる。彼の犯した最大の誤りであった。彼は、賭に、というよりは政治に敗れたのである。

第　三　章

「自分の真実の息子に対するような父親の愛情さえ感じる」と人にも言い、法王宮の一劃《かく》を提供して、病後の保養に専念するよう勧める新法王ジュリオ二世の言葉を、信じたのはチェーザレ一人だった。

その頃、フィレンツェ共和国のローマ駐在の大使として赴任してきたマキアヴェッリは、新法王のチェーザレに対するこの態度の真意を、次のように分析している。第一に、十月二十九日に署名したチェーザレとの協定のてまえ。第二には、ロマーニャ地方に浸透を続けるヴェネツィア勢に対する牽制《けんせい》のため。そして最後の理由としては、チェーザレがいまだにロマーニャの軍事上の要所と民心をにぎっていること。マキアヴェッリは、法王ジュリオはチェーザレを破滅させる機会を狙《ねら》っている、とも付け加えた。

病床にあるチェーザレの露知らぬことだったが、法王は、裏ではヴェネツィア大使に向ってこう言っていた。

「法王アレッサンドロ六世死後の、この悪によって成り上った者の惨《みじ》めさを見よ。敵が力をもっていた時は、こちらは望まないことでもしなければならなかった。しかし今はちがう。われわれは自由なのだ」

ところが、この法王の言葉を最もよく実行していたのは、当の法王ではなくヴェネツィアだった。ヴェネツィアの次の手は、ファエンツァとリミニにのばされていた。即位したばかりの法王ジュリオ二世にとって、このヴェネツィアの侵略を押えることが急務となった。しかし彼は、それへの対抗手段を持たなかった。教会が軍事力を持

ジュリオ二世

つことができたのは、チェーザレ個人の力によったのである。チェーザレ以前の教会軍総司令官は、傭兵《ようへい》制度の上に立った、名目上の地位でしかなかった。その上、即位したばかりのジュリオには金もなかった。この面でも、ヴェネツィアと張り合うわけにはいかなかったのである。

　このジュリオの弱点を、チェーザレは知っていた。法王選出の前、十月二十九日に彼ら二人の間で協定が結ばれた時、チェーザレの考えた有効性、政治を成立させるところの有効性とは、自分の武将としての才能をジュリオは無視できない、と判断したところにあったのだ。

　法王ジュリオの方も、一介の傭兵隊長としてなら、チェーザレの才能をのどから手が出るほどに欲していた。しかし彼は、チェーザレが、傭兵隊長だけで満足する男とは思っていなかった。今、ヴェネツィアに対抗する手段として彼を使っても、いずれは、チェーザレは教会に反旗をひるがえすに違いないと思っていた。

しかし、ジュリオ二世は、自分の近くに軍事に慣れた男を持たなかった。彼には娘はいたが、息子はいなかった。甥《おい》たちにも、適当な者がいなかった。甥の一人で、ウルビーノ公爵《こうしやく》家を継ぐことになっているフランチェスコ・マリーア・デッラ・ローヴエレはまだ若すぎた。親族も同じである。伯父のシスト四世と同じく、貧民の出であったこのジュリオ二世は、自分の片腕となって、軍事面で働いてくれるほどの男に恵まれていなかった。事実、この頃のジュリオは、ボルジアへの憎しみと、チェーザレの軍事的才能を認めることとの間で決断を下しかねていた。

この法王の真意を察知していたマキアヴェッリは、母国政府に対して、次の提案を行なった。ロマーニャを侵略しつつあるヴェネツィア共和国に対抗するためには、それに同じ危険を感じているローマ法王と結ぶべきであること。しかし、有能な武将を持たないローマとフィレンツェは、対ヴェネツィア戦の司令官として、ヴァレンティーノ公爵チェーザレ・ボルジアを傭兵隊長として使ってはどうか、という内容のものである。

最大の敵ジュリオを法王にしてしまったチェーザレの愚策を見て、「かつての公爵とは千年のへだたりを感じる」と言ったのはマキアヴェッリであった。彼は、その頃のチェーザレに対して、ほとんど冷酷無情といっていいほどの言葉を書きつらねた。

しかし、マキアヴェッリは、これより十年後、『君主論』の最後に次のように書く。

「かつてある人物の中に、神がイタリアの贖罪《しよくざい》を命じたのではないかと思われる一すじの光が射《さ》したように見えたことがあった。だが残念ながらこの人物は、その活動の絶頂で、運命から見放されてしまったのである」

　しかし、『君主論』を書く十年前のマキアヴェッリは、チェーザレの武将としての才能を利用してヴェネツィアを押えるという彼の提案を、何もチェーザレを救おうとしてやったのではない。ヴェネツィア共和国に対して、常に劣勢に立たされている母国フィレンツェ共和国のためを思ってしたのだった。だが、八年後に起るヴェネツィアとローマの戦役、カンブレー同盟戦をすでに予測していたと思えるマキアヴェッリのこの大胆な提案も、陽の目を見ないで消えてしまった。まず、フィレンツェ政府が受け容れなかった。フィレンツェは、チェーザレの力を怖《おそ》れていたとともに、フランス王に気がねしたからだった。そして法王ジュリオ二世も、ボルジア家に対する憎悪《ぞうお》を捨て切れないでいた。

　一方、ようやく馬に乗れるまでに健康を回復したチェーザレは、行動を開始していた。まだ瘦《や》せて青白く、時折襲う頭痛に顔をゆがめてはいたが、ロマーニャへ帰ってもう一度やり直そうと決心したのである。ジェノヴァの銀行から金をとりよせ、馬や兵が集められた。チェーザレは、法王ジュリオ二世に、通行許可証を申請した。教会の武将としてロマーニャとマルケ地方へ行き、そこを再征服して教会に返還するために、というのが理由である。法王は、それに許可を与えた。旧教会領のロマーニャ、マルケ両地方でのヴェネツィア勢の浸透は、その頃、法王をひどく悩ませていた。

法王の許可を得たチェーザレは、さっそく軍に命令を与えた。主力部隊は、ドン・ミケロットとタッデオ・デッラ・ヴォルペの指揮下、陸路トスカーナを抜け、ロマーニャへ向う。チェーザレ自身は、彼の健康が遠路の行軍にまだ無理なので、五百の兵と共にオスティアから船でリヴォルノへ向うことになった。両軍は、ピサの近くで合流する手はずになっていた。オスティアの港では、ロレンツォ・モッティーノが、船隊の準備に忙しかった。

十一月十九日、ドン・ミケロットたちを送り出したチェーザレは、馬でオスティアへ向った。

しかしチェーザレは、自分たちが去った後のローマで、ヴェネツィア大使がまたも動き出したのを知らなかった。法王が、チェーザレにロマーニャへ行く許可を与えたことは、ロマーニャを侵しつつあるヴェネツィアを驚かせた。ヴェネツィアは法王に近づき、チェーザレの危険性を説きたてた。それほどの決意でチェーザレに許可を与えたわけでもなかった法王は、考えを変えるのも早かった。

法王は、各国に次の教書を送った。

「教会領は教会のものであり、チェーザレ・ボルジアが手にすべきものではない。チェーザレに与えた許可は、彼の脅迫によって、法王がやむなく出したものである」

法王は、これを送ると同時に、ソデリーニ枢機卿《すうきけい》にチェーザレの後を追わせた。ソデリーニ枢機卿がオスティアに着いた時、チェーザレは上船する直前だった。枢機卿はチェーザレに、教会の一武将なら、ロマーニャ地方の各城塞《じょうさい》を私物化する権利はない、それらを法王に譲渡するという証明を出せという法王の言葉を伝えた。チェーザレは拒絶した。

これを知った法王は、直ちに出航を禁止した。チェーザレは、譲歩する様子を見せたが、法王は聞こうともしなかった。二十六日、自らの法王戴冠式《たいかんしき》にのぞむ前に、ジュリオ二世は、チェーザレの逮捕を命じた。人々は、いよいよジュリオが、ボルジアへの復讐《ふくしゅう》に動き出したと噂《うわさ》しあった。

秘《ひそ》かにローマに護送されたチェーザレは、法王宮の一室、「ボルジアの部屋《アパルタメント・ボルジア》」と呼ばれるかつての自分たちの部屋に入れられた。客としての待遇だったが、それはもう事実上の監禁だった。その彼に追い打ちをかけるように、十一月三十日、ロマーニャへ向っていたドン・ミケロット指揮下の軍が、トスカーナ領内で、ジャンパオロ・バリオーニ指揮下のフィレンツェ軍と激突し、敗戦を喫したという報告がもたらされた。ドン・ミケロットもタッデオ・デッラ・ヴォルペも、フィレンツェ軍の捕虜になったというこの知らせは、ローマに連れてこられて以来、ロマーニャの城塞を譲渡せよという法王の強請を拒絶しつづけてきたチェーザレを変えた。

十二月二日、法王宮の中にある法王の私室に続く部屋の一つに、青白い顔色をした一人の男が長椅子《ながいす》に腰かけていた。扉が開いた。そこには、背の高い痩せた男が立っていた。男は、まるで影が動くように二、三歩前に進み、長椅子に坐《すわ》る男に向って背を折り、ひざをついた。長椅子に坐っていた男は立ち上り、しばらくためらった後、無言のままひざまずいている男の方へ歩いていった。そして、「公 爵 殿《シニョール・デュカ》」と呼びかけながら、その腕をとって立ち上らせた。長椅子に坐っていた男は、チェーザレによって何度となく亡命の屈辱を受けてきたウルビーノ公グイドバルドだった。しかし今、グイドバルドの前にひざまずいたチェーザレは、法王への取りなしを彼に頼んでいた。法王ジュリオ二世とグイドバルドは、親族関係にあり、法王は彼を、チェーザレに代えて教会軍の総司令官にしようとしていたのである。グイドバルドは、チェーザレがウルビーノを占領した時、戦利品として奪った物を返し、返せないものは弁償するということを条件に、チェーザレの頼みを承諾した。

次の日の夜、チェーザレは、グイドバルドを通じて、法王に、ロマーニャのすべての城塞の譲渡を申し入れた。条件は、自分と、ドン・ミケロット以下のフィレンツェ軍に捕われている家臣たちの釈放である。法王はこれを受諾した。

しかし、チェーザレは何も知らなかったが、八日前、すでにグイドバルドは、マントヴァ大使にこう語っていたのである。

「法王は、公爵を滅ぼすことに決めてはいる。しかし今は、法王の名誉のために沈黙を守っているのだ」

ヴェネツィア大使ジュスティニアンは、もっと率直だった。彼は、本国政府にこう書き送った。

「法王は、公爵を破滅させるつもりだ。しかし彼は、自分の手は汚す気はない」

自らの軍事力を持たないジュリオ二世は、ロマーニャを自力で征服することができない。かといって、放っておいてはヴェネツィアに奪われてしまうことは明らかである。その法王にとって、チェーザレは、破滅させる前にまだ用途が残っていた。

法王は、教書を持たせた使節をロマーニャの各地方に送った。城塞の明け渡しを宣告するためである。しかし、各地の城代は、法王の使節に対して、主君が自由になったのを見た上でなければ開城しない、と言っただけだった。とくにチェゼーナの城代ディエゴは、法王の使節の一人をつるしてしまった。これには法王が激怒した。チェーザレを、手かせ脚かせ付きでカステル・サンタンジェロの地下牢《ちかろう》に放りこんでやる、とわめく法王も、枢機卿たちの説得で、ようやくそれを思い直した。

一方、「ボルジアの部屋」に入れられているチェーザレは、傍目には無為を楽しんでいるかのようだった。

十二月十四日の午後、チェーザレを訪問したかつての恩師、ソレントの枢機卿は、部屋にではなく中庭に案内された。チェーザレはそこにいた。冬の陽光のさす中庭では、チェーザレが、自分の監守人でもある従僕の一人と、チェスの卓をかこんでいた。卓のまわりには、他の二人の従僕が、その勝負を観戦していた。枢機卿は、柱の陰からそれを見ていた。しばらくして、勝負はついたようだった。卓から立ち上った従僕は、

「公爵様、あなた様はいつもお強い」

と言った。チェーザレは、微笑を返しただけだった。

従僕たちが去った後も、チェーザレはそのまま動かなかった。椅子に深々と身をうずめ、ただ顔を陽にさらすように上向けていた。眼は閉じたままだった。

この後にコスタービリと会った枢機卿は、チェーザレを、

「まるですべてを忘れ去ってしまったようだ」

と嘆いて言った。

チェーザレが、この孤独な沈黙の中で、何を考えていたのかは知らない。ただ、今の彼には、自分に忠誠を守って、法王の降服命令を拒否しつづけるロマーニャへ帰ることもできなかったし、捕虜になったドン・ミケロットとタッデオ・デッラ・ヴォルペが、ひどい拷問《ごうもん》にもかかわらず、チェーザレを捨てるよりは捕囚の身を選んだこと

を知りながら、どうすることもできなかった。ドン・ミケロットが、法王の要求によって、秘かにフィレンツェからローマへ移され、彼のいる法王宮からはわずかしか離れていない、カステル・サンタンジェロの牢に入れられていることさえも、チェーザレは知らなかったのである。こうして、その年、一五〇三年は終ろうとしていた。

翌年の一月三日、ナポリ近くのガエタで、スペイン軍はフランス軍に大勝した。これでフランスは、完全にナポリ支配から手を引かざるをえない状態になったのである。これは、法王ジュリオ二世に、スペイン王への接近を決意させた。

一月二十八日、二カ月近い長い沈黙を破ったチェーザレは、再び法王との間に協定を結んだ。その内容は次のようなものだった。チェーザレは、カルヴァジャル枢機卿の監視下にオスティアへ移される。そこで四十日の間待ち、その間にロマーニャが法王に降服した場合には自由を与えられる。もし、ロマーニャがあいかわらず降服を拒否しつづけるならば、チェーザレは再びローマに戻され、カステル・サンタンジェロの牢で終身刑に服す、というものである。

二月十四日、法王はチェーザレを昼食に招いた。互いに心中はどうだったかは知らないが、昼食会は表面上はなごやかな雰囲気のうちに終った。その次の日の夜、チェーザレは法王宮を出て、船でテヴェレ河を下ってオスティアへ向った。

しかし、ロマーニャでは各地の城塞が、いっこうに法王使節の前に城門を開けようとはしなかった。チェーザレ公の自由獲得の方が先だといい続ける城代たちに、法王は怒りを爆発させた。それは、オスティアに待つチェーザレに向けられた。チェーザレは、ロマーニャの家臣たちに手紙を書いた。法王の命令に従って城塞を明け渡すよう、法王に対しては決して武器を取ってはならないと。このチェーザレの手紙によって、ようやくイーモラ、チェゼーナ、ベルティノーロの城塞は、法王の手に帰することになった。

四月十九日、チェーザレは、ついに自由をとりもどすことができた。ナポリから迎えにくる船の到着まで待てなかった彼は、馬をネットゥーノまで走らせた。そして、そこで迎えの船と出会い、ナポリへと向った。


その頃のナポリでの実力者は、スペインの総督コルドーバだった。〝グラン・カピターノ〟と呼ばれ、勇将として聞えたコルドーバは、チェーザレとは、彼がまだ枢機卿であった頃からの知合いだった。チェーザレは、この自分よりはずっと年長の友を頼ってナポリへ行ったのである。

コルドーバは、チェーザレを暖かく迎えた。四月二十八日にチェーザレが、カステル・ヌオーヴォを居城としているコルドーバを訪問した時以来、この中年の成熟した武将は、若い鷹《たか》のような若者と話し合うのを好んだ。これは、チェーザレの身を案じて、ローマからナポリまでついてきていた二人の枢機卿を安堵《あんど》させるに十分だった。彼らの一人は、チェーザレの伯父にあたるルドヴィーコ・ボルジア枢機卿であり、もう一人は、チェーザレの恩師、ソレントの枢機卿だった。その頃のチェーザレは、伯父の館《やかた》に滞在していた。

チェーザレはコルドーバに、スペイン王の下で軍務につきたいと言った。ピオンビーノに上陸し、ピサを取りもどし、そこからフランスの同盟国フィレンツェ共和国を攻略したいと申し入れた。コルドーバは、この彼の考えを容《い》れ、援助を約束した。

チェーザレは、早速行動を開始した。ヴェネツィア、フィレンツェの銀行から、彼に最後に残された金をすべて取り寄せた。軍の編制がはじまった。コルドーバの貸してくれるガレー船隊の準備も進められていた。しかし、チェーザレの真意はロマーニャにあった。ロマーニャ地方に残っている家臣たちに、秘かに待機の指令が発せられていた。

五月二十五日、すべての準備は完了した。あとは、軍をひきいて上船するだけである。その夜、チェーザレはコルドーバから招《よ》ばれた。街に刺客らしいふぜいのあやしい人間がうろついているから、自分の城にいた方が安全であろうという申し出だった。チェーザレはそれを受けた。出発の前に、これまでのコルドーバの親切に感謝する必要もあった。二人の男は、夕食を共にした。友情にあふれ、楽しく話をしながら。コルドーバは、自分の眼の前にいるチェーザレに、常に彼にとっては誇りであり、彼にとっての力であった若き日の夢に、いまだに忠実な一人の男を見出《みいだ》していた。

いざ寝につく頃になって、コルドーバは、チェーザレをその寝室まで送ってきた。そしてそこでまたしばらく話し合った後、チェーザレはコルドーバに、自分はもう休みたいから彼も引き取ってほしいと言った。だが、友は頭を横にふった。そして、自分はあなたのそばに寝ずに附いていよという王からの命令を受けたのだと言った。チェーザレの顔は蒼白《そうはく》に変った。ほとんど言葉にならない叫びが、立ちすくむ彼の口からほとばしり出た。

チェーザレは知らなかったのである。一度は彼を自由にした法王ジュリオ二世が、それを後悔し、チェーザレを破滅させるためスペイン王と結託したことを。すでに五日前の五月二十日、ローマでは、法王がスペイン大使に向い、チェーザレを自由にしておくこの現状は、われわれ双方にとって好ましくない、と話していた。ナポリを征服し、いよいよイタリア半島への野心を伸ばそうとしていたスペイン王フェルディナンドが、法王に対して恩を売るこの機会をのがさなかったのは当然である。さらに、チェーザレを徹底的に打ちくだく機会を執拗《しつよう》に狙《ねら》っていたヴェネツィア共和国が、法王とスペイン王に対して、反フランス政策というえさで近づき、彼らがチェーザレを滅ぼす決断を下すのを助けた。

五月二十五日の夜以来、チェーザレは、カステル・ヌオーヴォの城の塔に幽閉されていた。港のすぐそばに立つ塔からは、右手にサンタ・ルチアの塔を、はるか左手に、紫色の煙をゆるやかにあげるヴェスヴィオの山を見ることができた。この二つに左右からいだかれるようにある陽光にきらめく眼下のナポリの港からは、地中海各地に向う船や、そこから帰ってきた船のにぎわいが、はるか高い塔の上まで聞えてきた。

そこでのチェーザレは、もう誰にも会おうとはしなかった。総督コルドーバが、いくどか塔の上まで足を運んだが、チェーザレは一言も口を開かず、ただじっと相手の顔を見つめるだけだった。憎悪《ぞうお》に燃えているこの青年の視線を、コルドーバは受けることに耐えられないでいた。はじめは彼も、チェーザレを裏切る気などなかったのだ。王からの命令がとどいた時、彼は心中ひどく悩んだ。しかし、スペイン王だけでなく法王が背後にいると知った時、コルドーバにはもはや行動の自由はなかった。

もう一人、チェーザレを足繁《あししげ》く訪れてくる者がいた。法王の使節である。使節はチェーザレに、ロマーニャに一つだけ残ったフォルリの城塞の譲渡を迫っていた。フォルリにあるラヴァルディーノ城塞は、たび重なる法王の命令にも服そうとはしなかった。チェーザレへの不変の忠誠を誓って、いまだに城塞を譲ろうとはしない彼らに、法王もヴェネツィアも、簡単には手が出せないでいた。チェーザレもまた、法王使節の説く譲渡勧告を拒絶しつづけた。

一方、ローマでは、法王ジュリオ二世が、チェーザレ処罰の理由を見つけるのに苦心していた。チェーザレは、フランス王に捕われているイル・モーロのように、戦いに負けた敗者ではない。かといって、法王に反逆を起したというのでもない。その彼を、法王が処罰できるのは、彼が教会関係者を殺害したとされた場合だけである。しかし、アレッサンドロ六世在世中の枢機卿《すうきけい》たちの死が、チェーザレの指図による毒殺だったと証言させようとしたドン・ミケロットは、残酷な拷問にも屈しなかった。あれは自然死だったと主張し、自分にはこれ以上何をしても無駄だと言い切るドン・ミケロットからは、法王の期待した証言は得られなかった。しかし、法王ジュリオ二世は、チェーザレを簡単に殺してしまうわけにもいかなかった。チェーザレが、その存在をあまりにも知られていた上に、彼のその後の成行きが、人々の注目を集めていたからである。また法王にとって、スペイン人枢機卿たちの動向も無視できなかった。このチェーザレを処罰するには、相当の理由が必要だった。そして法王は、今ではそれを見つけることの不可能さを悟っていた。

春が過ぎ、夏も盛りとなった八月十五日、チェーザレは、ついに法王の命令に屈し、フォルリの城代に手紙を書いた。

「幸運の女神は、わたしに対してひどく怒っているらしい」

この一文ではじまるその手紙には続けて
「わたしが自由を得る道は、今では城塞《じょうさい》を明け渡すことにしか残されていない」
とだけ書かれてあった。

八月の強烈な日ざしは、平野の中にあるここフォルリの町に遠慮会釈《えしゃく》もなく照りつけていた。広場の回廊に暑さを避けて集まっている民衆の中から、昨夜以来、城塞の門が閉じられたまま、いつものように武将や兵士たちが町に出てこないことが、不思議そうにささやかれていた。その時、広場に走りこんできた一人が、城塞の中が何やら騒々しいと知らせた。人々は、先を争って城塞をめぐる堀のふちまで来た。

その時、人々の見守る前で、城門が荒々しく開けられた。次いでかけ橋が堀の上におろされた。突然、馬に乗った武将が一人、城門を駆け抜けてきた。城代のゴンザーロ・デ・ミラフェンテスである。黒い甲冑《かっちゅう》をまとった彼は、その太ももに大槍《おおやり》をかまえ、視線を真正面に向けたまま、征服者のように堂々と馬を走らせてきた。すぐその後に、フラカッソ、ルッフォ、ナルドと、チェーザレ側近中の側近と言われてきた武将たちが、同じく甲冑姿で馬を駆って続いた。彼らの後に、チェーザレの旗印“Aut

Caesar aut nihil" の文字を染めた旗をかかげもった軍令が続いた。この城塞にこもっていた二百の騎兵全員も、続いて城門を駆け抜けた。一団となって城塞を去っていくこの騎馬隊の中から、口々に「公爵《デュカ》！　公爵《デュカ》！」と叫ぶ声が、フォルリの町の屋並にこだましていった。

彼らは、捕われの身の主君チェーザレのために城塞を明け渡したが、新しい主君の下に働くようにという法王の勧告は拒絶した。可能な限り主君のいるナポリへたどりつくことに、全員が一致していた。

しかし、これでもチェーザレは、自由を手にすることができなかった。法王の意を汲《く》んだスペイン王フェルディナンドが、自分の家臣でもあったガンディア公ホアン暗殺の首謀者という名目で、裁判にかけるため、すでにチェーザレのスペイン送還を命じていたからである。

八月二十日、ナポリの港を、一艘《そう》の船がその白い帆に陽光をいっぱいに浴びながら、スペインへ向って出て行った。ミラフェンテスらが城塞を捨てた日の、それはわずか一日後のことであった。

カステル・サンタンジェロの地下牢《ちかろう》に入れられているドン・ミケロットは、その後約二年間の捕囚生活をおくり、一五〇六年四月になって、ようやく釈放された。そして、釈放の条件であったフィレンツェ軍の傭兵《ようへい》隊長となったが、まもなく姿を消し、その後の彼の消息はようとして知れない。

第　四　章

スペインの南、ヴァレンシアからアリカンテへ向って南に下る道のほぼ中間に、ボルジア家の領土ヤティィバがある。北部のパンプローナ近くのボルヒアの地に発したボルジア一族は、次いで南下してヤティィバに定着し、この地方一帯の領主として発展した。武将の伝統を守り、代々アラゴン王家にそれをもってつかえていた彼ら一族は、王家とも縁戚《えんせき》関係を重ねて、アラゴン王国の宮廷に重要な位置を占めるようになっていった。

そのボルジア家が、飛躍的に発展し始めたのは、ヤティィバを発《た》ち、ローマの法王庁へ行ったアロンゾ・ボルジアが、一四五五年、カリスト三世として法王に即位した時からである。そして、伯父であるカリスト三世に呼ばれて、これもヤティバを後にイタリアへ向ったロドリーゴも、一四九二年、アレッサンドロ六世として、カトリック教会の首長の座に登ったのである。

こうして、ヨーロッパ政界の中心に乗り出したボルジア家だったが、法王アレッサンドロ六世は、やはり故郷のヤティバが忘れられなかった。法王は、ヤティバを含めたガンディア地方を、アラゴン王から公国として認めてもらい、そこに息子の一人をガンディア公爵《こうしゃく》として置くことによって、スペインとのつながりを保とうとしたのである。しかし、ガンディア公ホアンは、一四九七年に暗殺された。そしてその後は、ホアンの妻マリア・エンリクェスが、残された子供二人と共に守っていた。

この祖先の地に、チェーザレは、捕われの身として帰ってきた。しかし、家族の間ではヴァレンシア方言を使い、友人家臣に多くのスペイン人を持っていたチェーザレも、スペインの土地をふむのは、これがはじめてだった。アリカンテで下船した彼は、ヤティバを通り抜け、まずヴァレンシアに護送された。ここは、かつて彼が枢機卿《すうきけい》であった頃の司教区だった。しかしチェーザレは、ヤティバにもヴァレンシアにも留ることは許されなかった。まもなく彼は、内陸に向って南下し、アルバセテ近くの田舎の町チンチーリヤの城に入れられることになった。

城は、町はずれにあり、七百メートルほどの高さの丘の上にそびえ立っていた。ムーア人の造築になる荒々しい外観のその城からは、周囲に広がる乾いた山なみと、わずかばかりの森林が眺められた。王の命令を受けてチェーザレを監視するのは、ヘラクレスのように頑丈な体軀《たいく》をもつといわれる城代ガブリエルだった。チェーザレは、この城の最上層の階にある三つの大きな部屋を与えられ、イタリアから彼に従ってきた一人の従者とともにくらすことになった。

秋がすぎ、内陸特有の寒風が、丘の上の城の石壁を強く打って通りぬける冬も過ぎようとしていた。チェーザレのいる部屋は広く、彼の習慣であった歩きまわることには不自由はしなかったが、外気は、小さく切られたいくつかの窓から入るだけ、陽光を浴びに外に出ることも許されなかった。僧院のように白い漆喰壁《しっくいかべ》と太い木組みでできているこの部屋で、深い沈黙の時が過ぎていった。

一方、外の世界では、チェーザレ釈放の嘆願や運動が続けられていた。彼の恩師ソレントの枢機卿やスペイン人の枢機卿たちが、法王ジュリオ二世に対して、さらにスペイン王フェルディナンドに対して、精力的な運動をやめなかった。また、フェラーラのルクレツィアから依頼されて、マントヴァ侯爵フランチェスコ・ゴンザーガも、法王、スペイン王、さらにフランス王にまで、チェーザレの釈放を嘆願してまわっていた。スペインでも、チェーザレの執事のレクェレンゾが、主人を送ってスペインへ上陸してすぐ、メディナ・デル・カンポにいる王と女王の許《もと》へ行き、スペイン人枢機卿たちからの嘆願の手紙をさし出していた。また、ナヴァーラからも、チェーザレの義兄にあたる王の名で、スペイン王フェルディナンドと女王イザベッラの許へ使節が派遣され、チェーザレ釈放のための運動が行われていた。さらに二人の女たち、チェーザレの妹ルクレツィアと妻のシャルロットからも、フランス王、法王、そしてスペイン王と女王に対して、哀願にも似た手紙が送られていた。

しかし、法王ジュリオ二世も、スペイン王フェルディナンドも、これらの嘆願を聞き容《い》れようとはしなかった。フランス王ルイ十二世にいたっては、それを無視しただけではなく、フランスにあるチェーザレの領地からあがる年貢金《ねんぐきん》まで没収し、シャルロットとの結婚の時に王が出すはずであった十万ドゥカートの持参金の支払いも遂行しようとはしなかった。その上、チェーザレに与えられていた領地も、大幅にけずり取ってしまった。チェーザレには、ヴァランスの公爵領と、その他に持っていた小さな領地が残されただけだった。さらに、フランスにいる妻のシャルロットに対して、暗にその行動を規制した。彼女がスペインに走ることができないようにするためである。

法王たちのこの強い態度から、種々の不吉な噂《うわさ》が乱れとんだ。ホアンの未亡人のマリア・エンリクェスが、夫の暗殺の犯人としてチェーザレを告訴したとか、王フェルディナンドが、同じアラゴン王家と血のつながるビシェリエ公爵暗殺の首謀者として、チェーザレを死刑にするつもりでいるらしいとかである。これらの悪い噂に共通していたことは、チェーザレ釈放の最大の障害は、女王イザベッラにあるということだった。

この女王が死んだ二カ月後の十一月十一日、一つの噂が、イタリア中を震駭《しんがい》させた。ヴァレンティーノ公爵が釈放され、スペイン王は彼に軍の最高指揮権を与えた、というものである。イタリアに残るボルジア派は狂喜した。しかし、それは誤報だった。それでも、この種の噂は、執拗《しつよう》にくり返された。王フェルディナンドが、チェーザレにスペイン全軍をまかせて、イタリアに上陸させるらしいという噂は、一度などは法王までもあわてさせ、スペインのローマ駐在大使は、急ぎヴァティカンへ走り、法王に釈明しなければならなかった。

しかし、チンチーリヤの淋《さび》しい城に捕われているチェーザレは、これらの動きを少しも知らなかった。春も終ろうという季節だった。アフリカ大陸から吹いてくるシロッコが、日に日に大気を熱してくる頃である。城代ガブリエルが、この捕囚の様子を見にきた。チェーザレは、城代を窓の近くにさそった。そこから見える山なみに、なにやら不審な火がちらついているからというのである。城代は窓に近づいた。その時である。城代にとびかかったチェーザレが、満身の力をこめてその首をしめつけた。苦しんだ城代は必死にもがいた。その顔が朱に染まった。だが、チェーザレの二倍は幅があろうという頑丈な体軀の城代は、もがきながらも大牛のようにほえた。武装した城兵たちが駆け上ってきた。チェーザレは、城代を離し、微笑しながら言った。

「彼の力の強さを聞いて知り、それを試して見たかったのだ」

城代は、痛みと憤怒《ふんぬ》に真赤になり、兵たちをつれて、そうそうに下へ降りて行った。

一五〇五年の夏、この出来事からしばらくして、チェーザレは一年近くいたチンチーリヤの城から、メディナ・デル・カンポにあるモータの城に移された。

メディナとは、アラブ語で「都市」とか「街」を意味する。ムーア人の支配時代の名残りは、街の名だけでなく、マドリッドから二百キロの北西に位置するこの街全体に、色濃く残っていた。美しい馬とたくましい雄牛の集産地であるこの街は、砂色の石の屋並がひしめき、中央広場は、各地方から来た商人が市を開くので終日にぎわっていた。ここは、一年前に死んだ女王イザベッラが、生前、その宮廷を置いていたところでもある。

チェーザレが移されてきたモータの城は、堅固な偉容で周囲を見下すようにそびえ立っていた。城門は、二つの丸筒型の石の塔にかくされ、そこから左右に分れている高い石の城壁が、街との間を断ち切っていた。城壁の周囲には、深い堀がめぐらされ、この暑熱の中でも、いつも満々と水をたたえていた。城の建物全体に小さく切られた窓や銃眼から、このモータの城は、いかにも砂色の巨象が、前方の街と後方に広がる山野の間に、どっかりと坐《すわ》りこんだような感じを与えた。ここの城代は、カルデナスであったが、さらにタッピアが、チェーザレ監視のために特別に赴任していた。チェーザレは、城壁に近く立っている、その城の中で最も高い角型の塔の最上階に入れられた。

このメディナ・デル・カンポには、カスティーリア王国の直系相続者ジョヴァンナが、夫のフィリップと、幼い王子たちと共に住んでいた。その子供たちの一人は当時五歳だったが、彼こそ、後に神聖ローマ帝国皇帝とスペイン王を兼任することになるカルロスである。

当時のスペイン王家は、激しい動きの中にあった。スペインを二分していたカスティーリアの女王イザベッラと、アラゴン王国のフェルディナンドの結婚によって、統一スペイン王国が出来上ってからまだ日が浅かった。それによって、この新興国は、次代の世界最強国への道を歩みつつあったが、内部にはまだ、種々の複雑な権力争いがうずまいていた。

フェルディナンド王とイザベッラ女王との間には、何人かの王子と王女が生れたが、次々と死に、残ったのは、〝気狂いジョヴァンナ〟と綽名《あだな》された王女だけだった。王女ジョヴァンナは、王宮の台所にこもり、ほとんど口をきかないという奇妙な性癖をもっていた。また、彼女が、〝美男フィリップ〟と言われたほどの美男の夫に対して、常軌を逸して嫉妬《しっと》するのを、国中では知らない者はいないほどだった。

この国情の中で、それでも女王イザベッラの在世中は、すべてが事なく済んでいた。

しかし、女王の死後、王フェルディナンドと王女の夫フィリップとの間に、にわかに不穏な空気が漂いはじめた。フィリップは、実父である神聖ローマ帝国皇帝マクシミリアンの力を背景に、母親マリー・ド・ブルゴーニュから相続したフランドルの全地方に加えてフランスの一地方まで持ち、今では妻に代ってカスティーリアの摂政でもあった。この二十七歳の野心にあふれた婿《むこ》を、王フェルディナンドは、自分の強敵として感じていた。一方、フィリップにしても、王が死にでもすれば、今自分の持っている勢力に加えて、全スペイン王国を継承することができるわけだった。この二人の眼が、捕われの身のチェーザレにそそがれたのである。

王は、ナポリを統治させているコルドーバ総督が、あまりにも武名が高く野心的であるのに不安を感じていた。その彼を牽制《けんせい》するために、チェーザレにも軍を率いさせようと考えたのである。王は、一度はメディナ・デル・カンポに移したチェーザレを、ヴァレンシアに宮廷をもつ自分の近くに取りもどそうとした。王にとって、チェーザレを自分の側におくことは、コルドーバに代る優秀な武将を得ることになるのと同時に、フィリップ王子に対して、その動きを押える力になることでもあった。

当然、フィリップは、王のこの申し出を拒絶した。野望に燃える彼は、いつの日か、王フェルディナンドと武力で対決する日が来ることを予想していた。その時のために、チェーザレは、フィリップにとっても有用な存在であった。

一五〇六年九月七日、チェーザレがモータの城に移されてきてからすでに一年以上も過ぎた頃、スペイン王フェルディナンドは、その軍と共にナポリへ向って発って行った。その十八日後、若いフィリップ王子は、急の病で死んでしまった。フェルディナンドにとっては、チェーザレをようやく自由にできる時がきたことになる。チェーザレにとってもまた、再び歴史の表面に出るための、絶好機の到来でもあった。

しかし、チェーザレは、王の帰国を待たなかった。高い塔の上に、周囲から隔絶されて生きてきた彼は、これらの事情とその進展について何も知らなかった。彼は、城に来る一人の司祭を通じて、ベナヴェンテ伯爵と知合っていた。この伯爵は、死んだ王子フィリップ派の、すなわちカスティーリア派の首領であったために、チェーザレが王フェルディナンド側の動きを知ろうにも、それからますます彼を遠ざける役に立っただけだった。反フェルディナンド派のベナヴェンテ伯にしてみれば、チェーザレをみすみす王の手に渡してしまうよりは、王の不在中に、彼を逃がしてしまおうと考えたのも当然である。伯とその一党は、チェーザレの脱出を助けるために、武装兵を城に侵入させようと申し出た。しかし、チェーザレは、ただ一本の長い綱を所望しただけだった。

十月二十五日の夜半すぎ、城壁にひそかに近づき、その陰にかくれた黒い一団があった。四頭の馬と二人の人影である。夜空には星がきらめいていたが、その他には細い三日月が淡い光を流しているだけの暗い夜だった。

その時、高い塔の上の窓から、スルスルと一本の綱がおろされるのが見えた。すぐ続いて、一人の男がその綱を伝わって降りてきた。チェーザレの従僕だった。その瞬間、闇夜《やみよ》を引き裂く絶叫がきこえた。綱が短かすぎたのである。従僕は、その最後の叫びを残して、堀の中へ落ちていった。

チェーザレはそれを見た。塔の壁にそって下がる一本の綱が途中で切れ、その下に黒々と水をたたえた堀が口をあけているのを。だが彼は迷わなかった。まだゆれている綱に身をたくすと、素早く壁にそって降りはじめた。しかし、さっきの絶叫を、タッピアの息子が聞いていた。衛兵を呼ぶその声がきこえ、城の中は、にわかにさわがしくなった。降りていくチェーザレの下には、すでに綱はつきていた。そして彼は、城壁とその外の堀が、眼の下にまだ大きくふさがっているのも見た。すでに武器をとった衛兵たちが、続々と塔の入口に殺到していた。他に方法はなかった。チェーザレは、はずみをつけるように二度三度と塔の壁と空中の間を飛んだ。次の一瞬、彼は空を切った。怖《おそ》ろしいほどの高さから、城壁を越え、堀を越えて飛び降りたのである。

地面にたたきつけられたチェーザレは、そのまま動けなかった。その彼を、待機していた二つの影がす早くとりかこんだ。そして馬上にひきずり上げた。馬の背にうつぶせになったまま動けない彼を乗せた馬の手綱を、左右から押えた二人は、これもそれぞれ馬に乗り、鞭《むち》を入れた。チェーザレの乗った馬を、両側からはさみつけるようにぴったりとくっついた三頭の馬は、そのまま風のように去っていった。

二十キロの道である。しかし、休む間も惜しまれた。追手のたいまつの幻影が、彼らを追いたてた。チェーザレは、ほとんど気を失いそうな痛みの中で、ただ手綱をにぎりしめる手だけは離さなかった。

ヴィラロンに着いた。ベナヴェンテ伯爵の領地である。ここで、しばらくの間傷の手あてをすることになった。塔から飛び降りた時、左半身をひどく打ったのに加えて、左腕まで骨折していたからである。パンプローナまでの道は遠かった。そこへの逃避行をはじめるまえに、わずかでも休養が、チェーザレには必要だった。秘《ひそ》かに、そのための数日が過ぎた。

いよいよ、ヴィラロンを発《た》つ時が来た。義兄が王であるナヴァーラの領土内にたどりつくまでは、直線距離をとったとしても北東に進んで、約四百キロの道のりである。しかし、当然追手は、チェーザレがナヴァーラへ逃げると予想して、そこへの一帯に網を張っているにちがいなかった。直線距離はとれなかった。逃避行は、まず北上してカンタブリア山脈を越え、海に出て、それから海ぞいに東へ進み、バスク地方を通ってナヴァーラの領内に入る、という迂回路《うかいろ》をとらねばならなかった。

ベナヴェンテ伯は、チェーザレに、強い三頭の馬と二人の確かな案内人を提供した。マルティンとミグエルである。さらに伯は、チェーザレに、必要以上の金さえも与えた。三人の旅人は、スペイン王配下の追及の手を避けて、王の領国内を逃れていくのである。それぞれ小麦粉の売買の商人に扮装《ふんそう》した。

厳しい十一月だった。冷たい大気は肌を刺し、馬は、強い風にあおられてゆれた。一瞬一瞬が待伏せの恐怖におびえ、一日一日が危機と安堵《あんど》のくり返しだった。バリャドリードを過ぎ、アムスコも後にした。ティエラ・デ・カンポスの、カラスの群れる淋しい林の道も通った。道は、その頃から少しずつ登りに変っていた。カンタブリア山脈に入ったのである。らばを追う農民たちに、時々出会うだけだった。密輸業者の通る道が、ひっそりと林の中を走っていた。彼らは、その道を進んだ。空は低く、どんよりと曇っていた。雪が降りはじめた。三人の旅人は、その中を進んでいった。疲れ切った馬をいたわり、ゆっくりとした動きで。

数日して、彼らはやっとの思いで山脈を越えることが出来た。狼《おおかみ》や山犬から身を守りながら、深い雪の中に野宿した夜がいくどか過ぎた後だった。道も、その頃では下りが多くなっていた。しかし、サンタンデルも間近いという時、二頭の馬が倒れた。チェーザレとマルティンの乗っていた馬である。まだ自分の馬は使えたミグエルが、傷の治っていないチェーザレに、それを提供すると申し出た。しかし、チェーザレは少し考えた後、ミグエルにそのまま馬で先に行けと命じた。早くサンタンデルに着いて、カストロ・ウルデアレスに渡るに必要な小舟を調達させるためだった。ミグエルは承知した。馬で去ったミグエルの後を、チェーザレとマルティンは、再び前進をはじめた。今度は徒歩でいくのだった。

しばらくして、まず海の香りが彼らを包んだ。すぐ続いて、灰色の海が眼に入るまでになった。冬の強風に、白いしぶきをあげて波があわだつ海、大西洋が、彼らの眼前に広がっていた。しめった海の風が、チェーザレの頬を打った。それを全身に浴びて、彼の顔には、ひさびさの笑いがこみあげてきた。その歓喜の眼を、背後に控えるマルティンに向けようとした時だった。チェーザレは、激しい頭痛を感じた。彼は、神経がもうろうとしてくるほどの痛みを、必死に耐えようとした。しかし、そばの木にすがったのを覚えているだけだった。

再び気がついた時、チェーザレは、マルティンの腕にささえられていた。その彼の心の中に、ある恐怖が広がった。まさかフランス病ではあるまい。あの怖ろしい病気のために、徐々に廃人への道を進み、二、三年して死んでいった多くの人々を彼は知っていた。そんなはずはない。もしも昔にかかったフランス病が治り切っていなかったとしても、自分にはその後の長い間、この病気の徴候は少しもなかった。まして三年前に、重いマラリアを病んでいる。あれで消えているはずだ。しかし彼は、モータの城に捕われていた頃、二度もひどい頭痛に苦しんだことを思い出した。では、昔にかかったフランス病が、今になって出てきたのであろうか。でもあれは十年も昔のことである。そんな長期間、徴候が見えなかったはずはない。チェーザレは、はじめて襲ってきたこの恐怖を、自分から強く打消した。頭痛の原因は、マラリアか脱出の時の打撲傷のどちらかから来ている。彼はそう思い込んだのだった。

一方、ミグエルの方は、ようやく小舟をやとうのに成功していた。この悪天候の中を、船頭たちはなかなか海に出ることを承知しなかったからである。ただ、そのために大金を約束したことから、船頭の一人が不審に思った。船頭は、町の守備隊にそれを報告してしまった。早速、守備隊の武装兵が町に走り出た。逃亡の成功を目前にして、それの前祝いのために、町の料理屋で愉快に食事をしていた彼ら三人のところに、守備隊が乗りこんできた。三羽のにわとりの丸焼きと大きな肉のかたまりに挑戦していた彼らは、守備隊の隊長の審問を受けねばならなかった。審問はなかなか終らなかった。逃亡したチェーザレには、生死を問わず一万ドゥカートの賞金がかけられていたのである。だがついに、隊長も彼らの言い分に納得したようだった。彼ら三人が、小麦粉をあつかう商人だと信じたのだった。守備隊は引き上げていった。しかし、料理屋の主人と傭《やと》い人たちは、この三人のことをその後も長く覚えていた。とくにこの中の一人、背がすらりと高く、黒い長いマントを着け、マントの頭巾《ずきん》を決して取ろうとせず、それで顔を深く隠していた男。時折、マントの下からのぞく左腕が、具合でも悪いらしく包帯でささえられており、また奇妙なほどに無口だったこと。ただ、商人にしてはその男はどことなく気品があり、他の二人はまるで家来のように見えた、と彼らは後にあらためて守備隊の隊長に語っている。

だがその頃はすでに、チェーザレと二人の案内人を乗せた舟は海に出ていた。嵐《あらし》を思わせるように荒れる海上を、陸地を見失わないようにして、舟は進んだ。頭痛も去り、そして守備隊の監視の眼ものがれることが出来たチェーザレには、冷たい海水まじりの風さえも、心地よく感じられた。

カストロ・ウルデアレスに上陸した彼ら三人は、そこではどうしても馬を調達できなかった。それでも町の近くにあるサンタ・キアラの修道院で、ようやく三頭のらばをゆずってもらうことができた。三人はらばを急がせた。それは、ナヴァーラ領内を目前にしているチェーザレにとっては、我慢のならないほどのゆっくりした旅になった。バスク地方を過ぎた頃、彼らは、首都パンプローナに続く道に出た。すでにこのあたりは、ナヴァーラ王国の領土内である。逃亡は成功したのだった。

一五〇六年十二月三日、パンプローナの宮殿では、王が、義弟の到着に驚いていた。疲れ果て、悪鬼のように変っているチェーザレがそこにいた。二年間の捕囚の生活と、一カ月以上もの厳しい逃避行が、かつて、「今世紀で最高に美しい武将」と言われたチェーザレ・ボルジアを醜く変えていた。のび放題にされたひげにうまった頰は瘦《や》せこけ、顔色も青く、ただ強い光を放つ眼だけが以前のままだった。王に暖かく迎えられ、まず休むようにと言われて、チェーザレはそれに素直に従った。次の日一日中、深い眠りが彼を離さなかった。

第五章

フランスとスペインの国境ピレネー山脈に近接して、ナヴァーラ王国がある。北はピレネー山脈、南はエブロ河にいだかれるように、小さくかたまった王国である。この国の首都パンプローナから、チェーザレの自由宣言の手紙は発せられた。

「多くの苦難の末に、神は私を捕囚の身から解き放ち、自由を与えるよう決心された。この手紙を持って行く私の秘書官フェデリーコが、その詳細について報告するであろう。現在私は、ここパンプローナに、ナヴァーラ国の高潔なる王並びに王妃と共にいる。ここには、十二月三日に到着した」

　この手紙は、イタリアの各地へ送られた。フェラーラにいるルクレツィアに、イッポーリト・デステ枢機卿《すうきけい》に、そしてマントヴァ侯フランチェスコ・ゴンザーガに、さらにローマにいるスペイン人の枢機卿たちにも。

　十二月七日にパンプローナを発《た》ったフェデリーコが、二十日後にイタリアにもたらしたこの知らせは、イタリア中をどよめきの中に巻きこんだ。ルクレツィアは、ほとんど喜びに気も狂わんばかりだった。イタリアに残っていた親ボルジア派の人々は、その中でもとくにロマーニャの民衆は、今にもチェーザレがイタリアに乗りこんでくるかのように噂《うわさ》しあった。驚いたのは法王ジュリオ二世である。ロマーニャ地方をめぐって、ヴェネツィア共和国との関係が悪化の一途をたどっていた法王庁だったが、有能な武将を持たない法王ジュリオ二世が、対ヴェネツィア戦開始のためにチェーザレを使うらしいという噂は、法王をひどく怒らせた。法王は、チェーザレの秘書官フエデリーコがローマに来たところを待って、彼を捕えてしまった。フランス王ルイ十二世も、スペイン王フェルディナンドも、このチェーザレの自由宣言に、何も反応を示さなかった。

しかし、どの戦いも金を使う。だが、今のチェーザレはそれを持っていない。だから自分からはそれをやれない。だが、戦いをしようとする者はいつもいる。そして、それに金を払う者もいつの世にもいる。チェーザレは、武将としての才能を持っていた。そして、まだ三十一歳の若さだった。男にとって、再び何かをはじめるにはまだ遅すぎはしない。彼は、自分の眼の前が、再び明るく開けてくるのを感じていた。美しい町、学生時代に自分の綽名《あだな》であった町パンプローナの春を、彼は満喫していた。ゆっくりと身体《からだ》の回復を待ちながら、出来るだけ屋外での生活を多くしようとした。頭痛も、忘れたように彼を苦しめなかった。ただ時折、以前にはなかった疲労感が彼を襲った。しかし、痩《や》せ細っていた身体にも、少しずつ肉がついてきたし、青白かった顔色は、スペインの強烈な陽光を浴びて、再び以前のように浅黒くひきしまってきた。馬を乗りまわすチェーザレの顔には、かつての若い笑いもよみがえっていた。

そのチェーザレを、再び戦場に駆る時がやってきたのである。当時のナヴァーラ国は、微妙な立場にあった。ますます険悪な関係になりつつあった神聖ローマ帝国皇帝とスペイン王の間で、この小王国の運命はゆれ動いていた。神聖ローマ帝国皇帝マクシミリアンは、スペイン王女と結婚させた自分の息子フィリップが死んで以来、はっきりと反スペインの立場を取り出していた。皇帝とスペイン王の、互いにヨーロッパ世界の主導権をめぐっての争いが、いまや表面に出てきたのである。フランス王ルイ十二世も、皇帝と結んで反スペインの立場を取った。当然、フランス王と近いナヴァーラの王も、スペイン王から敵視されることになる。地理的に近いだけに、ナヴァーラにとっては、このスペインの敵対行動をどうにか食い止めることが先決だった。

ナヴァーラ王国を粉砕しようと決意したスペイン王の命を受けて、その戦いの前衛部隊をまかされたのが、ボウモント伯である。当時の記録によれば、背の低い男だが、その大胆な勇猛ぶりはスペインでも屈指の一人、となっている。二年前から、ボウモント伯は、ヴィアーナの城塞を本拠として、ナヴァーラ王の配下の軍との間に小ぜりあいを続けていた。そのヴィアーナの町は、エブロ河の北部、カンタブリア山脈に接してあった。ただ、この地がカスティーリア地方を背後に控えているため、戦いに必要な武器や馬、そして兵や食料を容易に集めることができ、そのため対ナヴァーラの前線基地としては、なかなか強固な守りを誇っていた。チェーザレは、この地に最終的な打撃を与えることを決意したナヴァーラ王の依頼を受けて、王と共にヴィアーナの攻撃戦に参加することになった。ヴィアーナの城塞の前に陣取ったナヴァーラ軍は、五千の歩兵、一千の騎兵、二百の槍騎兵《そうきへい》、百三十の砲兵と射手、総勢六千三百三十である。チェーザレは、二百の槍騎兵と五百の騎士からなる前衛部隊をひきいることになった。それ以外の兵からなる本隊は、王自ら指揮をとる。

一五〇七年三月十一日の夜、城塞の三方をかためていた攻撃軍の陣地を、激しい嵐《あらし》が襲った。天幕が吹きとばされ、たいまつの火が空中に舞いあがった。おびえた馬がいっせいにいななき、つないであった綱をひきちぎって、狂ったように駆けまわった。あわてふためいた兵士たちのある者は、逃げ去る馬を押えようとし、ある者は、蹴散《けち》らされた武器を集めようと走りまわった。空中を切り裂く稲妻が、この混乱のさまを、そしてその背後にそびえ立つ城塞を、真昼のような光で照らし出した。

城代ボウモント伯は、この嵐を攻撃に打って出る絶好機と察した。ここ十日あまりの攻防戦で、籠城軍《ろうじょうぐん》は手痛い打撃を受けていたのである。城塞の扉が内から開かれた。

そして、手に手に武器をかまえた二千の騎兵がどっとくり出した。さらに、同数ほどの歩兵も後に続いた。伯自身は、城壁の上に陣取り、砲撃の指図をする。突然の嵐に襲われ、今また、敵兵の襲来を受けたナヴァーラ軍の兵は、態勢を立て直すひまもなかった。全軍、総くずれである。

それまで、甲冑《かっちゅう》を着け、指揮杖《しきじょう》を手に軍勢を立て直そうと努めていたチェーザレは、その時、なだれをうって敗走してくる味方の兵を見た。そしてその背後に、逃げまどう兵を追って迫る敵を見た。次の一瞬、立っていたチェーザレの激しい声が聞えた。

「馬をひけ！」

連れてこられて荒れる黒馬に、チェーザレはいどむように跳び乗った。馬は、主人を乗せてもまだ気がたっているようだった。二度三度、前脚を空中にはねあげる馬の手綱をひきながら、チェーザレは馬上から従者を見おろしていった。

「王のところへ走れ。私はこのまま行くから、すぐに後から続くようにと言え」

彼は指揮杖を投げ捨てた。その時である。忘れていたあの激しい頭痛が、再び彼を襲った。チェーザレは、鞍《くら》をにぎりしめて、気が遠くなりそうなその痛みを耐えようとした。敵味方双方のあげる叫びが、海鳴りのように、遠く近く馬上の彼を包んだ。

それを聞きながら、彼は剣を抜き放った。次の一瞬、彼は馬腹を蹴っていた。

逃げまどう味方の兵まで蹴散らすかのように馬を駆けさせたチェーザレは、そのまま敵の軍勢の真っ只中《ただなか》に突っこんだ。その彼に続いたのは、十二騎だけである。それでも敵は崩れた。たちまち、一騎と二人の歩兵が、チェーザレの剣でなぎ倒された。さらに二騎、そして続いて二騎。黒い甲冑を着け、黒馬にまたがったチェーザレの荒れ狂う姿が、一瞬、そしてまた一瞬、稲妻に照らし出されてすぐ消えた。

敵は、再び隊勢を立て直していた。その中の二百ほどの騎兵と歩兵にかこまれたチェーザレの近くには、味方の姿は見えなかった。彼は、一人、敵の海の中に取り残された。

城壁の上から、下の野にくり広げられている戦闘を見ていたボウモント伯は、手負いの獅子《しし》のように奮戦する一人の黒い甲冑の騎士に気づいた。しかし彼は、それが誰なのかを知らなかった。そばの者に聞いても、誰一人、その騎士を見覚えている者はいなかった。

チェーザレは、しだいしだいに丘の上に追いつめられていた。騎兵は、そのほとんどを倒した。しかし、歩兵は、彼を遠巻きにしながらも、しぶとく彼に迫った。石のころがる丘の上は、彼の馬の動きを危うくした。矢が、鉄の胸板に音をたててはねかえった。すぐ続いて、槍《やり》が太ももに突き刺さった。チェーザレは、その槍を剣でふり払ったが、切られた槍の先は、甲冑の上から太ももに深く突き刺さって残った。背後にまわった敵が、馬の後脚に槍を突き立てた。馬は、高い悲鳴のようないななきをあげ、前脚をはねあげた。その時、一本の矢が空中を切って彼に迫った。次の一瞬、それは不気味な低い音をたてて、彼の右眼に命中した。再度の槍を突きたてられた馬が倒れるのと重なるように、地面にたたきつけられたチェーザレの甲冑が、にぶい音をあたりにひびかせた。その音が合図だった。倒れたチェーザレに、敵兵が、まるで蟻《あり》のように殺到していった。槍が突かれた。剣が雨と降った。

倒れたチェーザレの右手は、まだ剣をにぎりしめ、左手は、すでに動かない馬の手綱をしっかりと押えていた。敵兵の一人が、彼の冑《かぶと》をはいだ。その時、右眼に刺さっていた矢が、軽い音をたてて折れた。冑の下から、蒼白《そうはく》な顔があらわれた。ひたいには、苦痛の深いしわがきざまれていた。右の眼は、血の中で形がなかった。左の眼だけが大きく見開かれていたが、その灰色の眼の光は、だんだんと小さくなり、やがてそれも消えた。

敵兵たちは、死体にかまわなかった。彼らの関心は、あらためてその立派さに驚かされた死体の着けている甲冑にそそがれた。彼らは、争って死体からそれをはぎ取った。剣も持ち去られた。死体が、甲冑の下に着けていた白いゆるいブラウスと、薄い灰色のタイツまではぎ取られた時、彼らは、死体の受けた無数の傷に驚いた。数えてみると二十三もあった。全身の傷口からは、まだ血があふれ出し、切り裂かれた白と薄い灰色の下着を赤く汚した。美しい甲冑と剣の収穫に喜んだ敵兵たちは、死体をそこに残し、陽気に城塞へ帰っていった。この中で名を知られている兵は、ただ一人、矢を射たクシメネス・ガルシア・デ・アグレドだけである。あとは、名もない雑兵の群れであった。

雑兵たちが城塞に持ち帰った甲冑と剣は、すぐにボウモント伯に見とがめられた。血と泥に汚れたままのそれを、伯は持って来させて調べた。甲冑の胸には、銀字で次のように彫られてあった。

「ヴァレンティーノ公爵《こうしやく》、チェーザレ・ボルジア」
驚いた伯は、すぐに死体を運んでくるようにと命じた。しかし、丘の上まで行こうとした兵たちは、そこに近づけずに引き返さねばならなかった。丘の上に、ナヴァーラの王と将兵を見出《みいだ》したからである。

ナヴァーラ王は、変り果てた義弟の遺体を見降ろしていた。王は、チェーザレが敵陣に突き入った後、ようやく隊勢をたて直すのに成功したが、チェーザレの後を追うどころか、残った全軍を退却させるのがやっとだった。それを終ってから、王は将兵をひきいて、消えたチェーザレを探しまわっていたのである。そして長かった夜も明けようとする時、丘の石の上に横たわったチェーザレを発見したのだった。

遺体は、今では流れ出た血がかたまり、赤い傷の河でおおわれていた。王は手をのばし、見開かれたままだった左の眼をそっと閉じてやった。そして、身にまとっていた真紅のマントを脱ぎ、横たわる遺体の上にかけた。
六人の騎士が進み出た。彼らは、真紅のマントにおおわれた遺体をかつぎ上げた。

左右に三人ずつ並んでその肩に遺体をささえ、彼らは静かに歩き出した。王は、そのすぐ後ろに続いた。誰も一言も口をきかなかった。この沈黙の葬列は、バラ色に染まりはじめた東の空に向って、ゆっくりと進んでいった。

白い朝の光が、その周囲に流れていた。真紅のマントの外にのぞく、あお向けにささえられたチェーザレの青白い顔と、だらりと肩からたれ下った両腕の上を、冷たい春の朝の風が吹きすぎていった。

解説

沢木耕太郎

1

歴史でもなく、伝記でもなく、小説でもなく、しかし同時にそのすべてでもある、という塩野七生に独特のスタイルの文章が、初めて多くの人の眼に触れるようになったのは、『ルネサンスの女たち』が公刊されてからのことである。しかし、彼女にとってその『ルネサンスの女たち』は、単に物書きとして世間に認知された最初の作品というにとどまらず、小説家の処女作の多くがそうであるように、未来に向けての可能性のほとんどすべてを内包した極めて重要な意味を持つものだったと思われる。

『ルネサンスの女たち』には、十五世紀から十六世紀にかけてのルネサンス期イタリアに生きた、イザベラ・デステ、ルクレツィア・ボルジア、カテリーナ・スフォルツァ、カテリーナ・コルネールという四人の女性の生涯が、それぞれに独立した四つの物語として収められている。四つの物語はそれぞれ微妙に異なる主題を持っているが、それを一篇の長編として一気に通読してみると、その底にそれ以後の塩野七生が辿《たど》るべき物書きとしての道筋が、くっきりと刻み込まれていることに気づく。彼女はやがて、神の地上の代理人たる法王の群像を描くであろうし、またリアリスティックな政治感覚を保持しつづけることで永く地中海世界に覇を唱えることができたヴェネツィア共和国の盛衰を書こうとするであろうし、何よりもまずチェーザレ・ボルジアの肖像を描こうとするにちがいない、ということが看《み》て取れるのだ。

チェーザレ・ボルジア。この人物に対する塩野七生の関心は並大抵のものではない。それは『ルネサンスの女たち』の四人の主人公のうち、三人の物語にまでチェーザレを主要な人物として登場させているところにも明らかである。チェーザレは、彼女らの像の大いさと位置を確定するための、いわば接線のような役割を担《にな》わせられている。もちろん、彼女らとの関係の違いによる濃淡の差はあるが、その接線としての重要度は変わっていない。妹であり、チェーザレの意のままに動かされるルクレツィア・ボルジアはもとより、チェーザレと闘い、敗れていくカテリーナ・スフォルツァも、政治上の一種の智恵比べをするだけのイザベラ・デステの物語においても、彼の存在は欠くべからざるものとして描かれている。

《第一作であった『ルネサンスの女たち』を書いていた頃から、チェーザレ・ボルジアについて書いてみたいという思いが、脳裡《のうり》から去ることはありませんでした》

塩野七生のこの言葉をまつまでもなく、彼女がすぐにもチェーザレを書こうとすることは、すでに第一作に明らかだった。

2

しかし、なぜチェーザレ・ボルジアだったのだろう。塩野七生はどうしてそれほどまでにチェーザレを描くことに執着したのだろうか。その疑問に対して、彼女は『チェーザレ・ボルジアあるいは優雅なる冷酷』の中で直截《ちょくせつ》に答えようとはしていない。だが、そのチェーザレをどのように捉《とら》えようとしていたかは、たとえば、ルネサンスの巨人レオナルド・ダ・ヴィンチとの出会いを描いた次のような一節からも、容易に知ることができる。

《歴史上、これほどに才能の質の違う天才が行き会い、互いの才能を生かして協力する例は、なかなか見出《みいだ》せるものではない。レオナルドは思考の巨人であり、チェーザレは行動の天才である。レオナルドが、現実の彼岸を悠々と歩む型の人間であるのに反して、チェーザレは、現実の河に馬を昂然《こうぜん》と乗り入れる型の人間である。ただこの二人には、その精神の根底において共通したものがあった。自負心である。彼らは、自己の感覚に合わないものは、そして自己が必要としないものは絶対に受け入れない。

この自己を絶対視する精神は、完全な自由に通ずる。宗教からも、倫理道徳からも、彼らは自由である。ただ、窮極的にはニヒリズムに通ずるこの精神を、その極限で維持し、しかも、積極的にそれを生きていくためには、強烈な意志の力をもたねばならない。二人にはそれがあった》

ここでは、レオナルド・ダ・ヴィンチとチェーザレ・ボルジアが、そのような人物であったということの、細かな論証はほとんど行なわれていない。性急な断定、という印象さえ与えかねないが、しかしそれ故に、塩野七生のチェーザレ観が最もストレートに表白されることになったのだ。つまり、チェーザレがこのような人物であったという論理より、このような人物であったとするという彼女の意志が強く感じられるのだ。そしてその意志は、一般に流布しているチェーザレの像に抗して、自身のチェーザレ像を創るのだという、若い書き手の客気のようなものが支えているかに見える。

チェーザレ・ボルジアとは何者であったのか。それについては、すでに『ルネサンスの女たち』の中で、簡潔に述べられていた。

《枢機卿《すうきけい》の緋《ひ》の衣を剣に代え、結婚によってヴァレンティーノ公爵となったチェーザレ・ボルジアは、父法王アレッサンドロ六世の教会勢力を背景に、妻方の親族フランス王ルイ十二世の全面的援助をも受け、教会領再征服の名の下に、ロマーニャ地方を

征服し、そこを自分の王国創立の足がかりとしようとする彼の野望を、いよいよ実行に移し始めたのである》

まさに、これはチェーザレ・ボルジアの、歴史的存在としての、極めて客観的な像なのであろう。だが、このようなチェーザレの像は、彼の生前からすでにあった噂《うわさ》、中傷、伝説などによって大きく歪《ゆが》められつづけてきた。その果てに、「毒薬づかいのボルジア」という一種の文学的な怪奇趣味による像が一般に定着してしまうことになったのだ。

塩野七生が、一般的なチェーザレ像に抗して、自分自身のチェーザレ像を提出しようとした時、まず否定すべきものとして眼の前に存在したのは、名著『イタリア・ルネサンスの文化』によって今日われわれが使用しているルネサンスという概念を創り出し、またそのことを通して「悪名高きボルジア家」の悪名をさらに高からしめた、J・C・ブルクハルトの言説であったはずである。かつて彼女が『ルネサンスの女たち』でイザベラ・デステを書いた時と同じように、ブルクハルトへの強烈な反撥心《はんぱつしん》が、まずその出発点に存在したと考えられる。

ブルクハルトのチェーザレ像を貫くのは、残酷で自己中心的な、権謀術数をめぐらす野心家、というそれ自体では決して誤りではないものである。しかし、たとえば、ブルクハルトがヴァレンティーノ公チェーザレがいかに非道の君主であったかを示すために次のように記す時、そこには明らかに倫理的な裁断による矮小化《わいしょうか》が行なわれているといわなくてはならない。

《公自身、夜になると護衛をともなって、おびえあがった市中を徘徊《はいかい》した。そしてそれが、ティベリウスのようにあさましくなった自分の顔を、白昼人に見せるのがいやになったからだけではなく、狂暴な殺人欲を、おそらくまったく知らない人間によっても充たそうとするためであった、と信ずべきふしが大いにある》（柴田治三郎訳）

恐らく、塩野七生には、このような言説に幽閉され、瘦《や》せ細ってしまったチェーザレに、どうにかして手を差し伸べたいという願望があったのだ。なぜチェーザレだったのか。その問いに対するひとつの答えは、歴史の闇《やみ》の奥に追い立てられ、不当な扱いを受けているチェーザレを、自らの手で救出するのだという物書きとしての野心のうちに求められるかもしれない。

3

塩野七生が、ブルクハルトと異なる、ある意味で対極に立つチェーザレ像を提出しようとしたことは、結果としてニッコロ・マキャヴェッリのチェーザレ像になかば回帰することになった。

チェーザレの同時代人であり、フィレンツェ共和国の外交官でもあったマキャヴェッリは、その不遇の時代に、復活への期待をこめて『君主論』を書きあらわした。マキャヴェッリは、君主はいかにあらねばならないかを詳細に論じたその書物の中で、すでに没落し、無残な死を遂げていたチェーザレを、新たに君主になった者が見習うべき人物として取り上げ、熱烈に語りつくした。

《ヴァレンティーノ公は、すばらしい勇猛心と力量の人であった。また、民衆をどのようにすれば手なずけることができるか、あるいは滅ぼすことができるかを、十分わきまえていた》（池田廉訳）

この『君主論』を軸に、マキャヴェッリの他の著作を読んでいくと、塩野七生にとってこのマキャヴェッリという人物が、いかに大きな存在であったかが理解できるようになる。チェーザレに対する見方ばかりでなく、政治理解の方法、だから人間理解の方法においても、深い影響を受けていることに気がつくのだ。

マキャヴェッリの政治観の本質は、《政治とは、可能性のアルテである》と捉えるところにある、と塩野七生は『イタリア共産党讃歌』の中で述べている。確かに、マキャヴェッリにとっての政治とは、いかに目的を達成するかという方策、あるいは手段の裡《うち》にしかない。そして、マキャヴェッリにとっての政治の目的とは、ただひとつ、強固な支配権を打ち立てるということにしかないのだ。そこにおいては、その支配権の正統性、手段の倫理性などということはまったく問題にならない。どのような理由からであれ、ひとたび支配権を手に入れたなら、問題はその支配権をいかに強固にするかというアルテ、つまり方策、手段にしかないのだ。

そのようなマキャヴェッリにとって、チェーザレが優れたアルテを駆使する優れた君主と眼に映じたとしても、少しも不思議ではない。

《敵から身を守ること、味方をつかむこと、力またははかりごとで勝利をおさめること、民衆から愛されるとともに恐れられること、兵士には命令を守らせるとともに尊敬されること、君主に向かって危害を加えうる、あるいは加えそうな連中を抹殺すること、古い制度を新しい方法で改革すること、厳格であるとともに丁重で、寛大で、闊達《かったつ》であること、忠実でない軍隊を廃して、新軍隊をつくること、自分に当然の尊敬をはらわせ、あるいは危害を加えるにも二の足を踏むように、国王や君侯たちとは親交を結ぶこと、以上すべてのことがらこそ、新君主国において、必要欠くべからざるものであると考える人にとって、彼の行動ぐらい生き生きした実例は見いだせないであろう》

チェーザレの「王国建設」という野望には、いささかもロマンティックなところがない。その「征服」の道程には、支配権の拡大と確立の最も効果的なアルテの連鎖しか見出すことができないはずである。たとえば、マジョーネの反乱によって窮地に立たされた時、じっと耐え、どうにか持ちこたえようとしているチェーザレが、マキャヴェッリに「あらゆることに気を配りながら、私は自分の時がくるのを待っている」と述べる。この「自分の時」という言葉には、しかし現代の私たちが考えたがる、いわゆる実存的な響きはみじんもない。あるのは、反乱を圧殺するための最も効果的なタイミングを見はからっている、政治における最も高度な技術者の眼、だけなのだ。

マキャヴェッリが『君主論』で主張していることのひとつに、支配者は残酷を恐れてはならぬということがある。中途半端な寛容さや憐《あわれ》みぶかさがどれほどの悲惨を生み出すことか、というのだ。

《たとえば、チェーザレ・ボルジアは、残酷な人物と見られていた。しかし、この残酷さがロマーニャの秩序を回復し、この地方を統一し、平和と忠誠を守らせる結果となったのである。とすると、よく考えれば、フィレンツェ市民が、冷酷非道の悪名を避けようとして、ついにピストイアの崩壊に腕をこまねいていたのにくらべれば、ボルジアのほうがずっと憐れみぶかかったことが知れる》

この逆説の中に、マキャヴェッリの政治観、人間観の中核がある。塩野七生の政治観、人間観は、それとまったくイコールではないが、少なくともその逆説を許容する性質のものであることは確かなようだ。それだからこそ、『ルネサンスの女たち』の中で、チェーザレの政治を《善悪の彼岸を行く壮大な政治》と呼ぶことに躊躇《ちゅうちょ》しなかったのだ。

ここに、チェーザレをなぜ書こうとしたのかという、二つ目の理由を見出すこともあるいは可能であるのかもしれない。すなわち、日本における政治とは、実現可能性のない理想主義的な目的を声高に叫ぶことか、目的のないその場かぎりのアルテを意味するかのどちらかでしかないが、そのような政治観にならされた日本の知的風土に、チェーザレ・ボルジアが体現していた政治の姿を提出することで、何らかの衝撃を与えようとしたのではないか、と考えることができるからだ。

興味深いのは、塩野七生がなぜこのような政治観を持つに到ったのかということである。その点について、彼女は最近「サイレント・マイノリティ」という連載エッセイの中で、珍らしく率直に自己を語っている。彼女はそこで、自らを昭和十二年生まれの人間のひとりと規定し、その世代的な特徴を《絶対的な何ものかを持っていない》ところに求めようとする。マルキシズムとも戦後民主主義ともある距離を置いて接せざるをえなかったその世代は、イデオロギーからの自由を手に入れ、同時にエモーショナルな行動に対する冷淡さを持つようになった、というのだ。

確かに、塩野の文章からは、価値からの自由さというところからくる、とてつもない寛容さと、それと裏腹の尖鋭《せんえい》な戦闘性を感じ取ることができる。つまり、背徳的といわれる行為をも、その自由さにおいて認める寛容さと、価値の鎖にしばられ自由を行使しえない者へのあからさまな嫌悪、軽蔑《けいべつ》を看て取ることができるのだ。

しかし、正義や理想や使命感といった類《たぐい》の言葉に対する反撥心も含めて、《絶対的な何ものかを持っていない》ことは、必ずしも世代に解消されうる特徴ではなく、塩野七生個人に帰せられる性向であると思われる。なぜなら、彼女よりひとつ下の世代に属するはずの私もまた、自分が《絶対的な何ものかを持っていない》ことを、常に意識しつづけているからだ。重要なことは、いずれにしても、彼女がそれひとつで世の中のすべてを律し切れるオールマイティーのイデオロギーなどを持とうとはしなかったということである。だからこそ、外部に絶対的なものを求めようとせず、自己にのみ忠実に生きたチェーザレの苛烈《かれつ》な生に、激しく感応することができたのだ。

4

チェーザレ・ボルジアとは、なによりもまず行動の人であった。塩野七生が好んで引用するマキャヴェッリの言葉によれば《めったにしゃべらない、しかし常に行動している男》ということになる。内面を想像させる手がかりをほとんど残さなかった彼の、私たちに見えるのはただ単に行動の軌跡だけである。そのようなチェーザレを、一篇の物語の主人公として描くには、それ相応の工夫が必要だったはずである。そして、塩野が『チェーザレ・ボルジアあるいは優雅なる冷酷』で採った方法は、チェーザレを注視していた者の視線によってその姿を浮き彫りにし、チェーザレが疾駆した周辺を描くことでその軌跡を浮き立たせようとすることであった。彼女は、賢明にも、数カ所の例外を除いて、チェーザレの内面をのぞき込むことをしていない。そのことが、逆にチェーザレ・ボルジアの冷えた鋼塊のような存在感と、その奥にひそんだ昏《くら》い狂熱を鮮明に描き出すことになった。

しかし、この『チェーザレ・ボルジアあるいは優雅なる冷酷』を読み終えたあとで、私たちにとって最大の謎《なぞ》として残るのは、あれほど卓抜した心理家であったチェーザレが、ピオ三世の死後の法王選挙で、なぜボルジア家の宿敵であるジュリアーノ・デッラ・ローヴェレの言葉を信じ、ジュリオ二世たることに協力してしまったのか、ということである。病後の肉体的な衰えからくる一時の判断の誤りであったのか、彼が最も大事なところで露呈してしまった人間的甘さなのか、あるいは、《彼は自分の気に入る者を教皇に選ぶことはできなかったにせよ、ある人が教皇につくのを阻止することはできたはずである》というマキャヴェッリの言葉にもかかわらず、ローヴェレと提携するしか道は残されていなかったのか。塩野七生は、それについては万感をこめて《彼は、賭《かけ》に、というよりは政治に敗れたのである》としか記さない。

マキャヴェッリは、このチェーザレの失敗について、イタリア統一の担い手を失ったという口惜しさをこめて、冷たく断罪している。《偉い人たちのあいだでは、新しい恩義によって昔の遺恨が水に流されるものであると考えるならば、それは大きなまちがいである。つまり、公はこの選挙でまちがいを犯し、やがて最後の破滅の原因をつくったのであった》

だが、そのチェーザレ像の形成に強くマキャヴェッリの影響を受けながら、塩野七生が彼と決定的に異なるのはこの点である。政治の最も高度な技術者としての君主に、むしろ苛酷な要求を突きつけているともいえるマキャヴェッリに対し、塩野はチェーザレのこの失敗を突き放して書こうとはしない。それまでの成功の道程を描いてきたと同じ筆致で描いていく。あとは破滅の道をただ死に向かって歩むより仕方のないチェーザレを、淡々と、というよりはむしろ暖く描いていく。

そして、その最期を、無残に、だから美しく書き上げることで、この夭折者《ようせつしゃ》を、どこかで掬《すく》い上げようとする。チェーザレをその行動の軌跡によってしか描かない塩野が、例外的に内面の描写をしているのが、この最期のシーンなのである。そして、それにつづいて記される《白い朝の光が、その周囲に流れていた。真紅のマントの外にのぞく、あお向けにささえられたチェーザレの青白い顔と、だらりと肩からたれ下った両腕の上を、冷たい春の朝の風が吹きすぎていった》という末尾の一節には、チェーザレという主人公への書き手の愛情がにじみ出ている。いや、ある意味で、女の、男への愛情のようなものまで感じ取ることができる。会ったこともなく、言葉をかわしたこともないはずのチェーザレという歴史上の人物に、低く抑えた恋唄をうたっているような感じさえ受けるのだ。ここに、チェーザレを描こうとした、もうひとつの理由があったのかもしれない、と推測することは決して許されないことではないだろう。塩野七生にとってチェーザレとは、あるべき男のひとつの極をいく人物であったのかもしれないのだから。

(昭和五十七年七月)

参考文献

Ⅰ．書簡、公文書、その他の原資料

図書館　（Biblioteca）

ヴァティカン、ローマ、ヴェネツィア、フィレンツェ、ボローニャ、パドヴァ、ペルージア、モデナ、ヴェローリ

古文書館　（Archivio）

ヴァティカン、ボローニャ、フィレンツェ、ミラノ、ヴェネツィア、マントヴァ、ファエンツァ、イーモラ、ペルージア、シエナ、リミニ

Ⅱ．当時の記録・年代記・歴史著作

発行年はできるだけ新しいものを取った。

ALBERI, E., *Le relazioni degli ambasciatori veneti al Senato durante il secolo XVI*, Firenze, 1839-63.

ARCHIVIO STORICO ITALIANO, Firenze, 1842-54: *Storia di Milano scritta da Giovan Pietro Cagnola*（1023-1497）; *Storia di Milano scritta da Giovanni Andrea Prato*（1499-1519）; *Cronaca di Milano scritta da Giovan Marco Burigozzo*（1500-1544）; *Degli Annali Veneti dall'anno 1457 al 1500 del Senatore Damenico Malipiero, ordinati ed abbreviati dal Senatore Francesco Longo*; *Documenti per servire alla storia della Milizia Italiana dal XIII al XVI secolo raccolti negli Archivi della Toscana e preceduti da un discorso di G. Canestrini*; *Cronaca della città di Perugia dal 1492 al 1503 di Francesco Matarazzo detto Maturanzio*; *Memorie perugine di Teseo Alfani dal 1502 al 1527*; d'ARCO, C., *Notizie di Isabella Estense moglie a Francesco Gonzaga, aggiuntivi molti documenti inediti che si riferiscono alla stessa Signora, all'istoria di Mantova ed a quella generale d'Italia*; *Documenta aliquot quae ad Romani Pontificis notarios et curiales pertinent*.

BERNARDI, A.（NOVACULA）, *Cronache forlivesi*, Bologna, 1896.

BURCHARDI, J., *Diarium sive rerum Urbanarum commentarii ab Anno MCDLXXXIII ad Annum MDVI*, Paris, 1833-85.

CONTI di FOLLIGNO, S. dei, *Le storie dei suoi tempi dal 1475 al 1510*, Roma, 1883.

CORIO, B., *Hoistoria di Milano*, Venezia, 1554.
D'AUTON, J., *Chroniques de Louis XII*, Paris, 1889.
GIOVIO, P., *Illustrium virorum vitae*, Firenze, 1551.
GIUSTINIAN, A., *Dispacci*, Firenze, 1886.
GUICCIARDINI, F., *Storia d'Itala*, Roma, 1968.
GUICCIARDINI, L., *Storie fiorentine dal 1378 al 1509*, Bari, 1931.
INFESSURA, S., *Diario della città di Roma* (1294-1494), Roma, 1890.
MACHIAVELLI, N., *Opere complete*, Milano, 1960-65;『マキアヴェリ』(「世界の名著」第16巻，会田雄次責任編集，「君主論」池田廉訳，「政略論」永井三明訳)，東京，1966.
NOTAR, G., *Cronaca di Napoli*, Napoli, 1845.
RERUM ITALICARUM SCRIPTORES,《Editio Palatina》Ludovico Antonio Muratori, Milano, 1733: *Marini Sanuti Leonardi filii patricii veneti De origine urbis Venetae et Vita omnium Ducum* (1421-1493); *Storia della Repubblica Veneziana scritta da Andrea Navagiero, Patrizio Veneto*.
RERUM ITALICARUM SCRIPTORES,《Editio Altera》G. Carducci & V. Fiorini, Città di Castello-Bologna, 1900-: *Il diario nomano di Gaspare Pontani* (1481-1492); *Iacobi Volterrani Diarium Romanum ab Anno MCCCCLXXIX ad Annum MCCCCLXXIV*; *Diario de Sebastiano de Branca Tedallini* (1485-1524); *Diario di Antonio de Vascho* (1480-1492); PRIULI, G., *I Diarii* (1494-1512); *Diario Ferrarese dall'anno 1409 fino al 1502 di autori incerti*; ZAMBOTTI, B., *Diario ferrarese* (1476-1504).
SANUDO, M., *I Diarii* (1496-1533), Venezia, 1879-1903.

Ⅲ．後代歴史家の著作

ADEMOLLO, A., *Alessandro VI, Giulio II e Leone X nel carnevale di Roma. 1499-1520*, Firenze, 1886; *Lucrezia Borgia e la verità,*《Archivio Storico Provinciale di Roma》, Roma, 1887.
ALVISI, E., *Cesare Borgia, duca di Romagna. Notizie e documenti*, Imola, 1878.
BELLONCI, M., *Lucrezia Borgia*, Milano, 1931.
BELTRAMI, L., *Leonardo e il porto di Cesenatico*, Milano, 1903.
BENOIST, C., *César Borgia, l'original du Prince*,《Revue des Deax Mondes》XXXVI (1906); *Le Machiavelisme avant Machiavel*, Paris, 1907.

BERNALDEZ, A., *Historia de los Reyes Católicos Don Fernando y Dona Isabel*, Madrid, 1878.
BONARDI, A., *Venezia e Cesare Borgia*, 《Atti della Regia Deputazione Veneta di Storia Patria》, Venezia, 1909-10.
BRION, M., *Le Pape et le Prince*, Paris, 1953.
BURCKHARDT, J., 『イタリア・ルネサンスの文化』(柴田治三郎訳), 東京, 1966.
CARACCIOLO, A., *Un ratto di Cesare Borgia*, Napoli, 1921.
CERRI, D., *Borgia, ossia Alessandro VI Papa e i suoi contemporanei*, Torino, 1873.
CHERRIER, C., *Historie de Charles VIII*, Paris, 1868.
CINELLI, C., *Pandolfo Colle nuccio e Pesaro ai suoi tempi*, Pesaro, 1880.
CIPOLLA, C., *Storia delle Signorie Italiane dal 1313 al 1530*, Milano, 1881.
COGNASSO, F., *Società e costume. L'Italia nel Rinascimento*, Torino, 1965.
CROCE, B., *La Spagna nella vita italiana durante la Rinascenza*, Bari, 1922.
DELL'ORO, I., *Il segreto dei Borgia*, Milano, 1938.
DE ROO, P., *Material for a history of pope Alexander VI*, Bruges, 1924.
DUPRE'-THESEIDER, E., *Niccolò Machiavelli diplomatico. L'arte della diplo mazia nel '400*, Como, 1945.
ERCOLE, F., *Da Carlo VIII a Carlo V. La crisi della libertà italiana*, Firenze, 1932.
FELICIANGELI, B., *Il matrimonio di Lucrezia Borgia con Giovanni Sforza signore di Pesaro*, Torino, 1901.
FERRARA, O., *Il papa Borgia*, Milano, 1953.
FUSERO, C., *Cesare Borgia*, Milano, 1958; *I Borgia*, Milano, 1966.
GALLI, R., *Imola tra la Signoria e la Chiesa*, Bologna, 1927.
GALLIER, A., *César Borgia, duc de Valentinois, et documents inédits sur son séjour en France*, Paris, 1895.
GARNET, J.L., *Caesar Borgia. A study of the Renaissance*, London, 1912.
GASPERONI, G., *Saggio di studi storici sulla Romagna*, Imola, 1902.
GREGOROVIUS, F., *Geschichte der Stadt Rom im Mittelalter, vom V bis zum XVI Jahrhundert*, Stuttgart, 1886-96; *Lucrezia Borgia. Secondo documenti e carteggi del tempo*, Firenze, 1874.
LAMANSKY, Vl., *Secrets d'Etat de Venise*, St. Petersbourg, 1884.
LA TORRE, F., *Del conclave di Alessandro VI PP. Borgia*, Firenze, 1933.

LEONETTL, A., *Papa Alessandro VI, secondo documenti e carteggi del tempo*, Bologna, 1880.

LETI, G., *Vita di Cesare Borgia*, Milano, 1855.

LISINI, A., *Relazioni fra Cesare Borgia e la repubblica senese*, Siena, 1900.

LUZIO, A., *Isabella d'Este e Borgia. Con nuovi documenti*, Milano, 1916.

MARINELLI, L., *Caterina Sforza alla difesa dei suoi domini nella Romagna*, 《S.P. R.》 IV, 21 & 22, Bologna, 1932.

MEDIN, A., *Il Duca Valentino nella mente di Niccolò Machiavelli*, 《Rivista Europea》, Firenze, 1885.

MENOTTI, M., *I Borgia. Documenti inediti sulla famiglia e la corte di Alessandro VI*, Roma, 1917.

OLLIVIER, M., *Le pape Alexandre VI et les Borgia*, Paris, 1870.

ONIEVA, A., *César Borgia*, Madrid, 1945.

PASOLINI, P.D., *Caterina Sforza*, Roma, 1893; *Nuovi documenti su Caterina Sforza*, Bologna, 1897.

PASTOR, L. von, *Geschichte der Päpste seit dem Ausgang des Mittelalters*, Freiburg i. Br., 1901-30.

PEPE, G., *La politica dei Borgia*, Napoli, 1945.

PIERI, P., *Intorno alla polittica estera di Venezia al principio del '500*, Napoli, 1934; *Il Rinascimento e la crisi militare italiana*, Torino, 1952.

PORTIGLIOTTI, G., *Rinascimento. Porpora, pugnali, etère*, Milano, 1924; *I Borgia*, Milano, 1907.

RICOTTI, E., *Storia delle compagnie di ventura in Italia*, Torino, 1847.

RIDOLFI, R., *Vita di Niccolò Machiavelli*, Firenze, 1954.

RODRIGUEZ VILLA, A., *Crónica del Gran Capitano*, Madrid, 1908.

ROMANIN, S., *Storia documentata di Venezia*, Venezia, 1852.

SABATINI, R., *The Life of Cesare Borgia*, London, 1912.

SACERDOTE, G., *Cesare Borgia*, Milano, 1950.

SISMONDI, S. de, *Histoire des Republiques Italiennes du Moyen âge*, Paris, 1809-18.

SOLMI, E., *Leonardo*, Firenze, 1923.

SORANZO, G., *Studi intorno a papa Alessandro VI Borgia*, Milano, 1951.

TOMASI, T., *Vita del duca Valentino*, Montechiaro, 1655.

TRUC, G., *Rome et les Borgia*, Paris, 1929.

VILLARI, P., *Niccolò Machiavelli e i suoi tempi*, Milano, 1927; *La storia di Gerolamo Savonarola e dei suoi tempi*, Firenze, 1926.

WOODWARD, W.H., *Cesare Borgia*, London, 1913.

YRIARTE, C., *César Borgia*, Paris, 1889; *Autour des Borgia*, Paris, 1891.

図版出典一覧

カバー		ローマ、カエターニ財団所蔵のチェーザレの剣
p.	14	チェーザレ・ボルジアの横顔　パオロ・ジョーヴィオ著『偉人伝』(1575年) の挿画 © Roma, Biblioteca Nazionale (su concessione del Ministero per i Beni e le Attivà Culturali)
p.	16左上	「チェーザレ・ボルジア肖像」 アルトベッロ・メローネ画　アカデミア・カッラーラ美術館 (ベルガモ/イタリア) © Scala, Firenze
	右下	インノチェンツォ・ダ・イーモラ画　ボルゲーゼ美術館 (ローマ) © Archivio Fotografico Soprintendenza Beni Artistici e Storici di Roma
	左下	「キリストの復活と礼拝する法王アレッサンドロ六世」より　ピントゥリッキオ画　ヴァティカン美術館 © Archivi Alinari, Firenze
p.	17右上	「聖カタリナの論議」より　ピントゥリッキオ画　ヴァティカン美術館　© Archivi Alinari, Firenze
	左上	同上　© Archivi Alinari, Firenze
	下	同上　© Archivi Alinari, Firenze
p.	22	図版　作製:綜合精図研究所
p.	35	「聖カタリナの論議」より　ピントゥリッキオ画　ヴァティカン美術館　© Archivi Alinari, Firenze
p.	55	ウフィッツィ美術館ジョヴァナ・コレクション (フィレンツェ) © Archivi Alinari, Firenze
p.	59	図版　作製:綜合精図研究所

p. 63　図版　作製：綜合精図研究所

p. 114　作者不詳　ウィンザー城王室コレクション（イギリス） The Royal Collection
© 2001, Her Majesty Queen Elizabeth II

p. 122　図版　作製：綜合精図研究所

p. 142　ロレンツォ・クレディ画　フォルリ市立美術館（フォルリ／イタリア）
© Foto Liverani di Liverani Monica, Forlì

p. 155　「ローマの七つの教会」 アントワーヌ・ラフレリー画 ローマ出版資料館（Gabinetto delle Stampe di Roma）
© Istituto Nazionale per la Grafica, Roma（per gentile concessione del Ministero per i Beni e le Attività Culturali）

p. 216　ラファエッロ・サンツィオ画　ウフィッツィ美術館
© Scala, Firenze

p. 224　サンティ・ディ・ティート画　パラッツォ・ヴェッキオ（フィレンツェ） © Archivi Alinari, Firenze

p. 233　自画像　王立図書館（トリノ／イタリア）
© Archivi Alinari, Firenze

p. 239　ウィンザー城王室コレクション　The Royal Collection
© 2001, Her Majesty Queen Elizabeth II

p. 354　「ボルセーナのミサ」より　ラファエッロ・サンツィオ画　ヴァティカン美術館
© Archivi Alinari, Firenze

この作品は一九七〇年三月新潮社より刊行された。

塩野七生著
イタリア遺聞
生身の人間が作り出した地中海世界の歴史。そこにまつわるエピソードを、著者一流のエスプリを交えて読み解いた好エッセイ。

塩野七生著
イタリアからの手紙
ここ、イタリアの風光は飽くまで美しく、その歴史はとりわけ奥深く、人間は複雑微妙だ。——人生の豊かな味わいに誘う24のエセー。

塩野七生著
サロメの乳母の話
オデュッセウス、サロメ、キリスト、ネロ、カリグラ、ダンテの裏の顔は？「ローマ人の物語」の作者が想像力豊かに描く傑作短編集。

塩野七生著
ルネサンスとは何であったのか
イタリア・ルネサンスは、美術のみならず、人間に関わる全ての変革を目指した。その本質を知り尽くした著者による最高の入門書。

塩野七生著
海の都の物語
—ヴェネツィア共和国の一千年—
サントリー学芸賞（1〜6）
外交と貿易、軍事力を武器に、自由と独立を守り続けた「地中海の女王」ヴェネツィア共和国。その一千年の興亡史を描いた歴史大作。

塩野七生著
神の代理人
信仰と権力の頂点から見えたものは何だったのか——。個性的な四人のローマ法王をとりあげた、塩野ルネサンス文学初期の傑作。

塩野七生著

ローマ人の物語 27・28
すべての道はローマに通ず
（上・下）

街道、橋、水道——ローマ一千年の繁栄を支えた陰の主役、インフラにスポットをあてる。豊富なカラー図版で古代ローマが蘇る！

塩野七生著

ローマ人の物語 29・30・31
終わりの始まり
（上・中・下）

空前絶後の帝国の繁栄に翳りが生じたのは、賢帝中の賢帝として名高い哲人皇帝の時代だった——新たな「衰亡史」がここから始まる。

塩野七生著

ローマ人の物語 32・33・34
迷走する帝国
（上・中・下）

皇帝が敵国に捕囚されるという前代未聞の不祥事がローマを襲う——。紀元三世紀、ローマ帝国は「危機の世紀」を迎えた。

塩野七生著

ローマ人の物語 35・36・37
最後の努力
（上・中・下）

ディオクレティアヌス帝は「四頭政」を導入。複数の皇帝による防衛体制を構築するも、帝国はまったく別の形に変容してしまった——。

塩野七生著

ローマ人の物語 38・39・40
キリストの勝利
（上・中・下）

ローマ帝国はついにキリスト教に呑込まれる。帝国繁栄の基礎だった「寛容の精神」は消え、異教を認めぬキリスト教が国教となる——。

塩野七生著

ローマ人の物語 41・42・43
ローマ世界の終焉
（上・中・下）

ローマ帝国は東西に分割され、「永遠の都」は蛮族に蹂躙される。空前絶後の大帝国はいつ、どのように滅亡の時を迎えたのか——。

城山三郎著
雄気堂々（上・下）
一農夫の出身でありながら、近代日本最大の経済人となった渋沢栄一のダイナミックな人間形成のドラマを、維新の激動の中に描く。

城山三郎著
男子の本懐
〈金解禁〉を遂行した浜口雄幸と井上準之助。性格も境遇も正反対の二人の男が、いかにして一つの政策に生命を賭したかを描く長編。

城山三郎著
落日燃ゆ
毎日出版文化賞・吉川英治文学賞受賞
戦争防止に努めながら、A級戦犯として処刑された只一人の文官、元総理広田弘毅の生涯を、激動の昭和史と重ねつつ克明にたどる。

山崎豊子著
華麗なる一族（上・中・下）
大衆から預金を獲得し、裏では冷酷に産業界を支配する権力機構〈銀行〉――野望に燃える万俵大介とその一族の熾烈な人間ドラマ。

山崎豊子著
不毛地帯（一～五）
シベリアの収容所で十一年間の強制労働に耐え、帰還後、商社マンとして熾烈な商戦に巻き込まれてゆく元大本営参謀・壹岐正の運命。

山崎豊子著
二つの祖国（一～四）
真珠湾、ヒロシマ、東京裁判――戦争の嵐に翻弄され、身を二つに裂かれながら、祖国を探し求めた日系移民一家の劇的運命を描く。

新潮文庫最新刊

野口卓著
からくり写楽
―蔦屋重三郎、最後の賭け―
〈謎の絵師・写楽〉は、なぜ突然現れ不意に消えたのか。そのすべてを知る蔦屋重三郎の奇想天外な大仕掛けを描く歴史ミステリー。

真梨幸子著
極限団地
―一九六一 東京ハウス―
築六十年の団地で昭和の生活を体験する二組の家族。痛快なリアリティショー収録のはずが、失踪者が出て……。震撼の長編ミステリ。

幸田文著
雀の手帖
多忙な執筆の日々を送っていた幸田文が、何気ない暮らしに丁寧に心を寄せて綴った名随筆。世代を超えて愛読されるロングセラー。

安部公房著
死に急ぐ鯨たち・もぐら日記
果たして安部公房は何を考えていたのか。エッセイ、インタビュー、日記などを通して明らかとなる世界的作家、思想の根幹。

燃え殻著
これはただの夏
僕の日常は、嘘とままならないことで埋めつくされている。『ボクたちはみんな大人になれなかった』の燃え殻、待望の小説第2弾。

ガルシア＝マルケス
鼓直訳
百年の孤独
蜃気楼の村マコンドを開墾して生きる孤独な一族、その百年の物語。四十六言語に翻訳され、二十世紀文学を塗り替えた著者の最高傑作。

チェーザレ・ボルジア
あるいは優雅《ゆうが》なる冷酷《れいこく》

新潮文庫　し－12－2

昭和五十七年九月二十五日　発行
平成二十五年二月十五日　五十九刷改版
令和六年十月二十五日　六十六刷

著者　塩《しお》野《の》七《なな》生《み》

発行者　佐藤隆信

発行所　株式会社　新潮社
郵便番号　一六二―八七一一
東京都新宿区矢来町七一
電話　編集部(〇三)三二六六―五四四〇
　　　読者係(〇三)三二六六―五一一一
https://www.shinchosha.co.jp

価格はカバーに表示してあります。

乱丁・落丁本は、ご面倒ですが小社読者係宛ご送付ください。送料小社負担にてお取替えいたします。

印刷・錦明印刷株式会社　製本・錦明印刷株式会社

ISBN978-4-10-118102-8 C0193